Philipp Thull (Hrsg.)

Papst und Ökumene – ein Widerspruch!?

Philipp Thull (Hrsg.)

Papst und Ökumene – ein Widerspruch!?

Ökumenische Perspektiven des Papstamtes

EVANGELISCHE VERLAGSANSTALT
Leipzig

BONIFATIUS

Bibliografische Information der Deutschen Nationalbibliothek
Die deutsche Nationalbibliothek verzeichnet diese Publikation in der Deutschen Nationalbibliografie; detaillierte bibliografische Daten sind im Internet über http://dnb.ddb.de abrufbar.

Umschlagfoto: Wikipedia commons © Korea.net / Korean Culture and Information Service
Umschlaggrafik: Christian Knaak, Dortmund

ISBN 978-3-89710-637-6 (Bonifatius)
ISBN 978-3-374-04153-4 (Evangelische Verlagsanstalt)

Gesamtherstellung:
Bonifatius GmbH Druck · Buch · Verlag Paderborn

Inhalt

Vorwort des Herausgebers

Seit dem historisch bedeutsamen Amtsverzicht Papst Benedikts XVI. und der anschließenden Wahl Jorge Mario Bergoglios zum 266. Nachfolger des Apostels Petri, ist das höchste Amt der katholischen Kirche auf neue Weise in den Blickpunkt öffentlicher Wahrnehmung gelangt. Der Papst aus Argentinien erfreut sich bisweilen hoher Beliebtheit. „Schon nach wenigen Monaten hat Papst Franziskus nicht nur große Sympathien, sondern auch den Ruf eines progressiven Reformers errungen. 69 Prozent der gesamten Bevölkerung und 79 Prozent der Katholiken [in Deutschland] mögen diesen Papst; 56 Prozent der Bürger, 68 Prozent der Katholiken, halten ihn für fortschrittlich und reformbereit“[1].

So erfreulich diese Nachricht auf den ersten Blick auch scheint, so ernüchternd ist sie in ökumenischer Hinsicht. Theologisch wirft dieses Amt, das Franziskus bekleidet, nämlich große Fragen auf. Noch immer stellt die Lehre vom Primat des Papstes einen großen, schier unüberwindlichen Stein des Anstoßes im ökumenischen Miteinander dar, denn „alle anderen Kirchen – ohne Ausnahme – lehnen in ihren öffentlichen Stellungnahmen die rechtliche Form ab, die das Papstamt in der römisch-katholischen Kirche besitzt“[2]. Nicht grundlos erklärte Papst Paul VI. 1967 gegenüber dem Sekretariat für die Einheit der Christen, dass der Papst „zweifelsohne das größte Hindernis auf dem Weg der Ökumene“[3] sei.

Darum lud Papst Johannes Paul II. in seiner am 25. Mai 1995 promulgierten Enzyklika *‚Ut unum sint‘* dazu ein, miteinander nach Formen der Primatsausübung zu suchen, „‚in denen dieser Dienst einen von den einen und anderen anerkannten Dienst der Liebe zu verwirklichen vermag‘“.[4] Wohl wissend, diese ungeheure Aufgabe nicht allein zu Ende bringen zu können, unterbreitete er den kirchlichen Verantwortlichen und Theologen den Vorschlag, mit ihm „einen brüderlichen, geduldigen Dialog aufzunehmen, bei dem wir jenseits fruchtloser Polemiken einander

---

[1] R. Köcher, Hohe Erwartungen, in: FAZ Nr. 295 vom 19. Dezember 2013; vgl. auch Allensbacher Archiv, IfD-Umfrage 11017, November 2013.

[2] W. Klausnitzer, Ist der Papst „das größte Hindernis auf dem Weg der Ökumene“ (Paul VI.)? Das Amt des Papstes – Anspruch und Widerspruch, in: J. Brosseder / W. Sanders, Der Dienst des Petrus in der Kirche. Orthodoxe und reformatorische Anfragen an die katholische Theologie, Frankfurt a. M. 2002, 85-101, 87.

[3] Papst Paul VI., Ansprache vom 28. April 1967, in: AAS 59 (1967) 498.

[4] Papst Johannes Paul II., Enzyklika Ut unum sint über den Einsatz für die Ökumene, Bonn 1995, hrsg. vom Sekretariat der Deutschen Bischofskonferenz (Veröffentlichungen des Apostolischen Stuhls, 121), Nr. 95

anhören könnten, wobei wir einzig und allein den Willen Christi für seine Kirche im Sinne haben und uns von seinem Gebetsruf durchdringen lassen: ‚... sollen auch sie eins sein, damit die Welt glaubt, daß du mich gesandt hast' (Joh 17, 21)".[5]

Machen wir uns nichts vor: die trennenden Mauern sind noch nicht durchbrochen. Leider sind wir in den seither vergangenen zwanzig Jahren, wie Papst Franziskus in seinem Apostolischen Schreiben *‚Evangelii Gaudium'* kritisch bemerkt, nur „wenig vorangekommen"[6]. Eine Stärkung der einzelnen Teilkirchen, eine Anerkennung und Urbarmachung regionaler und kultureller Eigentraditionen sowie eine Etablierung echter Kollegialität des Bischofsamtes ist in der katholischen Kirche erst noch im Vollzug. Der notwendige Ausgleich zwischen hierarchischer und kommunialer Ekklesiologie ist noch keineswegs erzielt. Zwanzig Jahre nach Promulgation der Ökumene-Enzyklika *‚Ut unum sint'* besteht Anlass genug, erneut und entschiedener danach zu fragen, wie nah oder fern wir der Vision eines, die christlichen Kirchen in Liebe (ver-)einenden, keine Seite überfordernden Dienstes, der „Symbol der Hoffnung, der Einheit und des Friedens in Freiheit und gegenseitiger Liebe"[7] sein will, am Beginn des 21. Jahrhunderts wirklich stehen.

Mit seinem überraschenden Amtsverzicht hat Papst Benedikt XVI., der stets als Brückenbauer fungierte und dem das Streben nach der Einheit der Kirche immer ein Herzensanliegen war, das Papstamt in gewisser Weise entmystifiziert, es entzaubert, ja ihm sein menschliches Antlitz zurückgegeben und es von sakraler Überhöhung gelöst. Gerade die (selbst-)kritische und -bescheidene Amtsführung Papst Franziskus' kann nun dazu beitragen helfen, der im vergangenen Jahrtausend in der römisch-katholischen Kirche teilweise heraufbeschworenen juridisch-monarchischen Überbetonung des päpstlichen Primats entgegenzuwirken und fünfzig Jahre nach Abschluss des Zweiten Vatikanischen Konzils[8] (1962-1965), „in einer heilsamen ‚Dezentralisierung' voranzuschreiten"[9],

---

[5] Ebd., Nr. 96.

[6] Papst Franziskus, Apostolisches Schreiben Evangelii Gaudium des Heiligen Vaters, Bonn 2013, hrsg. vom Sekretariat der Deutschen Bischofskonferenz (Verlautbarungen des Apostolischen Stuhls; 194), Nr. 32.

[7] W. Kasper, Das Petrusamt als Dienst der Einheit. Die Lehre des I. und II. Vatikanischen Konzils und die gegenwärtige Diskussion, in: V. v. Aristi u. a. (Hrsg.), Das Papstamt. Dienst oder Hindernis für die Ökumene?, Regensburg 1985, 113-138, 136.

[8] Vgl. P. Thull (Hrsg.), Ermutigung zum Aufbruch. Eine kritische Bilanz des Zweiten Vatikanischen Konzils, Darmstadt 2013.

[9] Papst Franziskus, Apostolisches Schreiben Evangelii Gaudium des Heiligen Vaters, Bonn 2013, hrsg. vom Sekretariat der Deutschen Bischofskonferenz (Verlautbarungen des Apostolischen Stuhls; 194), Nr. 16.

zu einer wirklichen „Neuausrichtung des Papstamtes“ zu gelangen, „dem Aufruf zu einer pastoralen Neuausrichtung zu folgen“[10] und damit zu einem neuen ökumenischen und geschwisterlichen Miteinander zu finden. Wer weiß heute schon, welche Überraschungen die Zukunft mit sich bringen wird?

Die Glaubwürdigkeit der Christen in der Welt hängt letzten Endes auch davon ab, inwieweit es ihnen auf dem unumkehrbaren Wege zur Einheit gelingt, immer und immer wieder den ehrlich gemeinten Austausch zu suchen. In diesem Sinne sei dieses Sammelwerk ein weiterer Beitrag zur wissenschaftlichen Durchdringung dieses wichtigen, noch keineswegs vollständig ergründeten Themenkomplexes.

Ein besonders herzlicher Dank gilt an dieser Stelle allen Autorinnen und Autoren für die Abfassung ihrer Beiträge, die zu jenen Vorschlägen gezählt werden dürfen, „die darauf gerichtet sind, dass eine Ausübung“ des päpstlichen Amtes „der Bedeutung, die Jesus Christus ihm geben wollte, treuer ist und mehr den gegenwärtigen Notwendigkeiten der Evangelisierung entspricht“[11], dem Bonifatius-Verlag und der Evangelischen Verlagsanstalt für die Aufnahme in ihre jeweiligen Verlagsprogramme sowie den katholischen Bistümern Münster und Trier für ihre Unterstützung.

Hildesheim, im Herbst 2015

Philipp Thull

[10] Ebd., Nr. 32.
[11] Ebd.

Bischof Anba Damian

Zum Geleit: Eine Würdigung Papst Benedikts XVI.

Der römisch-katholische Papst ist das Oberhaupt der größten christlichen Kirche dieser Erde mit einer Mitgliederzahl von über 1,2 Milliarden Christen weltweit. Für diese verantwortungsvolle Aufgabe und für diesen ehrenvollen Dienst wählen die Kardinäle nach intensiven Gebeten den am besten geeigneten aus ihrer Reihe.

Wir glauben, dass nicht nur die menschliche Fähigkeit, die Intelligenz, der außergewöhnliche theologische Kenntnisstand, die Tugend, die Frömmigkeit, die Spiritualität, die Nächstenliebe, die Keuschheit, die Bescheidenheit, die Demut und der gute Ruf, sondern auch die außergewöhnliche Wirkung des Heiligen Geistes und die reichliche Gnade des Heiligen Geistes, die den Papst begleiten, führen, weisen, schützen und ihm helfen, seinen sehr würdevollen, sensiblen und verantwortungsvollen Dienst zu leisten.

Vor allem, und das besagt der Titel, handelt es sich um einen Vater der christlichen katholischen Gemeinde weltweit. Ein Vater kann sich von seinen Kindern nicht trennen. Er bleibt ein Vater ewiglich.

Jedoch ist das Oberhaupt der Kirche auch für seine eigene Erlösung verantwortlich. Die unbeschreiblich hohe Verantwortung seines Dienstes darf nicht auf Kosten seines spirituellen Lebens ausgeübt werden. Dieses hat der heilige Paulus bereits erkannt. Seine enormen missionarischen Erfolge haben ihn von der Erlösung seiner eigenen Seele nicht abgelenkt. Er sagte: „Was nützt es mir, wenn ich viele Menschen zu Gott führe, ich dabei aber meine eigene Erlösung vernachlässige?"

Es gewinnt meine Hochachtung, meinen Respekt und meine Anerkennung, wenn Seine Heiligkeit Papst Benedikt XVI. auf den Status des höchsten Würdenträgers der Welt, auf den Status eines Staatspräsidenten sowie auf sonstige Ämter und Titel verzichtet, um sich an Gott zu wenden als ein einfacher Mönch und als eine erlösungsbedürftige Seele.

Er ließ sich von allen Ehren und von allem Ruhm nicht ablenken. Stattdessen legte er einen großen Wert auf seine eigene Erlösung und Ewigkeit. Er war von der Macht nicht besessen.

Er hat seine letzte Stunde in seinem Papstamt zu keinem Zeitpunkt aus seinen Augen verloren. Wahrhaftig haben unsere Wüstenväter erkannt und es deutlich zum Ausdruck gebracht, dass es schwierig ist, eine leitende Funktion dieser Art zu übernehmen und dabei die eigene Erlösung und das spirituelle Leben mit Tapferkeit zu gestalten.

Der Prophet Salomon hat es bereits in der Weisheit genau geschildert, dass derjenige, der sich selbst beherrscht, wertvoller ist oder besser ist als derjenige, der eine ganze Stadt regiert.
Papst Benedikt hat mit seinem unerwarteten Rücktritt die Würdenträger wachgeschüttelt bzw. sie aus der Taubheit, aus der Trunkenheit, aus der falschen Sicherheit ihres Amtes reanimiert.
Plötzlich standen Jesus und die Ewigkeit und nicht die von Menschen organisierten protokollarischen Vorschriften im Vordergrund. Das heißt, die Vorbereitung für die letzte Stunde ist viel wichtiger als die Vorbereitungen zu den wichtigsten irdischen und internationalen Veranstaltungen.
Papst Benedikt hat für die Ehre und für den Ruf seiner Landsleute, für das deutsche Volk einen ehrenvollen Beitrag geleistet. Er hat das deutsche Volk in das richtige wohlverdiente Tageslicht der Welt gerückt. Papst Benedikt hat nicht nur die Ehre des Petrusnachfolgers genossen, sondern er hat dadurch dem Stuhl Petri seinen Glanz und seine Würde zurückgegeben. Papst Benedikt hat nicht nur die Geschichte studiert und unterrichtet, sondern er hat einen großartigen Beitrag in dieser 2000-jährigen Geschichte der Kirche Christi geleistet. Er hat die 2000-jährige Geschichte geprägt, und er wird in diese als eine überragende Persönlichkeit eingehen.
Gemäß der Geschichte unserer Wüstenväter ist dieses Gedankengut bzw. diese Entscheidung jedoch nicht fremd. Denn es ist nicht von ungefähr so gewesen, dass man die Papstkandidaten teilweise gefesselt und zwangsweise gegen ihren eigenen Willen zum Papst wählte.
Einige Bischöfe, die vom Status der Eremiten zwanghaft zu Bischöfen geweiht wurden und ihre Wüste unfreiwillig verlassen mussten, kehrten doch freiwillig zu ihrer Eremitage zurück, um die intensive und tröstende göttliche Beziehung wieder erfahren bzw. herstellen zu können.
Meine persönlichen Begegnungen mit Kardinal Ratzinger und später Papst Benedikt in Hamburg, Köln, Regensburg, Berlin und Freiburg bleiben in meinem Herzen unvergesslich.
Seine Bescheidenheit, Unkompliziertheit, charismatische Ausstrahlung, sein Wissen und sein Wortschatz haben mich tief beeindruckt. Die Liebe Seiner Heiligkeit zur Orthodoxie war nicht zu übersehen. Allein sein Besuch in der Türkei und seine Begegnung mit dem ökumenischen Partriarchen in Konstantinopel, Seiner Heiligkeit Partriarach Bartholomäus hätten beinahe sein Leben gekostet. Trotz aller Warnungen und trotz der Gefahr ist er mit vollem Bewusstsein in die Türkei gereist, um seine Solidarität und seinen Beistand zur Orthodoxen Kirche vertretend durch Seine Heiligkeit, den ökumenischen Patriarchen Bartholomäus, zu bekunden.
Schon die Begegnung mit ihm bei dem Weltkirchentag der Jugend in Köln im Jahr 2005 zeigte seine besondere Sympathie zu den altorientalischen

Kirchen. Als ich die Grüße Seiner Heiligkeit Papst Shenuda III. überbracht habe, erwiderte er sie liebevoll mit den besten Wünschen, respektvoll und in höflichster Form. Das Geschenk, das ich ihm überreichte in Form einer mit Perlmutt verzierten Schatulle aus Holz sowie ein Amtskreuz aus Holz, verziert mit Perlmutt, haben bei ihm eine besondere Freude ausgelöst. Er hat das Kreuz liebevoll geküsst und sein Haupt vor dem Kreuz in Demut und Bescheidenheit geneigt.

Die Begegnung in Freiburg im Priesterseminar mit Vertretern der Orthodoxen und Altorientalisch Orthodoxen Kirchen war so herzlich und liebevoll, dass er am darauf folgenden Tag angeordnet hat, zum Erstaunen und zur Überraschung des Protokollchefs des Gottesdienstes, dass die Würdenträger der Orthodoxen und Altorientalischen Kirchen mit ihren katholischen Würdenträgern bei dem von ihm persönlich geleiteten Gottesdienst am Altar nebeneinander sitzen durften.

Die mutige, klare und ehrliche Aussage Seiner Heiligkeit bei seiner berühmten Rede in Regensburg in Bezug auf die Einstellung zu anderen Religionen zeichnen ihn aus und verleihen ihm die Krone der Glaubenshelden. Ich wünsche Seiner Heiligkeit weiterhin die Gnade des heiligen Geistes, die Kraft Gottes und den Frieden unseres Herren und Erlösers Jesus Christus.

Matthias Ring

Der Karneval ist vorbei

Das Ende einer Inszenierung

Rosenmontag 2013. Der Papst schafft etwas, was bislang allenfalls bei großen Katastrophen denkbar schien: Der WDR unterbricht die Übertragung vom Kölner Rosenmontagszug, um aus Rom zu berichten, wo Benedikt XVI. eben erklärt hatte, er gedenke zurückzutreten. Er werde also das tun, was sein Vorgänger, Johannes Paul II., selbst angesichts fortgeschrittenen Siechtums und bei zu vermutender stark eingeschränkter Amtsfähigkeit abgelehnt hatte. Christus sei schließlich auch nicht vom Kreuz gestiegen, ließ dieser damals verlauten – und hat damit eine Parallele zwischen päpstlicher Kathedra und Kreuz hergestellt, die man durchaus kritisch sehen kann.

Benedikts „Rosenmontagscoup" bescherte uns eine intensive Diskussion über die Konsequenzen dieses Schrittes für das Verständnis des Papstamtes. Zwei Gedanken tauchen dabei immer wieder auf. Zum einen wird darauf hingewiesen, dass durch einen Rücktritt etwas getrennt werde, was zumindest in den letzten zweihundert Jahren auf engste verbunden gewesen sei, nämlich Person und Amt. Zum anderen ist viel von der Entzauberung des Papstamtes die Rede, das nun ein Amt werde wie jedes andere auch.

Aber ist das wirklich so? War der Rücktritt wirklich der große kirchengeschichtliche Einschnitt? Oder unterliegen wir – wie so oft – der Gefahr, Zäsuren zu sehen, wo es letztlich um Prozesse geht, die über einen langen Zeitraum vonstattengehen? Mir scheint dies im Hinblick auf das Papstamt der Fall zu sein, wobei ich glaube, dass wir es mit einem Prozess zu tun haben, der nicht nur dieses, sondern das geistliche Amt an sich betrifft. Allerdings haben – das sei bereits angedeutet – die katholischen Priester schon hinter sich, was wir beim Papstamt derzeit erleben.

Die Frage nach dem Zusammenhang von Person und Amt scheint geeignet, diesen Prozess zu beschreiben, ebenso die Kategorie der „Entzauberung", wobei ich eher vom Ende einer Inszenierung sprechen möchte, die – wie wir seit dem Amtsantritt von Franziskus sehen – durch eine neue Inszenierung abgelöst wird, die ihrerseits zu verzaubern vermag, auch wenn der Zauber ein ganz anderer ist. Dabei meint Inszenierung nicht Show, sondern die – bewusste oder unbewusste – Gestaltung einer Rolle. Bei diesem Inszenierungsbegriff dürfte klar sein, dass es keine Rolle ohne

Inszenierung gibt. Auch der bewusste Verzicht auf die bisherigen Elemente einer Inszenierung ist selber eine.

1. Person und Amt

Jahrhundertelang war für den „normalen“ Gläubigen die konkrete Person des Papstes ziemlich belanglos, denn sie war schlichtweg nicht greifbar und erlebbar. Entscheidend waren das Amt und die Kurie, die die Gnadenmittel der Kirche verwalteten. Der Mensch hinter dem Papstamt konnte ein Sünder sondergleichen sein, dank der Kurie funktionierte die „Gnadenmaschinerie“ trotzdem. „Sündige“ Päpste waren ein geringeres Problem als ein Papstschisma, denn bei zwei Nachfolgern Petri war fraglich, wer die kirchlichen Gnaden nicht nur legitim, sondern realiter vermitteln konnte.

Auf der Ebene der Priester dürfte dasselbe gegolten haben: Solange sie ihres Amtes zum Heil der Gläubigen walteten, war der konkrete Mensch reichlich uninteressant. Natürlich gab es zu allen Zeiten Kritik an der Lebensführung der Geistlichen, aber sie war meistens eingebettet in eine umfassendere Sicht des Amtes, bei der das Amt wichtiger war als die Person. Die Anforderungen an die Amtsträger waren entsprechend bescheiden, gemessen an heutigen Maßstäben.

Die Reformation zwang den Katholizismus, in diesem Punkte umzudenken und den eigenen Klerus intellektuell wie moralisch aufzurüsten. Mit der Forderung nach der Errichtung von Priesterseminaren stellte das Konzil von Trient die Weichen in die entsprechende Richtung. Doch flächendeckend trug dies erst im 19. Jahrhundert Früchte. Von einem (künftigen) Priester wurde nun nicht nur ein makelloser Lebenswandel und ein überdurchschnittliches Maß an Bildung verlangt, sondern auch das, was man persönliche Berufung nennt. Auch wenn uns heute das Wort von der Berufung zum geistlichen Amt als selbstverständlich gilt, jahrhundertelang war es das nicht, zumindest nicht für die Weltpriester. Bei ihnen dominierten pragmatische Erwägungen die Berufswahl, die durch den Gedanken der persönlichen Berufung zurückgedrängt wurden, wobei sicherlich auch die Durchsetzung der Zölibatspflicht einen Anteil daran hatte. Der Priester wurde zu einer moralischen Autorität, gerade weil Person und Amt aufs engste miteinander verwoben waren.

Eine ähnliche Entwicklung lässt sich für das Papstamt nachzeichnen. Vor allem im 19. Jahrhundert verschmelzen Amt und Person in jenem Papstkult, an dem wir das heutige Geschehen messen. Der Papst wird für die römisch-katholische Welt zum Mittel- und Identifikationspunkt schlechthin. Wer nach Rom pilgert, pilgert nicht mehr primär – wie das bis dahin

der Fall war – zu den Apostelgräbern, den eigentlichen „Gnadenorten", sondern zum lebenden Nachfolger Petri. Den Papst zu sehen, das ist das Ziel der Pilger. Dieser muss seither eine durch und durch integre Persönlichkeit sein. Päpste mit einem freizügigen Lebenswandel wie in der Renaissance sind unvorstellbar geworden. „Heiliger Vater" ist eben nicht mehr nur Titel, sondern Anspruch an die Person.
Es wäre freilich falsch, darin die Forderung zu erblicken, die heute an jeden Amtsträger gestellt wird, nämlich eine authentische Persönlichkeit zu sein, denn parallel zur beschriebenen Entwicklung – und das scheint zunächst ein Widerspruch zu sein – verschwindet die konkrete Person des Papstes hinter dem Amt und ist kaum noch erkennbar. Stattdessen wird der Papst als ein dem normalen Leben entrückter Mensch inszeniert. Die selbstgewählte Isolation im Vatikan nach 1870 hat diesen Effekt noch verstärkt; das höfische Zeremoniell hat Reste davon bis in unsere Zeit bewahrt.
Ähnliches gilt für die Priester, wenn auch die Akzentuierung weniger scharf ausfiel. Als Seelsorger waren sie zwar – um eine heutige Redeweise aufzugreifen – näher am Leben, näher bei den Menschen, aber auch sie inszenierten sich als Menschen, die sich von der Alltagswelt unterscheiden. Allein durch die Soutane hoben sie sich von der normalen Bevölkerung ab und wirken auf ihre Weise ebenfalls wie von einer anderen Welt. Der rosenzüchtende Geistliche begegnet uns in der Trivialliteratur und in Filmen bis in die zweite Hälfte des 20. Jahrhunderts, aber nicht mehr der Pfarrer, der den Stall ausmistet, wie es jeder Bauer tat.

2. Entzauberung – oder: Übergang zu einer neuen Inszenierung

In der zweiten Hälfte des 20. Jahrhundert findet die beschriebene Inszenierung ihr Ende und eine neue beginnt. Das, was dieser Tage oft als Entzauberung des Papstamtes beschrieben wird, meint im Grunde diesen Prozess. Er hat nicht schlagartig mit Benedikts Rücktritt eingesetzt, sondern war zu diesem Zeitpunkt bereits voll im Gange, auch wenn wir geneigt sind, im Geschehen des Rosenmontags 2013 eine Zäsur zu erblicken. Pasolini meinte, sie schon vierzig Jahre früher zu erkennen, als Paul VI. bei einem Besuch in den USA den Federschmuck eines Indianerhäuptlings aufsetzte. Fassungslos fragte Pasolini, wie ein Papst so etwas nur machen konnte, denn er verhielt sich damit wie jeder Durchschnittstourist (vgl. Pier Paolo Pasolini: Freibeuterschriften, Berlin 1988, S. 90).
In meiner Kindheit habe ich in Bezug auf das Priesteramt das Ende dieser Inszenierung und den Übergang zu einer neuen erlebt, als wir Anfang der siebziger Jahre einen Pfarrer bekamen, der sich kleidete wie jeder andere

und ein seinen Pfarrkindern ähnliches Freizeitverhalten an den Tag legte (wobei es schon bemerkenswert war, dass ein Pfarrer überhaupt Freizeit hatte). Unser in Sportkleidung Rad fahrender Pfarrer nahm auf seiner Ebene vorweg, was der skifahrende Johannes Paul II. auf der seinen ein paar Jahre später tat. Auf dieser Linie ist auch ein Papst Franziskus zu sehen, der an der Rezeption eines Gästehauses das Portmonee zückt, um zu bezahlen, wie er es unmittelbar nach dem Konklave tat. Aber auf dieser Linie liegt auch Benedikts Rücktritt: Als er spürte, dass er den Anforderungen des Amtes nicht mehr gewachsen war, reichte er quasi „auf Rente" ein – wie es viele Frührentner tun oder tun müssen.

Je mehr sich die Inszenierung des geistlichen Amtsträgers als Wesen einer anderen Welt verflüchtigt, umso mehr ist (wieder) die konkrete Person zu erkennen und lässt sich vom Amt unterscheiden. Das freilich hat Konsequenzen, denn einerseits kann nun die Person das Amt extrem prägen, wie es bei Johannes Paul II. zu erleben war. Andererseits kann sich der Mensch nicht mehr hinter dem Amt verstecken. Authentizität nennen wir den Anspruch, den wir heute an jeden geistlichen Amtsträger haben. Der Fall Tebartz van Elst zeigte 2013 auf der Bischofsebene, wie gnadenlos ein Bischof in den Medien seziert wird, wenn er in den Verdacht gerät, mit dem eigenen Leben den Ansprüchen des Amtes, vorwiegend den moralischen, nicht zu genügen.

Die Ansprüche sind freilich nicht nur moralisch. Es gibt den ganz elementaren Anspruch, dass eine Person ihr Amt auch ausfüllen kann. Vielleicht ist es ein Kollateralschaden des Authentizitätsanspruches, dass Amtsunfähigkeit nur noch begrenzt toleriert wird. Johannes Paul II. konnte dies mit seinem Charisma in seinen letzten Lebensmonaten auffangen, indem er sein Siechtum – und das sei nicht abwertend gemeint – öffentlich inszenierte und damit einen Kontrapunkt zu einer Gesellschaft setzte, die medial das Schöne und Starke feiert. Benedikt XVI. muss klar gewesen sein, dass ihm dies nicht gegeben war. Hatte er dann überhaupt noch Alternativen zum Rücktritt?

Papst Franziskus hat vom ersten Moment seines öffentlichen Auftretens nach seiner Wahl als Mensch angesprochen und überzeugt. In ihm hat die Sehnsucht nach Authentizität endgültig das Papstamt erreicht. Gleichzeitig hat er den Resten jener Inszenierung, die bereits seine Vorgänger abbauten, indem sie zum Beispiel die Tiara abschafften, ein Ende bereitet. „Der Karneval ist vorbei", jener Satz, den er angesichts der päpstlichen Gewänder in der Sakristei der Sixtina gesagt haben soll, darf als Programm verstanden werden. Es gab dazu freilich auch kaum eine Alternative, denn gerade Benedikts Pontifikat zeigte, wie wenig Verständnis bestimmte Formen der Inszenierung noch finden. Manches, wie seine Kopfbedeckungen, wirkte nicht nur anachronistisch, sondern lächerlich.

In seinem Windschatten feierte ein „Kostümkatholizismus" fröhliche Urstände, der wie ein Relikt einer vergangenen Epoche wirkte und bei Betrachtern bestenfalls Kopfschütteln auslöste.
Freilich, auch Franziskus inszeniert das Amt und seine Person. Um es noch einmal zu betonen: Damit soll nicht gesagt werden, er ziehe eine Show ab. Ganz im Gegenteil! Wenn Franziskus am Gründonnerstag Gefangenen die Füße wäscht, ist er ganz bei sich, eben authentisch, aber er gestaltet auch damit die alte Rolle „Papst" in einer neuen Weise, er inszeniert sie. Und genau diese Inszenierung fasziniert und verzaubert Menschen. Von daher war es voreilig, nach Benedikts Rücktritt von einer Entzauberung des Papstamtes zu sprechen. Es war eher eine „Umzauberung".

3. Gefährliche Inszenierung: die authentische Persönlichkeit

Mit Benedikt und Franziskus ist das Papstamt endgültig in der Moderne angekommen in dem Sinne, dass heute eine Rolle authentisch inszeniert werden muss. Priester sind diesem Anspruch schon länger ausgesetzt; sie können sich nicht mehr hinter der Autorität ihres Amtes verstecken. Und wie der Fall „Tebarz van Elst" zeigt, ist das Bischöfen auch nicht mehr möglich. Nun also auch der Papst! Doch genau hier liegt für Franziskus und seine Nachfolger eine Gefahr, die sich noch nicht abschätzen lässt.
Franziskus hat Hoffnungen geweckt, Hoffnungen auf eine Kirche, die die Alltagsnöte der Menschen versteht, die nicht als Richterin auftritt, die sich den Armen zuwendet usw. – alles verkörpert in seiner Person (weniger in seinem Amt!). Was, wenn dieses Bild einen Riss bekommt und sei es nur, weil jemand sich daran erinnert, Bergoglio habe sich vor etlichen Jahren in einer bestimmten Situation sehr unfein benommen? Früher hätten die Medien solche Dinge nicht verbreitet, aber heute ...? Warum soll es einem Papst anders ergehen als einem Bundespräsidenten? Kann es geschehen, dass wir irgendwann den Rücktritt eines Papstes erleben, nicht aus Altersgründen, sondern wegen einer falschen Steuererklärung aus früheren Jahren? So fremd dieser Gedanke heute scheint, als Möglichkeit liegt es in der Konsequenz des Authentizitätsanspruches.
Am Rande des Katholikentags in Regensburg 2014 – aber nicht nur dort – waren Stimmen zu hören, die forderten, Franziskus dürfe nicht nur ein gutes Gefühl erzeugen, er müsse auch Taten folgen lassen, er müsse „liefern". Auch daran kann Franziskus scheitern. Wenn zu lange Hoffnungen geweckt, aber konkrete Schritte nicht erkennbar sind, kann schlimmstenfalls seine Inszenierung des Amtes in den Geruch der Show kommen – und dabei spielt es keine Rolle, dass einer es ehrlich meint. Zumal zu bedenken ist, wie schnell sich in einer Authentizitätskultur Gesten abnut-

zen. Als Johannes Paul II. erstmals Polen besuchte, küsste er den Boden. Es war ihm ein Bedürfnis und gleichzeitig war es ein starkes Zeichen. Danach sah er sich genötigt, es bei jeder Auslandsreise zu tun. Was war das? Eine authentische Geste? Oder ein Ritus? Oder gar eine Pflichtübung? Hat es noch jemand bemerkt? Am Gründonnerstag den Gefangen die Füße zu küssen, ist ebenfalls ein starkes Zeichen. In einer Authentizitätskultur wird dies aber entwertet, wenn der Eindruck entsteht, es sei ein sich wiederholender Ritus, ohne dass sich im Konkreten etwas verändert.

4. Und die Ökumene?

Was das alles für die Ökumene bedeutet, lässt sich im Moment noch nicht sagen. In manchem ist das Papstamt den verschiedenen Leitungsämtern in den anderen Kirchen ähnlicher geworden. Aber diese Ähnlichkeit baut noch keine Brücke über die konfessionellen Gräben, denn da gibt es noch die dogmatischen Unterschiede. Vor allem aber gibt es drei Eigentümlichkeiten des Papstamtes, die es zu einer singulären und eben nicht vergleichbaren Institution machen: Da ist erstens das Amt selbst, das ein Alleinstellungsmerkmal der römisch-katholischen Kirche ist. Seine wechselnde Inszenierung kommt der modernen Medienwelt entgegen. Solange der Papst nicht im schwarzen Anzug auftritt, produziert er Bilder, wie die Medien sie sich wünschen. Zweitens wird aufgrund der geschichtlichen Kontinuität kein Amtsträger der Christenheit in dem Maße mit der zweitausendjährigen Christentumstradition identifiziert wie der Papst. Und drittens kann nur der Papst mit dem Anspruch auftreten, mehr als eine Milliarde Christinnen und Christen zu repräsentieren. Das allein schafft einen Zauber – jenseits des Karnevals.

Robert Vorholt

Tu es Petrus

Die Berufung und Sendung Simons im Spiegel des Neuen Testaments

Das Neue Testament erinnert die Geschichte des Fischers Simon als eine Geschichte der Superlative. Er ist der Erstberufene unter den Jüngern. Er ist Erstzeuge der Auferstehung (1Kor 15,5). Keine apostolische Namens- und Dignitätsliste, die nicht von ihm angeführt würde[1]. Kaum ein Zweiter aus der Gefolgschaft Jesu , der so viel Aufmerksamkeit für sich verbuchen könnte.
Bezeichnend ist schon sein Beiname „Kephas“ (vgl. Mk 3,16; Lk 6,14; Joh 1,42; vgl. Mt 10,2). Der aramäische Ausdruck bezeichnet in Talmud und Midrasch zumeist einen „Stein“, manchmal auch einen „Felsen“ (11Qtg Job 32,4; aramHen). Die griechische Übersetzung ist ein Wortspiel[2], das den Sinngehalt des Aramäischen einholt: Petros bedeutet „Stein“, Petra „Fels“. Jesus selbst ist es, der Simon so nennt. Die Namensverleihung darf als historisch gelten; sie wird in allen vier Evangelien auf die vorösterliche Geschichte zurückgeführt. Kephas ist aber kein Eigenname, erst Recht kein Spitzname. Es geht hier nicht um körperliche Größe oder Volumen, auch nicht um charakterliches Format und besondere Standfestigkeit. Alle vier Evangelien erinnern schließlich auch an das Versagen und den dreifachen Verrat des Petrus, seine Angst und seinen Kleinglauben (Mt 14, 29-31; 66-72), sein Unverständnis (Mk 8,32f.) und seine Lethargie (Mk 14,37). Der Name „Kephas/Petrus“ steht vielmehr für eine ekklesiologische Programmatik. Sein Träger hat eine wichtige Rolle inne, zuerst im vorösterlichen, dann aber auch im nachösterlichen Zwölferkreis.
Das frühkirchliche Standing des Apostels ist im Ganzen hoch zu veranschlagen. Das Neue Testament spiegelt es in einer Fülle von Hinweisen. Was der Umstand, dass zwei neutestamentliche Schriften an der Schwelle von der apostolischen zur nachapostolischen Zeit die Autorität Petri für sich reklamieren, nur andeuten kann, expliziert vor allem die Apostelgeschichte in breiten Zügen. Petrus ist über fünfzehn Kapitel hinweg ihr maßgeblicher Protagonist. Lukas notiert seine Schlüsselrolle bei der Nachwahl des Matthias in das Kollegium der Apostel (Apg 1,15) und seine Deutungshoheit

[1] Vgl. R. Pesch, Die biblischen Grundlagen des Primats (QD 187), Freiburg 2001.
[2] Vgl. P. Lampe, Das Spiel mit dem Petrusnamen – Mt 16,18: NTS 25 (1979) 227-245.

über das Pfingstgeschehen (Apg 2,14). Es wird nicht verschwiegen, dass er – wie Jesus – Kranke heilt (Apg 3,1) und sich – wie die Propheten – mutig für Gottes Herrschaft engagiert (vgl. Apg 4,8; 5,29). Im Fall des Hananias und der Saphira obliegt ihm die kirchliche Gerichtsbarkeit (Apg 5,1ff.), später wird er zu einer Gallionsfigur der frühchristlichen Mission (vgl. Apg 8,14-17). Auch wenn der Fokus der lukanischen Aufmerksamkeit alsbald auf Paulus übergeht, finden sich im Neuen Testament Hinweise, die von der Nachhaltigkeit des petrinischen Einflusses zeugen, vermutlich sogar über seinen römischen Märtyrertod hinaus. 1 Kor 1,12 deutet die Existenz einer nennenswerten Petrus-Gruppe in Korinth an.
Der Befund ist beachtlich. Er lässt sich nicht wegdiskutieren. Gleichwohl konnte die Exegese nicht immer und zu jeder Zeit der Versuchung widerstehen, ihn in seiner ekklesiologischen Relevanz entweder in ultramontaner Manier zu überfrachten oder aber im antirömischen Affekt klein zu reden. Zwei Perikopen haben in der Debatte besonderes Gewicht: Mt 16,18f. und Joh 21,15ff. Es gibt kaum eine dritte biblische Textstelle, um die kirchenpolitisch mehr gestritten und ökumenisch ambitionierter gerungen wurde. Interpretationsmonopole helfen nicht weiter. Einen Beitrag zur Verständigung kann jedoch leisten, wer die Verse in ihrer kontextuellen Einbindung ebenso wie in ihrer theologischen Vernetzung beschreibt.

1. Mt 16,18f.

Zwar ist der Petrus-Name in der matthäischen Darstellung mit Mt 4,18; 10,2 und 14,28f. bereits eingeführt, doch erst in Mt 16,18 erfolgt seine feierliche Proklamation über Simon. Matthäus ergänzt die Verleihung des Namens – über Markus hinaus und anders als Lukas – um ein deutendes Felsen-Wort. Unmittelbar zuvor hatte Simon als Sprecher des Zwölferkreises repräsentativ und affirmativ zugleich ausgesprochen, was die Jünger Jesu bereits in Mt 14,33 glaubend zum Ausdruck gebracht hatten: „Wahrhaftig, Du bist Gottes Sohn!“. Jesus reagiert auf das petrinische Credo nicht ganz zufällig mit einer Seligpreisung[3]. Frühjüdischer Vorstellung nach resultiert die Fähigkeit eines Menschen zu einem im Glauben abgelegten Messiasbekenntnis aus göttlicher Offenbarung (vgl. 4 Esr 10,57; JosAs 5,7). Die Seligpreisung markiert diese besondere Würde, indem sie dem Offenbarungsträger den Segen der Himmelsherrschaft zuspricht (vgl. Mt 5,3-12). Die Namensdeutung Mt 16,18 bewegt sich auf dieser Linie, allerdings in performativer Weise (vgl. Mt 4,19, wo Jesus

[3] Vgl. Th. Söding, Jesus und die Kirche. Was sagt das Neue Testament?, Freiburg 2007, 165.

Jünger zu Menschenfischern „macht"). Simon soll Fels sein. Auf diesem Felsen wird die universale Ekklesia errichtet. Bauherr und Baumeister ist Jesus selbst. Sockelfundament aber ist Simon Petrus, der Glaubens-Bekenner und Repräsentant der Apostel.

Die exegetische Forschung bestimmt Mt 16,18f. in weiter Übereinstimmung als eine nachösterliche Bildung[4]. Sie stützt ihr Urteil auf eine Reihe von Indizien, deren Evidenz bestechend wirkt: Weil das vermeintliche Jesus-Wort in futurischer Perspektive über den Kreuzestod hinausblicke und ganz offensichtlich mit einer sich anschließenden Zeit der Kirche rechne, sei es vermutlich in eben dieser entstanden. Insbesondere die Formulierung „meine Kirche" zeuge von fortgeschrittener christologischer und ekklesiologischer Reflexion. Entsprechende Parallelen fänden sich nur noch im proto- und deuteropaulinischen Schrifttum, das als Kronzeugnis zu betrachten sei für die Ausprägung nachösterlicher Ekklesiologie. Philologische Argumente komplettieren das Bild: Der Ausdruck „Ekklesia" falle bei Matthäus nur ein einziges weiteres Mal (Mt 18,18). Doch auch hier habe man mit einer urkirchlichen Schöpfung zu rechnen.

Tatsächlich spricht wenig dafür, Mt 16,18f. als eine Art Life-Stream der Amtseinführung Petri zu gewichten. Lupenreine ipsissima vox ist angesichts der Bedeutungsschwere dieses Diktums unwahrscheinlicher als die ekklesiologisch interessierte redaktionelle Transformation eines ihr zugrunde liegenden Jesus-Wortes. Wodurch aber ließe sich der – letztlich vermessene – Vorwurf begründen, die Transformation habe das Urspüngliche gleich zur Gänze sinnentstellt? Die futurische Ausrichtung der Proklamation entspricht ziemlich passgenau der vorösterlichen Reich-Gottes-Verkündigung Jesu. Welches Argument könnte diesen sachlichen Zusammenhang, der Mt 16,18f. in die Nähe Jesu rückt, weniger plausibel erscheinen lassen als die auf grammatischen Formen aufbauende Annahme nachösterlicher Konstruktion? Wieso sollte Jesus nicht an das Volk Gottes gedacht und es der griechischen Übersetzung nach „seine Ekklesia" genannt haben? Alttestamentliche Zubringer und aramäische Äquivalente, die zur prophetischen und apokalyptischen Theologie Israels gehören, lassen sich aufweisen. Auch im Blick auf die Sprache der Verse muss nicht notwendig von matthäischer Redaktion ausgegangen werden. Mit dem Namen „Barjona" könnte ebenso gut galiläisches Traditionsgut aus dem Umkreis von Karphanaum aufgenommen worden sein. Kritische Einwände wie diese belegen, dass Mt 16,18f. keineswegs zwangsläufig als eine späte Bildung der frühen Kirche ohne historische Anknüpfung an die ip-

---

[4] Vgl. A. Vögtle, Das Evangelium und die Evangelien. Beiträge zur Evangelienforschung (KBANT), Düsseldorf 1971, 137-170.

sissima intentio Jesu gesehen werden muss[5]. Mit gutem Grund kann vielmehr umgekehrt ein vorösterlicher Kern, der Mt 16,18f. zugrunde liegt, in Betracht gezogen werden. Dieser Kern, der seine endgültige Form später im Licht des Osterglaubens erfuhr, eröffnet der Exegese die Perspektive, das in den neutestamentlichen Schriften sich abzeichnende frühchristliche Selbstverständnis, „Kirche Gottes" zu sein, auf Jesus selbst zurück zu führen.

Die innere Verfasstheit dieser Ekklesia wird im folgenden Vers (Mt 16,19) geklärt. Die Schlüsselfrage ist eine Schlüsselfrage. Sie begründet die Führungsrolle, die Simon in der Ekklesia innehat. Jesus spricht ihn als Verwalter an, der im Auftrag des Herrn das Hausrecht ausübt (vgl. Jes 22,22). Simon ist Fels, indem er das Evangelium vollmächtig bezeugt[6]. Er legt aus, was der Glaube glaubt. Während die Schlüsselgewalt auf die reine Lehre zielt, geht es beim Binden und Lösen um richterliche Kompetenz. Die rabbinischen Parallelen[7] sprechen vom Erlauben und Verbieten, auch vom Bannen und vom Bann aufheben. Auf dieser Linie bewegt sich Mt 16,19. Petrus bekommt eine Führungsrolle zugesprochen, die ihrer Wirksamkeit halber mit zentraler Kompetenz ausgestattet ist. Thema ist die Vollmacht, um verbindliche Entscheidungen zu treffen. Ohne diese Vollmacht wäre der Petrusdienst kraftlos. Je deutlicher sich Strukturen der Glaubensgemeinschaft abzeichnen, umso notwendiger erscheint es, diese Strukturen zu gestalten. Es sollen aber Entscheidungen getroffen werden, die Menschen die Teilhabe an den Verheißungen des Reiches Gottes ermöglichen und nicht verbauen. Apostolische Selbstinszenierung und kirchliches Machtgebaren stünde dem im Weg. Darum ist die Vollmacht, die Petrus verliehen bekommt, keine, die Jesus ersetzen könnte, sondern eine, die ihn – im Gegenteil – bleibend und maßgeblich unter den Menschen vergegenwärtigt.

2. Joh 21,15-17

Anders als in der synoptischen Tradition zeigt sich bei Johannes eine verhaltene Relativierung der Rolle Petri: Nicht er ist der Erstberufene (so Mk 1,16-20 par. Mt 4,18-22; Lk 5,1-11), sondern Andreas (vgl. Joh 1,35-51). Er ist auch nicht Erstzeuge der Auferweckung (vgl. Mk 16,6f.

---

[5] So auch Th. Söding, Jesus und die Kirche 166.

[6] W. Kasper, Gesammelte Schriften, Bd. 12: Die Kirche und ihre Ämter (Schriften zur Ekklesiologie II), Freiburg – Basel – Wien 2009, 577.

[7] H. L. Strack, P. Billerbeck, Kommentar zum Neuen Testament aus Talmud und Midrasch, Bd. 1: Das Evangelium nach Matthäus, München 1994, (737-747) 739ff.

par.; Lk 24,34; 1Kor 15,3ff.), sondern Maria aus Magdala (Joh 20,11-18). Andererseits wird das Petrusamt gerade im Johannesevangelium als solches entwickelt und profiliert: Der auferstandene Kyrios macht Petrus zum Hirten seiner Herde (Joh 21,15-17).

In den Hintergrund der Darstellung hineingewoben ist ein durchgängiger Kontrast: Simon Petrus wird der Lieblingsjünger Jesu gegenübergestellt. Dieser ist es, „den Jesus liebhatte" (Joh 20,2) und der Jesus am nächsten liegt (Joh 13,23). Auf ihn stützt das Evangelium seine Autorität (Joh 19,35; vgl. Joh 21,34f.). Doch so bedeutend der Lieblingsjünger auch ist, er wird nicht allein angestrahlt, sondern immer in seiner Beziehung zu Petrus. Besonders deutlich wird das in Joh 20,1-10, wo Johannes eine Verhältnisbestimmung der beiden vornimmt. Der Lieblingsjünger ist derjenige der schneller als Petrus läuft (Joh 20,4) und somit eher an das Grab Jesu gelangt (Joh 20,5). Er sieht als Erster die Leinentücher im Grab (Joh 20,5) und kommt früher zum Glauben (Joh 20,8). Umgekehrt wartet der Lieblingsjünger auf Petrus (Joh 20,5) und lässt ihm den Vortritt (Joh 20,6). Gemeinsam befinden sie sich schließlich im leeren und aufgeräumten Grab und gemeinsam kehren sie von dort zurück (Joh 20,10).

Durch die Szene hindurch schimmert eine Facette frühchristlicher Kirchenpolitik. Das Johannesevangelium konstruiert hier kein Gegeneinander von Charisma und Amt, sondern ein theologisch fundiertes Miteinander.

Stärker als in Joh 20 wird in Joh 21 die Primatsrolle des Petrus figuriert. Am Anfang steht Joh 20,3: Auf die Ansage Simons, fischen gehen zu wollen, antworten alle: „Wir gehen mit dir". Damit klingt ein großes Thema johanneischer Ekklesiologie an, die auf die Koinonia der Kirche mit dem Oberhaupt Petrus zielt. Die Spitzenstellung Petri wird in Joh 21 narrativ weiterentwickelt: Zu ihm sagt der Lieblingsjünger „Es ist der Herr" (Joh 21,7), Petrus springt ins Wasser, um als Erster bei Jesus zu sein (Joh 21,7). Auf Jesu Aufforderung hin, die sich an alle Jünger richtet, geht Simon Petrus, das Netz an Land zu ziehen (Joh 21,10f.). Die einzelnen Szenen sind wie Vorsignale auf Joh 21,15ff. hingeordnet. Immer deutlicher kristallisiert sich heraus, dass Petrus auch im ekklesiologischen Horizont des Johannesevangeliums die entscheidende Rolle im Jüngerkreis spielt; er ist nicht nur der Sprecher der Jünger, sondern ihr Anführer.

Joh 1,42 erinnert, dass Jesus dem Simon den Berufungsnamen „Kephas" verleiht. Der Vers ist futurisch formuliert. Joh 21 lässt die Erscheinung des Auferstandenen am See von Tiberias zu dem Ort werden, an dem die Erfüllung dessen beginnt, was seit Joh 1,42 als Verheißung über Simon steht, Fels der Kirche zu sein[8]. In welcher Weise, ergibt sich aus dem Kontext Joh 21,15-19.

---

[8] So auch T. Söding, Erscheinung, Vergebung und Sendung. Joh 21 als Zeugnis entwi-

Dreimal fragt Jesus den Petrus in jeweils leichter Modifikation, ob er ihn liebe. In der ersten (Joh 21,15) und in der zweiten Frage (Joh 21,16) wählt er das Verbum ἀγαπάω. Von der Septuaginta her kommend wird dieser Ausdruck im gesamten Neuen Testament zur Bezeichnung der Gottesliebe verwendet. Die dritte Frage (Joh 21,17) beinhaltet mit φιλέω ein anderes Verb, das sich auf die intensivere Liebe unter Freunden bezieht. Als solche setzt sie Wechselseitigkeit voraus[9]. Simon Petrus antwortet dreimalig φιλῶ σε. Die Initiative, von der Ebene der Gottesliebe zur wechselseitigen Freundesliebe überzugehen, liegt aber bei Jesus. Erst im dritten Anlauf stimmen Jesus und Simon Petrus in wechselseitiger Freundesliebe überein. Ihr besonderes Gewicht erhält diese Beobachtung vor dem Hintergrund, dass die dreifache Wiederholung der Frage Jesu auf seine dreifache Verleugnung durch Simon Petrus (Joh 18,17.25.27) abgestimmt ist[10]. Beide Episoden werden zusätzlich durch das Motiv des Kohlenfeuers verbunden (Joh 21,9; 18,18.25). Von dort her zeigt sich, dass Joh 21,15ff. das Thema der Schuldüberwindung als Voraussetzung des nachösterlichen Petrusdienstes einführt. Der Auferstandene überwindet Schuldzusammenhänge, indem er Verzeihung gewährt – und als Frucht dieser Verzeihung Freundesliebe. Petrus wird diese Liebe nicht noch einmal in Frage stellen, sondern durch sein Martyrium verifizieren (Joh 21,18). Zugleich wird deutlich, dass die von Jesus geschenkte Verzeihung nicht einfach reparierend den Status quo ante wiederherstellt, sondern neu in die Nachfolge ruft[11].

Am Ende steht der bildhaft formulierte Auftrag, die „Schafe" bzw. die Herde Gottes zu „weiden". Die Einsetzung Petri zum Hirten der Herde Jesu wurde in Joh 21,1-14 vorbereitet. Das Bild des Hirten ist durch Eph 4,11 und Joh 10 vorgeprägt. Eph 4,11 zeigt, dass der Hirtendienst in spätneutestamentlicher Zeit zu einer kirchlichen Amtsbezeichnung wurde, die

---

ckelten Osterglaubens, in: R. Bieringer, V. Koperski, B. Lataire (Hrsg.), Resurrection in the New Testament (FS J. Lambrecht), Leuven 2002, (207-232) 223.

[9] Vgl. C. Spicq, Agapé dans le Nouveau Testament, Vol. III, Paris 1959, 95. Anders R. Schnackenburg, Das Johannesevangelium (HThKNT IV/3), Freiburg – Basel – Wien 1975, 432; Ch. K. Barrett, Das Evangelium nach Johannes, Göttingen 1990, 558. Zur Abwägung der philologischen Argumente vgl. R. E. Brown, The Gospel according to John (xiii-xxi) (AncBib), London 1971, 1103.

[10] So auch U. Wilckens, Das Evangelium nach Johannes (NTD 4), Göttingen 2000, 326; Ch. Dietzfelbinger, Das Evangelium nach Johannes (Züricher Bibelkommentare 4.1 und 4.2), Zürich 2004, 361, ähnlich U. Schnelle, Das Evangelium nach Johannes (ThHK 4), Leipzig 2004, 343. Einige Exegeten sehen in der Dreizahl zugleich einen Hinweis auf die Gültigkeit und Verbindlichkeit der proklamierten Berufung, vgl. P. Gaechter, Das dreifache „Weide meine Lämmer", in: ZKTh 69 (1947) 328-344.

[11] Vgl. R. Schnackenburg, Johannes 432.

Leitungsfunktionen beinhaltete (vgl. 1 Kor 12,28). Das Hirtenamt wird vom Herrn übertragen, es dient dem Aufbau der Kirche. Solche Leitungsfunktion wird Simon Petrus im Blick auf die ganze Kirche übertragen. Genauere kirchenrechtliche Bestimmungen lassen sich von hier aus nicht vornehmen. Wohl aber wird im Gesamt des Johannesevangeliums deutlich, dass das petrinische Hirtenamt auf die Sicherung und Repräsentation kirchlicher Einheit zielt (vgl. Joh 17). Joh 21 kann auch auf die Hirtenrede Joh 10 zurückbezogen werden. Jesus wird dort als der gute Hirte geschildert, der sein Leben hingibt für die Schafe (Joh 10,11). Wenn Petrus die Herde im Namen und Auftrag Jesu weiden soll (Joh 21,15ff.), rückt er in eine singuläre Position: Er ist nicht mehr nur der Primus inter pares. Insofern der Kyrios Christus selbst der gute Hirte und Eigentümer seiner Herde bleibt, Petrus aber die Sorge um diese Herde übertragen wird, ist der Petrusdienst zugleich Stellvertreterdienst[12]. Er leitet für den Auferstandenen, in seinem Namen und in seinem Auftrag, die Kirche[13]. Der in Joh 21,7 erzählte „Sprung ins kalte Wasser" ist in diesem Zusammenhang ebenso so programmatisch wie der dahinter stehende Wunsch, bei Jesus zu sein und ihm zu dienen.

Das Neue Testament weist Petrus eine tragende Rolle innerhalb der frühen Kirche zu. Sie erschöpft sich nicht in der Repräsentanz des Jüngerkreises, sondern umfasst im Spiegel des biblischen Zeugnisses auch die Aufgabe, die Ekklesia zu leiten. Das funktioniert nicht ohne Vollmacht; auch nicht ohne Jurisdiktion. Mt 16,18f. und Joh 21,15ff. skizzieren den Auftrag, der an Simon ergeht, aber zugleich als einen in die Dynamik der Nachfolge Jesu eingebundenen. Es geht für Kephas also nicht darum, an die Stelle des Kyrios zu treten, sondern das Wort und den Willen des Auferstandenen bleibend und verbindlich in der Gemeinschaft der Glaubenden zu vergegenwärtigen und je neu zur Sprache zu bringen. Insofern erscheint es m. E. sachgerechter zu sein, eher vom Petrusdienst als vom Petrusamt zu sprechen, womit angezeigt sein soll, dass sich das Amt, das Jesus Petrus verleiht, vor allem in seinem Dienstcharakter auszeichnet und erfüllt.

Schon die neutestamentlichen Schriften geben zu erkennen, wie sehr man an der Schwelle von der apostolischen zur nachapostolischen Zeit um Kontinuität und Identität in der Verkündigung des Evangeliums gerungen hat. Dazu gehört die Frage, was die Apostel, indem sie ihren Dienst ausübten, einmalig, und was sie erstmalig getan haben; mithin die

---

[12] So auch J. Kügler, Der Jünger, den Jesus liebte. Literarische, theologische und historische Untersuchungen zu einer Schlüsselgestalt johanneischer Theologie und Geschichte. Mit einem Exkurs über die Brotrede in Joh 6 (SBB 16), Stuttgart 1988, 397.

[13] Vgl. T. Söding, Erscheinung 226.

Herausbildung apostolischer Sukzession. Mit Bezug auf den Petrusdienst wird anzunehmen sein, was für die neutestamentlich ausgewiesene apostolische Diakonia insgesamt gilt. Diejenigen, die als Nachfolger der Apostel den Parcour der Kirchengeschichte betreten, sind keine neuen Apostel, sie haben kein Apostelamt, sondern ein apostolisches Amt. Als solche nehmen sie zwar bestimmte apostolische Funktionen wahr und führen auf diese Weise das Werk der Urapostel durch neue Zeiten hindurch weiter. Sie tun dies jedoch in der Eigenschaft und Funktion von Stellvertretern. So wirken die Apostel in der Geschichte weiter. In diesem freilich eingeschränkten Sinn kann biblisch begründet von Nachfolgern der Apostel im Allgemeinen und vom Nachfolger des Petrus im Besonderen die Rede sein[14].

[14] W. Kasper, Gesammelte Schriften 579.

Mariano Delgado

Das Jahrtausend des Papalismus und sein Ende

Im ersten Jahrtausend der Kirchengeschichte findet eine Anerkennung der römischen Kirche als Zentrum der Communio in der Pentarchie der fünf Patriarchate (Rom, Konstantinopel, Alexandrien, Antiochien, Jerusalem) statt. Ein solcher Prozess ist, wie Klaus Schatz festgehalten hat, „zwar bis zum 4. und 5. Jahrhundert im Westen, in nicht ganz so deutlicher Weise auch im Osten" vollendet. Aber es handelt sich um eine Anerkennung, die „für eine mehr föderative oder episkopalistisch-konziliare Kirchenstruktur" historisch noch offen war.[1] Tendenzen in dieser Richtung hat es durch alle Jahrhunderte hindurch gegeben, aber beim Ersten Vatikanischen Konzil wird sich eine bestimmte Traditionslinie und Tendenz durchsetzen, die das zweite Jahrtausend als eines des „Papalismus" erscheinen lässt. Das will nicht heißen, dass die Primatsdefinitionen des 1. Vatikanums keine sinnvolle und auch von der Geschichte vertretbare Antwort wären, wenn man die Voraussetzung teilt, dass die Kirche die „eine" Kirche zu sein hat und nach Communio strebt. Aber die historische Entwicklung bedeutet auch, „dass diese Einheit nicht eine uniforme Einheit, sondern eine Einheit in Vielheit sein soll, dass also Mannigfaltigkeit in Theologie, Frömmigkeit, Liturgie, Disziplin, christlichen Leben, ebenfalls zum Wesen der christlichen Kirche gehört."[2] Am Ende des zweiten Jahrtausends hat Johannes Paul II. mit der Enzyklika *Ut unum sint* (1995) „Problembewusstsein" gezeigt. Er hat zu erkennen gegeben, dass heute eine Form der Primatsausübung gefragt ist, die dem Prinzip von „Einheit in Vielheit" gerecht ist. Daran schließt Papst Franziskus mit seinem ersten Apostolischen Schreiben *Evangelii gaudium* (2013) und dem darin ausgedrückten Wunsch nach einer „Neuausrichtung des Papsttums" an. Diese Bemühungen stehen im Zentrum dieser Überlegungen. Doch zunächst sollen die Stationen des aufsteigenden Papalismus im zweiten Jahrtausend skizziert werden.

---

[1] K. Schatz, Der päpstliche Primat. Seine Geschichte von den Ursprüngen bis zur Gegenwart, Würzburg 1990, 208.
[2] Ebd., 210.

1. Die Stationen des aufsteigenden Papalismus

Der *Dictatus papae* (1075) Gregors VII. ist ein Paukenschlag des aufsteigenden Papalismus zu Beginn des zweiten Jahrtausends. Man kann es gewiss auch als Ausdruck der „Petrusmystik" des ersten Jahrtausends interpretieren, und man kann auch einwenden, dass Gregor VII. noch weit davon entfernt ist, „die Bischöfe als bloße Vertreter des Papstes zu sehen oder sich in absolutistischer Manier für befugt zu halten, souverän über kirchliche Gesetze und Rechte Anderer hinwegzugehen". Aber darin tritt ein bisher so nicht thematisiertes päpstliches Machtbewusstsein auf. Es ist Ausdruck eines Papsttums, „das sich in seinem souveränen Machtanspruch geradezu an die Stelle Christi setzt"[3] – und dies nicht nur gegenüber anderen Bischöfen oder Patriarchen, sondern auch gegenüber dem Laienstand und dem Anspruch von Königen und Fürsten auf Entscheidungsrecht in den kirchlichen Angelegenheiten ihrer Territorien. Es ist folgerichtig, dass Innozenz III. 1199 den Titel eines „Vicarius Christi", den bis dahin auch Kaiser und Könige trugen, nunmehr exklusiv für sich reklamiert und sich für den einzigen „Stellvertreter Christi" auf Erden hält, verbunden mit dem Anspruch auf eine „plenitudo potestatis" oder unumschränkte Vollgewalt. Im 13. Jahrhundert schreitet das Konzept einer absoluten Papstmonarchie voran, sowohl bei Päpsten wie Innozenz IV. (1243-1254) und Bonifaz VIII. (1294-1303) als auch bei Theoretikern einer papalistischen Ekklesiologie wie Aegidius Romanus († 1306) und Augustinus Triumphus († 1328).

Im Schatten des abendländischen Schismas ist das 15. Jahrhundert vom Kampf zwischen Konziliarismus und Papalismus geprägt. Mitten in diesem Kampf wird auf dem Konzil von Florenz 1439 im Rahmen der Einigungsbestrebungen mit den Griechen eine salomonische Primatsdefinition vorgenommen, die die westlichen Papalisten und die östlichen Pentarchie-Befürwortern zufriedenstellen soll: „Ebenso bestimmen wir, dass der Heilige Apostolische Stuhl und der Römische Bischof den Primat über den gesamten Erdkreis innehat und der Römische Bischof selbst der Nachfolger des seligen Apostelfürsten Petrus und der wahre Stellvertreter Christi, das Haupt der ganzen Kirche und der Vater und Lehrer aller Christen ist; und ihm ist von unserem Herrn Jesus Christus im seligen Petrus die volle Gewalt übertragen worden, die gesamte Kirche zu weiden, zu leiten und zu lenken, wie es in den Akten der ökumenischen Konzilien und in den heiligen Kanones festgehalten wird. Wir erneuern überdies die in den Kanones überlieferte Rangordnung der übrigen ehrwürdigen Patriarchen, dass (nämlich) der Patriarch von Konstantinopel der zweite ist nach dem

[3] Ebd., 110.

heiligsten Römischen Bischof, der dritte aber der von Alexandrien, der vierte aber der von Antiochien und der fünfte der von Jerusalem, selbstverständlich unter Wahrung aller ihrer Privilegien und Rechte."[4] Nicht geklärt wurde freilich, wie dies zu verstehen sei: während die Griechen Rom nur als Haupt der Pentarchie und den Papst als „Patriarch des Westens", also als Primus inter Pares, sahen, war in der westlichen Lesart damit ein qualitativer Rangunterschied (Primat) zwischen Rom und den anderen Kirchen gegeben.

Dass sich die Primatsdefinition von Florenz auch im Westen zunächst nicht durchsetzen konnte, zeigt der Streit zwischen den Gallikanern einerseits,[5] die sich auf das konziliaristische Konzil von Konstanz (Dekret „Haec sancta") beriefen und darin zumindest für Frankreich eine Einschränkung der päpstlichen Vollgewalt sahen, und andererseits der römischen Interpretationsrichtung: „Erst seit dem Anfang des 19. Jahrhunderts setzte sich allmählich mit der Überwindung des Gallikanismus auch Florenz und seine Primatsdefinition durch."[6] So ist die Primatsdefinition des 1. Vatikanums als konsequente Fortführung des Konzils von Florenz und Bekräftigung der Zurückweisung des Konziliarismus zu verstehen: „Und weil der Römische Bischof kraft des göttlichen Rechtes des Apostolischen Primates der gesamten Kirche vorsteht, lehren Wir und erklären, dass er der höchste Richter der Gläubigen ist und man in allen Rechtsfragen, die der kirchlichen Prüfung unterliegen, sein Urteil einholen kann; das Urteil des Apostolischen Stuhles aber, über dessen Autorität hinaus es keine größere gibt, darf von niemandem neu erörtert werden, und keinem ist es erlaubt, über sein Urteil zu urteilen. Daher irren vom rechten Pfad der Wahrheit ab, die, die behaupten, man dürfe von den Urteilen der Römischen Bischöfe an ein ökumenisches Konzil als an eine gegenüber dem Römischen Bischof höhere Autorität Berufung einklagen".[7]

Das Zweite Vatikanische Konzil ist bemüht, das Bischofskollegium oder das Prinzip der „Kollegialität" zu betonen, aber ohne Beeinträchtigung der Primatsgewalt des Nachfolgers Petri über alle Hirten und Gläubigen: „Denn der römische Bischof hat kraft seines Amtes, nämlich des Stellvertreters Christi und des Hirten der ganzen Kirche, die volle, höchste und

---

[4] H. Denzinger, Kompendium der Glaubensbekenntnisse und kirchlichen Lehrentscheidungen. Verbessert, erweitert, ins Deutsche übertragen und unter Mitarbeit von Helmut Hoping herausgegeben von Peter Hünermann, Freiburg [43]2010, Nr. 1307f.

[5] Vgl. die vier gallikanischen Artikel der französischen Klerusversammlung vom 19. März 1682 und deren Verurteilung durch Papst Alexander VIII. am 4. August 1690, in: ebd., Nr. 2281-2285.

[6] Schatz, Primat (wie Anm. 1), 145.

[7] Denzinger, Kompendium (wie Anm. 4), Nr. 3063.

allgemeine Vollmacht über die Kirche, die er immer frei ausüben kann. Der Stand der Bischöfe aber, der dem Kollegium der Apostel im Lehramt und in der Hirtenleitung nachfolgt [...], tritt zusammen mit seinem Haupt, dem Römischen Bischof, und niemals ohne dieses Haupt, gleichfalls als Träger der höchsten und ganzen Vollmacht gegenüber der ganzen Kirche auf, und freilich kann diese Vollmacht nur mit Zustimmung des Römischen Bischofs ausgeübt werden [...]. Die höchste Gewalt gegenüber der ganzen Kirche, über die dieses Kollegium verfügt, wird in feierlicher Weise im Ökumenischen Konzil ausgeübt. Ein Ökumenisches Konzil gibt es niemals, wenn es vom Nachfolger Petri nicht als solches bestätigt oder wenigstens angenommen worden ist; und es ist Vorrecht des Römischen Bischofs, diese Konzilien einzuberufen, auf ihnen den Vorsitz zu führen und sie zu bestätigen."[8]

Wie man sieht, steht die historische Entwicklung der Primatslehre in einer gewissen Spannung: zwischen Einheit und Vielheit, zwischen Absolutismus des Römischen Bischofs und Kollegialität.

2. Die Enzyklika Ut unum sint (1995) von Johannes Paul II. oder auf dem Weg zu einer neuen Primatsausübung

Mit der Enzyklika *Ut unum sint*[9] zeigt Johannes Paul II. am Ende des Jahrtausends des Papalismus, dass zumindest in der „Form" der Primatsausübung neue Wege gesucht werden müssen. Er hält am Anfang die unentbehrlichen Bedingungen für den ökumenischen Dialog fest: Es geht um einen „Dialog der Liebe und der Bekehrung" (2, 82-84), bei dem die Christen „ihre schmerzvolle Vergangenheit gemeinsam neu bedenken" und die notwendige „Reinigung der historischen Erinnerung" (2, 52) vornehmen, zugleich aber einen ruhigen und klaren, der Wahrheit verpflichteten Blick bewahren" sollten (2). Der Papst selbst möchte bei der Bekehrung mit gutem Beispiel vorangehen, indem er betont, dass Christus den Apostel Petrus aufgetragen hat, die Brüder zu stärken, aber nur wenn er sich wieder bekehrt hat (Lk 22,32). Es ist gewiss keine bloße Rhetorik, wenn ein so machtbewusster Papst wie Johannes Paul II. demütig alle Christen darum bittet, dass wir zusammen mit ihm „für diese Bekehrung beten" (4), um den Brüdern dienen zu können. Diese immer wieder angemahnte Bekehrung des Herzens als Voraussetzung des ökumenischen Dialogs sowie die Betonung der vom Zweiten Vatikanischen Konzil ins Spiel ge-

[8] Ebd., Nr. 4146 (Lumen gentium 22).

[9] Hier zitiert mit laufenden Nr. im Text nach: Verlautbarungen des Apostolischen Stuhls 121, Bonn 1995.

brachten „Hierarchie der Wahrheiten" (37, 79) machen die Enzyklika zu einem Dokument, das es verdient, von allen Christen beachtet zu werden. Was das konkrete Problem des Papsttums betrifft, so hält die Enzyklika unmissverständlich fest, dass nur die katholische Kirche, in Treue zur apostolischen Überlieferung und zum Glauben der Väter, im Amt des Bischofs von Rom das sichtbare Zeichen und den „Garanten der Einheit" bewahrt hat, was für den Großteil der anderen Christen, deren Gedächtnis durch gewisse schmerzliche Erinnerung gezeichnet ist, eine Schwierigkeit darstellt. Soweit die Päpste dafür verantwortlich waren, bittet Johannes Paul II. ausdrücklich um Verzeihung (87). Anschließend bringt er aber selbstbewusst in Erinnerung, worin er seine Befugnisse – auch in einer künftigen Kirche aller Christen – sieht:

„Mit der Vollmacht und Autorität, ohne die dieses Amt illusorisch wäre, muss der Bischof von Rom die Gemeinschaft aller Kirchen gewährleisten. Dadurch ist er der Erste unter den Dienern an der Einheit. Dieser Primat wird auf verschiedenen Ebenen ausgeübt; sie betreffen die wachsame Aufsicht über die Weitergabe des Wortes, über die Feier der Sakramente und der Liturgie, über die Mission, über die Disziplin und über das christliche Leben. Dem Nachfolger des Petrus obliegt es, an die Forderungen des Gemeinwohls der Kirche zu erinnern, falls jemand versucht wäre, dies zugunsten eigener Interessen zu vergessen. Er hat die Pflicht hinzuweisen, zu warnen und manchmal diese oder jene Meinung, die verbreitet wird, für unvereinbar mit der Einheit des Glaubens zu erklären. Wenn es die Umstände erfordern, spricht er im Namen aller Hirten, die mit ihm in Gemeinschaft stehen. Er kann auch – unter ganz bestimmten, vom I. Vatikanischen Konzil klargestellten Bedingungen – *ex cathedra* erklären, dass eine Lehre zum Glaubensgut gehört. Durch dieses Zeugnis der Wahrheit dient er der Einheit" (94).

Der Papst betont auch, dass sich dies immer in Gemeinschaft mit den anderen Bischöfen vollziehen muss, denn „der Bischof von Rom gehört zu ihrem ‚Kollegium', und sie sind seine Brüder im Amt" (95). Johannes Paul II. ist überzeugt, für die Einheit aller christlichen Gemeinschaften eine besondere Verantwortung zu haben, vor allem wenn er die ökumenische Sehnsucht der meisten christlichen Gemeinschaften feststelle und die an ihn gerichtete Bitte wahrnehme, „eine Form der Primatsausübung zu finden, die zwar keineswegs auf das Wesentliche ihrer Sendung verzichtet, sich aber einer neuen Situation öffnet" (95). Wie diese Primatsausübung „in Wahrheit und in der Liebe" aussehen soll, sagt uns die Enzyklika nicht. Zwar wird am Ende das erste christliche Jahrtausend beschworen, in dem die Christen miteinander verbunden waren „in brüderlicher Gemeinschaft des Glaubens und des sakramentalen Lebens, wobei dem Römischen Stuhl mit allgemeiner Zustimmung eine Führungsrolle zukam, wenn Streitigkeiten über Glaube und Disziplin unter ihnen entstanden, doch es wäre sicherlich falsch, daraus zu entnehmen, dass Johannes Paul II. an eine Primatsausübung mit den beschränkten, nicht dogmatisch festgelegten Kompetenzen des ersten Jahrtausends dachte. Als Hoffnungszeichen muss jedoch die Tatsache bewertet werden, dass der Papst die kirchlichen Verantwortlichen und die Theologen der getrennten Kirchen dazu einlädt, „mit mir einen brüderlichen, geduldigen Dialog aufzunehmen, bei dem wir jenseits fruchtloser Polemiken einander anhören können, wobei wir einzig und allein den Willen Christi im Sinne haben und uns von seinem Gebetsruf durchdringen lassen: ‚... sollen auch die eins sein, damit die Welt glaubt, dass du mich gesandt hast' (Joh 17,21)" (96). Zusammenfassend lässt sich sagen: Die Papstbefugnisse nach dem Ersten und dem Zweiten Vatikanischen Konzil stehen nicht zur Disposition, aber über die Form der Primatsausübung kann man miteinander reden.

Als Beispiel für die katholische Aufnahme der Enzyklika mag der Kommentar in der „Herder Korrespondenz" vom Juli 1995 dienen: Johannes Paul II. werbe für das Petrusamt und erkläre es für unverzichtbar, öffne aber gleichzeitig den Weg zur ökumenischen Diskussion über die konkrete Ausgestaltung und Ausübung des Amtes. Für die anderen Kirchen stelle sich freilich „nach *Ut unum sint* verstärkt die Frage, ob und inwieweit sie sich auf das darin vertretene Verständnis von voller Gemeinschaft einlassen wollen bzw. können. Vor allem aber sollte die neue Enzyklika auf allen Seiten Anlass für Freude darüber sein, was trotz aller Rückschläge und Schwierigkeiten in den letzten Jahrzehnten ökumenisch erreicht wurde".[10]

Positiv fiel auch die Reaktion von Konrad Raiser aus, dem lutherischen Präsidenten des Ökumenischen Rates der Kirchen. Dieser sollte, so Raiser, bei aller Meinungsverschiedenheit „die Enzyklika mit Dankbarkeit annehmen". Raiser stellt aber nicht ohne Ironie fest: „Wenn alle Kirchenführer der Mitgliedskirchen des ÖRK, alle katholischen Bischöfe und alle Dikasterien des Vatikans der Lehre des Papstes entsprechend handeln würden, ‚dann wäre die ökumenische Wirklichkeit sehr viel anders als sie es heute ist'."[11]

Kritischer war die Reaktion von Hans-Christian Knuth, dem lutherischen Bischof von Schleswig: „Welches gemeinsame Ziel steuert die Enzyklika für die Gemeinschaft mit den anderen Kirchen an, wenn es bereits eine

---

[10] U. Ruh, Johannes Paul II.: Neuer Schwung für die Ökumene, in: HerKorr 7/1995, 345-347.

[11] Zitiert nach: A. Foitzik, Auf dem Weg nach Harare. Der ökumenische Rat der Kirchen vor seiner achten Vollversammlung, in: HerKorr 11/1995, 611-616, hier 616.

Kirche gibt, in der die Fülle der Einheit ganz bewahrt ist?“ Für Knuth ist es an der Zeit, frühere, „sich selbst bestätigende Argumente“ aufzugeben.[12] Ganz und gar kritisch reagierte der namhafte Theologe Jürgen Moltmann, der die historische Praxis des römischen Papsttums als das wesentliche Hindernis auf dem Weg zu einer glaubwürdigen Bezeugung der Einheit der Christenheit bezeichnete. Die großen nichtrömischen Kirchen seien zu einer „Communio cum Petro“, dem Bischof von Rom bereit, nicht aber zu einer „Communio sub Petro“. Eine Rückkehrökumene zur Unterwerfung unter den Universalepiskopat des Papstes und seine Autorität in Glaubens- und Sittenfragen werde es nicht geben. Die Päpste haben sich in der zweitausendjährigen Geschichte der Kirche keine nennenswerten Verdienste um die ökumenische Einheit der Christenheit erworben. Moltmanns Kritik gipfelt in der Frage, ob das Papsttum überhaupt eine katholische, geschweige denn eine ökumenische Zukunft habe: „Ist das vatikanisch-päpstliche System eigentlich gut für die katholische Kirche?“[13] Neuerdings hat Papst Franziskus in seinem ersten Apostolischen Schreiben *Evangelii gaudium* (2013) festgestellt, dass wir seit der Einladung von Johannes Paul II. zur Findung einer neuen Form der Primatsausübung „wenig“ vorangekommen sind. Ebenso wenig habe sich der Wunsch des Zweiten Vatikanischen Konzils (Lumen gentium 23) nach mehr Dezentralisierung oder Kollegialität erfüllt, als es sagte, „dass in ähnlicher Weise wie die alten Patriarchatskirchen ‚die Bischofskonferenzen vielfältige und fruchtbare Hilfe leisten [können], um die kollegiale Gesinnung zu konkreter Verwirklichung zu führen‘.“ So denkt Franziskus bei seinem Traum von der Kirche[14] auch an eine „Neuausrichtung des Papsttums“ im Sinne von mehr Kollegialität und mit einer Form der Primatsausübung, die der Ökumene dienlich ist: „Meine Aufgabe als Bischof von Rom ist es, offen zu bleiben für die Vorschläge, die darauf ausgerichtet sind, dass eine Ausübung meines Amtes der Bedeutung, die Jesus Christus ihm geben wollte, treuer ist und mehr den gegenwärtigen Notwendigkeiten der Evangelisierung entspricht.“[15]

---

[12] HerKorr 12/1995, 681.

[13] J. Moltmann, Hat das Papsttum eine ökumenische Zukunft, in: Concilium (D) 31 (1995, 472f.

[14] Vgl. dazu M. Delgado, Papst Franziskus hat einen Traum: Die Revolution der zärtlichen Liebe. Ein Kommentar zum Apostolischen Schreiben „Evangelii gaudium“, in: Schweizerische Kirchenzeitung 181 (51-52/2013), 786-789.

[15] Vgl. die deutsche Übersetzung von „Evangelii gaudium“ in: www.vatican.va, hier Nr. 32.

3. Der Vorschlag von Heinrich Fries und Karl Rahner

Ob der Vorschlag von Heinrich Fries und Karl Rahner uns hier weiterhelfen könnte? Er besteht aus zwei Thesen. Mit der ersten sollten die nichtkatholischen Christen dem Papst entgegenkommen, mit der zweiten sollte sich der Papst im Sinne einer freiwilligen „Selbstbeschränkung" seines Amtes auf sie zubewegen. Man träfe sich also auf halbem Wege. Hier die Thesen:

Erste These: „Alle Teilkirchen erkennen Sinn und Recht des Petrusdienstes des römischen Papstes als konkreten Garanten der Einheit der Kirche in Wahrheit und Liebe an".

Zweite These: „Der Papst seinerseits verpflichtet sich ausdrücklich, die damit vereinbarte Eigenständigkeit der Teilkirchen anzuerkennen und zu respektieren. Er erklärt (iure humano), dass er von seiner obersten, ihm vom Ersten Vatikanum her nach katholischen Prinzipien zustehenden Lehrautorität (ex cathedra) nur in einer Weise Gebrauch machen werde, die juristisch oder sachlich einem allgemeinen Konzil der ganzen Kirche entspricht, so wie ja seine bisherigen Kathedralentscheidungen in Übereinstimmung und Fühlungnahme mit dem katholischen Gesamtepiskopat ergangen sind."[16]

Die erste These stellt für Fries und Rahner keine Schwierigkeit dar, sofern es in allen Evangelien eine ausgesprochene „Petrustradition" gibt, die diesem Apostel eine Führungsrolle zuerkennt, und keine andere Stadt außer Rom beansprucht hat, Sitz des Nachfolgers im Amt und Sitz des Petrus zu sein. Eine solche Anerkennung des Petrusdienstes seitens der nicht-katholischen Christen wird aber nur möglich sein, wenn diese Kirchen als Teilkirchen mit einer gewissen Autonomie in „Kult, Leben und Recht" anerkannt werden und wenn Rom auf Maximalforderungen verzichtet. Denkbar bleibt nur eine Lösung, wie sie z.B. Joseph Ratzinger für die Einheit Roms mit der Orthodoxie vorgeschlagen hat: „Rom muss vom Osten nicht mehr an Primatslehre fordern, als auch im ersten Jahrtausend formuliert und gelebt wurde. [...] Die Einigung könnte hier auf der Basis geschehen, dass einerseits der Osten darauf verzichtet, die westliche Entwicklung des zweiten Jahrtausends als häretisch zu bekämpfen und die katholische Kirche in der Gestalt als rechtmäßig und rechtgläubig akzeptiert, die sie in dieser ihrer eigenen Entwicklung gefunden hat, während umgekehrt der Westen die Kirche des Ostens in der Gestalt, die sie sich bewahrt hat, als rechtgläubig und rechtmäßig anerkennt."[17]

---

[16] H. Fries / K. Rahner, Einigung der Kirchen – Reale Möglichkeit (Quaestiones disputatae 100), Freiburg 1983, 70, 98 (70-108).

[17] J. Ratzinger, Die ökumenische Situation – Orthodoxie, Katholizismus und Reformati-

Fries und Rahner gehen nun über Ratzinger hinaus, als sie hierzu fragen: „Sollte, was für die Orthodoxie recht ist, nicht auch für die Anglikaner (und mit Vorbehalt auch für die anderen Kirchen des Protestantismus) billig sein?"[18]Auch hier müsste Rom nichts mehr verlangen, als vor dem Ersten Vatikanischen Konzil an Primatslehre im Westen formuliert und gelebt wurde, verbunden mit der ausdrücklichen Anerkennung durch diese Kirchen, dass die Dogmen des Ersten Vatikanischen Konzils zumindest keinen Verrat am Christentum darstellen, auch wenn die Nichtkatholiken dessen Sinn nicht einzusehen vermögen.
Mit der zweiten These wird Rom in die Pflicht genommen. Denn es soll erklären, wie es die Eigenständigkeit und Eigenart der Teilkirchen in der Zukunft der einen Kirche anzuerkennen gedenkt. Dazu müssten bilaterale Kirchenverträge abgeschlossen werden – analog etwa zu den vielen Konkordaten, die Rom mit Staaten seit vielen Jahrhunderten bis auf den heutigen Tag abgeschlossen hat.
Aber wenn es ein Petrusamt gibt, das für die Einheit der Kirche in der Wahrheit und in der Liebe eine besondere Aufgabe und Funktion hat, dann kann und soll Rom diese Aufgabe auch in der einen Kirche künftig wahrnehmen. Die Frage ist nur wie. Fries und Rahner meinen, man müsste bezüglich des Lehrprimats, und zwar sowohl des einfachen Lehramtes in der Form von Enzykliken als auch bezüglich der eigentlichen Kathedralentscheidungen im Sinne des Ersten und des Zweiten Vatikanischen Konzils, eine besondere Regelung treffen. Sie schlagen die Errichtung einer beratenden Behörde nach Art der jetzigen Glaubenskongregation vor, in der alle Teilkirchen angemessen repräsentiert sein sollten.
Karl Rahner selbst hat uns in Form eines Kirchentraumes erzählt, wie er sich diese „Selbstbeschränkung" des Papstamtes vorstellt. Im Traum beobachtet er eine ökumenische Begegnung im Vatikan und wie der Papst den Vertretern der anderen Kirche seine Bereitschaft zur Selbstbeschränkung und zum Konsens erläutert. Am Ende sagt er ihnen, „dass die künftige Einheit der Kirche keine Uniformierung aller Kirchen auf das Modell der heutigen Römischen Kirche des Westens bedeutet, dass im weitesten Umfang die Teilkirchen, die sich mit Petrus einen, ihr eigenes Recht, ihre Treue zu ihrer eigenen Überlieferung und Geschichte bewahren dürfen und sollen".[19]

---

on, in: ders., Theologische Prinzipienlehre, München 1982, 209, hier zitiert nach Fries/Rahner, Einigung (wie Anm. 16), 83.
[18] Fries/Rahner, Einigung (wie Anm. 16), 91.
[19] K. Rahner, Der Traum von der Kirche, in: ders., Schriften zur Theologie, Bd. 14, Zürich 1977, 355-367.

4. AUSBLICK

Schön wäre es, wenn sich die Papsttumsfrage so einfach regeln ließe, wie von Karl Rahner erträumt oder zuletzt von Papst Franziskus erwünscht. Denn der konfessionelle Gegensatz, ohne dessen Unversöhnlichkeit, wie Wolfhart Pannenberg sagt, „der moderne Säkularismus gar nicht entstanden wäre",[20] muss von den Christen überwunden werden. Aber es scheint, dass nur eine Einheit in Vielheit oder eine „verschönte Verschiedenheit" möglich sein wird. Und der erste Schritt dazu ist die Bekehrung zu Jesus Christus in der eigenen Kirche.

Nach der Rückkehr aus dem nachkonziliaren Rom sagte Karl Barth 1967: „Ich habe eine Kirche und Theologie aus der Nähe kennengelernt, die in eine in ihren Auswirkungen unübersehbare, langsame, aber sicher echte und nicht mehr rückgängig zu machende Bewegung geraten ist [...]. Der Papst ist nicht der Antichrist! Ich bin ultra montes so vielen Christenmenschen begegnet, mit denen ich in aufrichtigem Ernst reden, aber auch herzlich lachen konnte, dass ich nicht ohne Wehmut an gewisse Gartenzwerge in unserem Gehege zurückdenken konnte. Alle Optimismen im Blick auf die Zukunft verbieten sich von selbst. Noch stärker gebietet sich aber eine ruhig brüderliche Hoffnung, verbunden mit der Willigkeit, unterdessen im Kleinen und im Großen gründlich vor unseren eigenen Türen zu wischen [...]. Grundsätzlich kann es hüben und drüben nur darum gehen, dass ein jeder sich an seinem Ort in seiner Kirche zum Glauben an den einen Herrn in seinen Dienst rufen lassen."[21]

Dies stimmt auch mit dem, was Johannes Paul II. in der Enzyklika *Ut unum sint* betont: „Alle Christgläubigen sollen sich bewusst sein, dass sie die Einheit der Christen umso besser fördern, ja sogar einüben, je mehr sie nach einem reinen Leben gemäß dem Evangelium streben" (20). Und schließlich dürfen wir die Hoffnung auf Überraschungen im Sinne der von Rahner erträumten „Selbstbescheidung" des Papsttums unter Papst Franziskus hegen. Denn nach dem Jahrtausend des Papalismus und der Sakralisierung des Papsttums muss dieses ideologisch abrüsten, wenn es im 3. Jahrtausend der Einheit der Christen wirklich dienen soll.

---

[20] W. Pannenberg, Christentum in einer säkularisierten Welt, Freiburg 1988, 76.
[21] K. Barth, Ad limina Apostolorum, Zürich 1967, 17f.

Wilhelm Rees

Papst und Konzil

Kirchenrechtliche Entwicklungen und weitere Überlegungen

Nachdrücklich stellt der kirchliche Gesetzgeber im Codex Iuris Canonici, den Papst Johannes Paul II. mit der Apostolischen Konstitution „Sacrae disciplinae leges“ am 25. Januar 1983 in Kraft gesetzt hat, heraus, dass der Papst kraft seines Amtes in der Kirche über „höchste, volle, unmittelbare und universale ordentliche Gewalt (verfügt), die er immer frei ausüben kann“ (c. 331 CIC/1983). Wie der Papst ist auch das Bischofskollegium „Träger höchster und voller Gewalt in Hinblick auf die Gesamtkirche“ (c. 336 CIC/1983). Diese Gewalt übt das Bischofskollegium „in feierlicher Weise auf dem Ökumenischen Konzil aus“ (c. 337 § 1 CIC/1983). Die Geschichte der Kirche zeigt, dass das Zueinander von Papst und Bischöfen bzw. Bischofskollegium auf einem Konzil nicht immer spannungsfrei war. Auch das kirchliche Gesetzbuch von 1983 hat Fragen offen gelassen. Der Amtsverzicht von Papst Benedikt XVI. zum 28. Februar 2013 war für die Öffentlichkeit eine große Überraschung[1], zugleich auch ein mutiger und wegweisender Schritt, da der Papst spürte, Reformen in der Kirche, die er für notwendig erachtete, nicht mehr selbst durchführen zu können. Sein Nachfolger, Papst Franziskus, hat nicht nur eine Reform der Kurie angestoßen, sondern setzt verstärkt „auch auf ein kollegiales Miteinander und gemeinsame Entscheidungen der Bischöfe“[2]. So bräuchte es gemäß der Apostolischen Konstitution

---

[1] Nach c. 332 § 2 CIC/1983 ist, „falls der Papst auf sein Amt verzichten sollte, ... zur Gültigkeit verlangt, daß der Verzicht frei geschieht und hinreichend kundgemacht, nicht jedoch, daß er von irgendwem angenommen wird“. Vgl. Bernd Eicholt, Einige Fragen zum Amtsverzicht Benedikt XVI. aus Sicht des kanonischen, vatikanischen und deutschen Rechts, in: Kirche und Recht (KuR) 2013, Nr. 310, S. 30-41.

[2] Vgl. Papst will mehr Mitbestimmung der Ortsbischöfe. Franziskus-Reformen I und II (09.04.2014): http://www.domradio.de/themen/papst-franziskus/2014-04-09/papst-will-mehr-mitbestimmung-der-ortsbischoefe (eingesehen 14.4.2014); s. auch Franziskus, Brief vom 8.4.2014 an den Generalsekretär der Bischofssynode, Kardinal L. Baldisseri: http://de.radiovaticana.va/news/2014/04/08/franziskus_wertet_bischofssynode_weiter_auf/ted-788910 (eingesehen 14.4.2014); insgesamt Franziskus, Apostolisches Schreiben „Evangelii Gaudium“ an die Bischöfe, an die Priester und Diakone, an die Personen geweihten Lebens und an die christgläubigen Laien über die Verkündigung des Evangeliums in der Welt von heute vom 24.11.2013; dt. VApSt Nr. 194, Bonn 2013.

„Evanglii Gaudium“ eine Neuausrichtung der Kirche auf allen Ebenen, jedoch auch mehr Kollegialität und Synodalität an der Spitze der Kirche und „eine Neuausrichtung des Papsttums“ (Nr. 32).
Im Folgenden soll auf das Verhältnis von Papst und Konzil in der Geschichte und in den Bestimmungen des CIC/1917 geblickt werden. Ferner sollen die diesbezüglichen ekklesiologischen Neuansätze des Zweiten Vatikanischen Konzils und die Bestimmungen des CIC/1983 erörtert und weiterführende Überlegungen angestellt werden[3].

1. Zur geschichtlichen Entwicklung

Synoden und Konzilien gehören zum Leben der Kirche. Kennt sie doch vom 2. Jahrhundert an bis in die Gegenwart „das Faktum, daß sich Kirche am Ort, in der Region oder mit weltweitem Anspruch in repräsentativen Versammlungen zusammenfand“[4]. Näherhin bestand bis etwa zur Mitte des 4. Jahrhunderts ein „lockeres Nebeneinander“ von Papst und Konzil, das „weniger vom Recht als vom Geist der Communio bestimmt (war) ... Bald war es der Papst, bald waren es die Konzilien, die die Initiative zur Lösung die ganze Kirche betreffender Fragen ergriffen ... Im Regelfall teilte das Konzil dem Papst wie auch den übrigen Hauptsitzen seine Beschlüsse mit, und der Papst rezipierte sie entweder ausdrücklich oder stillschweigend“[5]. Seit Papst Damasus (366-384) erhoben die Päpste „immer entschiedener den Anspruch auf die Leitung der Gesamtkirche“[6].

---

[3] Unter ökumenischem Aspekt s. vor allem S. Hell (Hrsg.), Papstamt: Hoffnung, Chance, Ärgernis. Ökumenische Diskussion in einer globalisierten Welt, Innsbruck – Wien 2000.
[4] F. Wolfinger, Ökumenisches Konzil und Rezeption seiner Beschlüsse, in: Concilium 19 (1983), S. 559-563, hier S. 559; s. auch W: Rees, Synoden und Konzile. Geschichtliche Entwicklungen und Rechtsbestimmungen in den kirchlichen Gesetzbüchern von 1917 und von 1983, in: ders., J. Schmiedl (Hrsg.), Unverbindliche Beratung oder kollegiale Steuerung? Kirchenrechtliche Überlegungen zu synodalen Vorgängen (= Europas Synoden nach dem Zweiten Vatikanischen Konzil, Bd. 2), Freiburg, Basel, Wien 2014, S. 10-67; ders., Der Österreichische Synodale Vorgang (1973/74). Vorgeschichte und kirchenrechtlicher Status, in: J. Schmiedl (Hrsg.), Nationalsynoden nach dem Zweiten Vatikanischen Konzil. Rechtliche Grundlagen und öffentliche Meinung (= Theologische Berichte XXXV), Freiburg/Schweiz 2013, S. 116-198.
[5] H. J. Sieben, Zum Verhältnis zwischen Konzil und Papst bis zur Mitte des fünften Jahrhunderts, in: Concilium 19 (1983), S. 512-516, hier S. 512.
[6] Sieben, Verhältnis (Anm. 5), S. 513; grundlegend J. Gnilka, Der Petrusdienst – Grundlegung im Neuen Testament und Ausprägung in der frühen Kirche, in: P. Hünermann (Hrsg.), Papstamt und Ökumene. Zum Petrusdienst an der Einheit aller Getauften, Regensburg 1997, S. 9-24.

Während beim Konzil von Nizäa (325) und beim Konzil von Konstantinopel (381) „das Petrusamt praktisch überhaupt nicht in Erscheinung“[7] trat, zeigte sich das Ringen der beiden Institutionen Papst und Konzil um die Führung der Kirche deutlich in den Reichssynoden von Ephesus (431 und 449) und Chalcedon (451), in denen der Papst zum ersten Mal in der Geschichte „Anspruch ... auf den Konzilsvorsitz in der Person seines Legaten“ erhob[8]. In der Folgezeit erhoben die Päpste „den Anspruch, die auf den Konzilien zu verhandelnden Glaubensfragen und auch wichtige Disziplinarfragen ... kraft ihrer Autorität entscheiden zu können, und sie erwarten von den Konzilien die Ratifizierung ihrer Entscheidung“[9]. Im Unterschied dazu vertrat der Osten die Auffassung, „daß solche Fragen nur kollegial, durch ein ÖK definitiv geregelt werden können. Kein Konzil hat die Vorentscheidung Roms einfachhin aufgrund der Autorität des Papstes angenommen“[10].
Die mittelalterlichen Konzilien vom Ersten Laterankonzil (1123) bis zum Konzil von Vienne (1311) stehen „im Zeichen eines gewissen päpstlichen Absolutismus“, dahingehend, dass das Petrusamt „eindeutig die Überhand“ gewinnt[11]. Wie Wolfgang Klausnitzer aufzeigt, begann „um 1300 der Streit zwischen dem Papsttum auf der einen und dem deutschen Kaiser bzw. dem französischen Königtum auf der anderen Seite um die ‚potestas‘, d.h. die Gewalt, und die ‚auctoritas‘ in der Kirche“[12]. Diese Hypothek belaste die katholische Ekklesiologie bis heute. In der Diskussion um die „Frage der Machtverteilung“ bildeten sich drei Positionen heraus, „die Papsttheorie (mit ihrer Radikalisierung im Papalismus), die ‚gesamtkirchliche Position‘ (mit dem Extrem des Konziliarismus) und eine

---

[7] W. de Vries, Das Ökumenische Konzil und das Petrusamt, in: ThPQ 124 (1976), S. 27-40, bes. S. 28-30, hier S. 28; zu den 21 ökumenischen Konzilien s. H.-J. Vogt, Art. Konzil. I. Geschichte, in: StL[7], Bd. 3 (1987 und 1995), Sp. 668-670; J. van Laarhoven, Die ökumenischen Konzilien auf der Waagschale. Ein quantitativer Überblick, in: Concilium 19 (1983), S. 535-544.

[8] Sieben, Verhältnis (Anm. 5), S. 514; s. auch Pius XII., Litterae Encyclicae „Sempiternus Rex Christus“ vom 8. 9. 1951 ad Venerabiles Fratres Patriarchas, Primates, Archiepiscopos, Episcopos aliosque locorum Ordinarios, pacem et communionem cum Apostolica sede habentes: De Oecumenica Chalcedonensi Synodo quindecim abhinc saeculis celebrata, in: AAS 43 (1951), S. 625-644; dazu F. Arnold, Das Konzil von Chalcedon (451) und der Primat des Papstes, in: ÖAKR 3 (1952), S. 86-89.

[9] de Vries, Konzil (Anm. 7), S. 28.

[10] de Vries, Konzil (Anm. 7), S. 28.

[11] Vgl. de Vries, Konzil (Anm. 7), S. 30-32, hier S. 32.

[12] W. Klausnitzer, Der Papst als Garant der Einheit, in: B. Dennemarck, H. Hallermann, T. Meckel (Hrsg.), Von der Trennung zur Einheit. Das Bemühen um die Pius-Bruderschaft (= WTh, Bd. 7), Würzburg 2011, S. 63-88, hier S. 67.

'Via media'"[13]. Wilhelm de Vries sieht „den schärfsten Gegensatz zu einer absolutistischen Primatsauffassung" in den „konziliaren Ideen, die sich vom 12. Jh. an langsam anbahnten und im 15. Jh. sich zunächst auf dem ÖK von Konstanz (1414-1418) in gemäßigter Form durchsetzten, dann aber in Basel (1431-1437) (1445) in eindeutig häretischem Sinne ausarteten"[14]. So bemühte sich insbesondere das Konzil von Konstanz in den Dekreten „Haec Sancta Synodus" (6. April 1415) und „Frequens" (9. Oktober 1417), „das synodale Element institutionell in der Kirchenleitung zu verankern"[15]. Letztlich zeigen sich in der katholischen Kirche des Mittelalters mit Blick auf das Verhältnis von Papst und Konzil zwei entgegengesetzte Tendenzen. „Gemäß der einen, die auf den päpstlichen Generalkonzilien vom 12. bis 14. Jh. zum Zuge kommt, ist der Papst beim Konzil die entscheidende Schlüsselfigur ... Die andere Strömung führt zum Konziliarismus, der in seiner extremen Form die Autorität des Papstes beim Konzil schließlich ausschaltet."[16]

2. Die Lehre des 18. Jahrhunderts und das Erste Vatikanische Konzil

Drei wichtige Denkrichtungen zum Verhältnis von Papst und Ökumenischem Konzil haben, wie Ludger Müller aufzeigt, das 18. Jahrhundert bestimmt, nämlich „Jesuitenkanonisten, Febronianismus und Würzburger Schule"[17]. So stellt in der traditionellen Lehre des Jesuitenkanonisten Vitus Pichler „das Ökumenische Konzil letztlich nur eine besondere Art und Weise dar, wie der Papst die ihm allein zukommende Autorität in der Kirche ausübt"[18]. Diese einseitige papalistische Auffassung konnte aufgrund von episkopalistischen Strömungen[19], die mit Blick auf die Verfas-

---

[13] Vgl. Klausnitzer, Papst (Anm. 12), S. 68-76, hier S. 68.

[14] Vgl. de Vries, Konzil (Anm. 7), S. 32-35, hier S. 32. Die diesbezüglichen Überlegungen wurzeln bei den Dekretisten und Dekretalisten. S. ebd., S. 32; ferner auch L. Chatellier, Art. Gallikanismus. I. Historisch, in: LThK^3, Bd. 4 (1995), Sp. 274-279.

[15] Klausnitzer, Papst (Anm. 12), S. 73; die Texte s. lat./dt. in: J. Wohlmuth (Hrsg.), Dekrete der Ökumenischen Konzilien, Bd. 2: Konzilien des Mittelalters. Vom Ersten Laterankonzil (1123) bis zum Fünften Laterankonzil (1512-1517), Paderborn, München, Wien, Zürich 2000, S. 409f. und S. 438-443.

[16] de Vries, Konzil (Anm. 7), S. 34; s. auch J. Wohlmuth, Konziliarismus und Verfassung der Kirche, in: Concilium 19 (1983), S. 522-526.

[17] Vgl. L. Müller, Papst und Ökumenisches Konzil. Zur Diskussion in der deutschen Kirchenrechtswissenschaft des 18. Jahrhunderts, in: AfkKR 167 (1998), S. 22-48, hier S. 24.

[18] Vgl. Müller, Papst (Anm. 17), S. 24-27, hier S. 26.

[19] S. R. Reinhardt, Art. Episkopalismus, in: LThK^3, Bd. 3 (1995), Sp. 726-728; U. Breit-

sung der Kirche die Leitung nicht in den Händen von Papst und Kardinälen, sondern den auf einem Generalkonzil versammelten Bischöfen sahen, nicht mehr aufrecht erhalten werden[20]. Andererseits stößt die „einseitige Ansicht des Febronius, daß der Papst der Gesamtheit der Bischöfe untergeordnet sei, ... auf deutliche Kritik"[21]. Müller kann anhand der Aussagen von Franz Xaver Zech und deutlicher noch an jenen von Phillip Anton Schmidt aufzeigen, dass die Wahrheit „in der Mitte" liegt, d. h., dass weder das Konzil vom Papst abhängig noch der Papst dem Konzil untergeordnet sei, sondern beiden in der Kirche die höchste Autorität zukomme, wobei die Verhältnisbestimmung beider Träger der höchsten Autorität in der Kirche den Schriften von Zech und Schmidt nicht zu entnehmen sei[22].

Das Papsttum war in dieser Zeit auch politisch bedroht, vor allem in Form des Kirchenstaats, der schließlich im Jahr 1870 beschlagnahmt wurde. Es wurden deshalb „von verschiedenen Seiten her alle Kräfte angespannt, um den Verlust der weltlichen Macht des Papstes durch die Steigerung seiner geistlichen Macht zu ersetzen"[23], nicht zuletzt auch, um den Auswirkungen der Französischen Revolution kraftvoll entgegenwirken zu können. Mit Unterstützung von Papst Pius IX. (1846-1878) billigte das Erste Vatikanische Konzil (1869-1870) am 18. Juli 1870 die Konstitution „Pastor aeternus", die die Einsetzung des apostolischen Primats im Apostel Petrus (Kap. 1), den dauernden Fortbestand dieses Primats in den römischen Bischöfen (Kap. 2) herausstellte, Bedeutung und Wesen des Primats des Bischofs von Rom umschrieb und die päpstliche Jurisdiktionsgewalt (Kap. 3) und ebenso die päpstliche Unfehlbarkeit (Kap. 4) definierte[24]. So wiederholte das dritte Kapitel einleitend die Definition des Öku-

---

bach, Art. Episkopalsystem. II. Kath., in: LKStKR, Bd. 1 (2000), S. 599 f.; I. Riedel-Spangenberger, Der Jurisdiktions- und Lehrprimat des Papstes in der Diskussion. Bemerkungen aus der Perspektive des Kirchenrechts und der Ökumene, in: AfkKR 165 (1996), S. 25-55, bes. S. 28.

[20] Vgl. Müller, Papst (Anm. 17), S. 45; zur febronianistisch-episkopalistischen Kirchenrechtslehre s. ebd., S. 27-37; ferner J. Listl, Kirche und Staat in der neueren katholischen Kirchenrechtswissenschaft (= Staatskirchenrechtliche Abhandlungen, Bd. 7), Berlin 1978, S. 54-57.

[21] Müller, Papst (Anm. 17), S. 45.

[22] Müller, Papst (Anm. 17), S. 45 f.; s. insgesamt ebd., S. 37-45.

[23] R. Metz, Der Einfluss des Ersten Vatikanischen Konzils auf die Rechtslage des Konzils im Codex Iuris Canonici von 1917, in: Concilium 19 (1983), S. 570-574, hier S. 571.

[24] Vgl. Erstes Vatikanisches Konzil, Erste Dogmatische Konstitution über die Kirche „Pastor aeternus" vom 18.7.1870; lat./dt. in: Wohlmuth, Dekrete (Anm. 15), Bd. 3: Konzilien der Neuzeit, Paderborn, München, Wien, Zürich 2002, S. 811-816; ferner DH 3050-3075; s. B. Ries, Amt und Vollmacht des Papstes. Eine theologisch-rechtliche Untersuchung zur Gestalt des Petrusamtes in der Kanonistik des 19. und 20. Jahrhunderts

menischen Konzils von Florenz (6. Juli 1439), wonach „der heilige Apostolische Stuhl und der Römische Bischof den Primat über den gesamten Erdkreis innehat und der Römische Bischof selbst der Nachfolger des seligen Apostelfürsten Petrus und der wahre Stellvertreter Christi, das Haupt der ganzen Kirche und der Vater und Lehrer aller Christen ist“[25]. Eine Stärkung des Petrusamtes gegenüber dem Konzil zeigte sich auch darin, dass dem Ersten Vatikanischen Konzil mit der Konstitution „Multiples inter“ vom 27. November 1869 von vornherein die Geschäftsordnung „durch den Papst aufoktroyiert“ wurde, während sich das Konzil von Trient seine Geschäftsordnung selbst gegeben hatte[26]. Das Erste Vatikanische Konzil konnte in Folge seiner Auslösung das Thema Bischöfe nicht mehr behandeln. „Man fügte lediglich in den Text über den Primat einen Passus über die Bischöfe ein: ‚Diese Gewalt des obersten Pontifex tut der ordentlichen und unmittelbaren Gewalt der bischöflichen Rechtsbefugnis gar keinen Eintrag ...‘. Wie sich die Autorität der Bischöfe nun genauer, sei es auf einem Konzil oder außerhalb des Konzils zum Petrusamt verhält, darüber schweigt sich das I. Vaticanum aus“, wenngleich es „die Bischöfe gewiß nicht von einer kollegialen Teilhabe an der Leitung der universalen Kirche ausschließen“ wollte[27]. Letztlich war das Konzil die „zugespitzte Reaktion“ auf verschiedene Strömungen der damaligen Zeit[28].

(= Kirchenrechtliche Bibliothek, Bd. 8), Münster, Hamburg, London 2003, S. 18-47; W. Klausnitzer, Der Primat des Bischofs von Rom. Entwicklung – Dogma – Ökumenische Zukunft, Freiburg, Basel, Wien 2004, S. 369-427; ders., Das Papstamt im Disput zwischen Lutheranern und Katholiken. Schwerpunkte von der Reformation bis zur Gegenwart (= Innsbrucker theologische Studien, Bd. 20), Innsbruck – Wien 1987, S. 312-338.

[25] Vgl. Konzil von Florenz, Bulle „Laetentur caeli“ über die Union mit den Griechen vom 6. 7. 1439, gr./lat./dt. in: Wohlmuth, Dekrete Bd. 2 (Anm. 15), S. 523-528, hier S. 528; ferner DH 1307; Erstes Vatikanisches Konzil, Pastor aeternus (Anm. 24), Kap. 3, S. 813 = DH 3059.

[26] Vgl. de Vries, Konzil (Anm. 7), S. 35. Die Geschäftsordnung wurde durch Dekret vom 20.2.1870 in 14 Punkten ergänzt. Vgl. H. Jedin, Die Geschäftsordnungen der beiden letzten ökumenischen Konzilien in ekklesiologischer Sicht, in: Catholica 14 (1960), S. 105-118, hier S. 109; ders., Die Geschäftsordnung des Konzils, in: LThK^2-Konzilskommentar, Bd. III (1968), S. 610-623, hier S. 613 f.; s. auch K. Ganzer, Zu den Geschäftsordnungen der drei letzten allgemeinen Konzilien. Ekklesiologische Implikationen, in: Iuri Canonico Promovendo. Festschrift für H. Schmitz zum 65. Geburtstag. Hrsg. von W. Aymans / K.-T. Geringer unter Mitwirkung von P. Krämer und I. Riedel-Spangenberger, Regensburg 1994, S. 835-867, bes. S. 835-860.

[27] de Vries, Konzil (Anm. 7), S. 37; zum Protest auf dem Konzil ebd.; s. auch I. Riedel-Spangenberger, Papst und Bischofskollegium. Träger höchster kirchlicher Autorität und Verantwortung, in: dies. (Hrsg.), Leitungsstrukturen der katholischen Kirche. Kirchenrechtliche Grundlagen und Reformbedarf (= QD 198), Freiburg, Basel, Wien 2002, S. 23-49, hier S. 33.

[28] Vgl. Riedel-Spangenberger, Papst (Anm. 27), S. 28-33, hier S. 28; s. auch dies., Dis-

3. Papst und Allgemeines Konzil in den Bestimmungen des CIC/1917

Nach den Aussagen des CIC/1917 sind sowohl der Papst als auch das Allgemeine Konzil Träger der höchsten universalen Gewalt in der Kirche (vgl. c. 218 § 1 CIC/1917 und c. 228 § 1 CIC/1917). Näherhin enthielt der CIC/1917 innerhalb des Siebten Titels „Der Papst und diejenigen, welche nach dem Kirchenrecht an seiner Gewalt Anteil haben" des Zweiten Buchs in je eigenen Kapiteln Bestimmungen zum Papst (vgl. cc. 218-221 CIC/1917) und zum Allgemeinen Konzil (cc. 222-229 CIC/1917)[29]. Als Nachfolger des hl. Petrus im Primat hat der Bischof von Rom nicht nur einen Ehrenprimat, sondern die höchste und vollständige Jurisdiktionsgewalt (supremam et plenam potestatem) über die ganze Kirche (vgl. c. 218 § 1 CIC/1917)[30]. Das Allgemeine Konzil ist Träger der höchsten Regierungsgewalt (suprema potestas) über die ganze Kirche (c. 228 § 1 CIC/1917), allerdings in starker Abhängigkeit vom Papst. So war die Abhaltung eines Allgemeinen Konzils in das freie Ermessen des Papstes gestellt (c. 222 § 1 CIC/1917), ebenso die Verlegung, Vertagung und Auflösung (c. 222 § 2 CIC/1917). Der Papst selbst oder sein Legat führte den Vorsitz, bestimmte die Tagesordnung und gab dem Allgemeinen Konzil eine Geschäftsordnung (ebd.). Der Papst bestimmte auch die Angelegenheiten, die auf dem Konzil behandelt werden sollten (c. 226 CIC/1917). „Diese aus der primatialen Gewalt fließende Befugnis des Papstes macht deutlich, daß der Papst der Herr auf dem AK bleibt."[31] Näherhin entschied die Mehrheit der in der Abstimmung abgegebenen Stimmen. Wie Georg May herausstellt, ist der Papst „jedoch nicht verpflichtet, der Mehrheitsentscheidung zu folgen"[32]. Die Beschlüsse eines Konzils erlangten erst Rechtskraft, nachdem sie vom Papst bestätigt und auf sein Geheiß hin veröffentlicht worden sind (c. 227 CIC/1917). Dies folgt, wie Heribert Jone bemerkt, letztlich „aus dem Jurisdiktionsprimat"[33]. In den Bestimmungen

---

kussion (Anm. 19), S. 27-30.

[29] Dazu G. May, Das Verhältnis von Papst und Bischöfen auf dem Allgemeinen Konzil nach dem CIC, in: TThZ 70 (1961), S. 212-232; abgedr. in: ders., Schriften zum Kirchenrecht. Ausgewählte Aufsätze. Hrsg. von A. Egler / W. Rees (= Kanonistische Studien und Texte, Bd. 47), Berlin 2003, S. 237-258.

[30] Vgl. Riedel-Spangenberger, Diskussion (Anm. 19), S. 32-36; dies., Papst (Anm. 27), S. 34-37.

[31] May, Verhältnis (Anm. 29), S. 254.

[32] May, Verhältnis (Anm. 29), S. 256. Wie May, ebd., S. 256 mit Anm. 88, betont, kann der Papst „auch mit der Minderheit stimmen, womit jedoch die Entscheidung aufhören würde, ein Konzilsbeschluß zu sein".

[33] H. Jone, Gesetzbuch des kanonischen Rechtes. Erklärung der Kanones. Bd. I: Nor-

des CIC/1917 zeigt sich eine zweifache Tradition. In c. 228 CIC/1917 jene, die „vor allem das Konzil als Ganzes und dessen höchste Autorität in der Kirche hervorhebt", in den übrigen Kanones jene, „die den Akzent stärker auf die Vorrechte des Papsttums setzt, in dem das Petrusamt fortlebt"[34]. Wie Georgio Feliciani in der Analyse der Quellen des Kodifizierungsprozesses, d. h. den von den Bischöfen in den Jahren 1904 bis 1905 vorgebrachten Wünschen, der Stellungnahme des Konsultors Klumper aus dem Jahr 1906, dem im Jahr 1912 allen Bischöfen zugesandten Entwurf zusammen mit den Reaktionen der Bischöfe auf diesen Entwurf und den folgenden Entwürfen von 1914 und 1916, deutlich aufzeigen kann, war die mit der Erarbeitung des Kodex beauftrage Kommission „vor allem darum besorgt ..., die Befugnisse und die Macht des Papstes gegenüber einem Konzil so deutlich wie möglich hervorzuheben"[35]. Die Bestimmungen des CIC/1917 zum Allgemeinen Konzil stehen somit „in vollkommenem Einklang mit der Theologie von der Kirche und der Idee vom Papsttum, wie sie von der Mehrheit der Konzilsväter entwickelt und schließlich vom Ersten Vatikanischen Konzil selbst feierlich verkündet worden waren"[36]. Georgio Feliciani ist zuzustimmen, wenn er betont, dass „das schwerwiegendste Versäumnis der vom Kodex vorgesehenen Kirchenordnung darin (liegt), daß jeder Hinweis auf das Kollegium der Bischöfe fehlt", obwohl bereits Franz Xaver Wernz die Meinung geäußert habe, „daß die Befugnisse und die Macht der in einem ökumenischen Konzil versammelten Bischöfe nicht derart abgewertet werden dürfen, daß die Bischöfe nur noch als Ratgeber des Papstes betrachtet werden, wo sie doch die Nachfolger der Apostel sind und zusammen mit dem Papst das Kollegium der Bischöfe bilden"[37]. Tatsächlich werden jedoch „die Bischöfe als Teilhabende an der obersten Jurisdiktion fast völlig ausgeblendet"[38]. Als Indiz dafür sieht Barbara Ries „z. B. die Aufzählung der in das Konzil Berufenen. An erster Stelle werden nicht etwa die Bischöfe genannt, sondern die Kardinäle. Unter der zweiten Rubrik werden die Bischöfe genannt, jedoch erst hinter den Patriarchen, Primaten und Erzbischöfen. Man erhält den Eindruck, daß es beim Konzil nicht um die Ausübung der höchsten Vollmacht in der Kirche geht, sondern um eine Veranstaltung

---

menrecht und Personenrecht (Kan. 1 – Kan. 725), Paderborn 1939, S. 229, zu c. 227.

[34] de Vries, Konzil (Anm. 7), S. 27.

[35] G. Feliciani, Der Prozeß der Kodifizierung, in: Concilium 19 (1983), S. 526-530, hier S. 527.

[36] Metz, Einfluss (Anm. 23), S. 572.

[37] Feliciani, Prozeß (Anm. 35), S. 527, unter Hinweis auf F. X. Wernz, Ius decretalium (Ex Typographia Polyglotta S. C. de Propaganda Fide), Rom ^{2}1905 ff., Bd. I, S. 259 f. und Bd. II/Teil II, S. 705-707.

[38] Ries, Amt (Anm. 24), S. 224

des Papstes, bei der den Bischöfen nur eine untergeordnete Rolle zukommt. Die Bischöfe selbst werden unter dem Titel VII in ihrer gesamtkirchlichen Verantwortung nicht hinreichend wahrgenommen, vielmehr werden sie unter titulus VIII ‚De potestate episcopali deque iis qui de eadem participant' primär in ihrer partikularkirchlichen Funktion gesehen ... Der Papst wird nicht ausdrücklich in das Kollegium der Bischöfe eingebunden, vielmehr steht der oberste Hirte der Kirche und die Bischöfe unverbunden nebeneinander"[39]. Für Karl Rahner war das Prägemal der „Pianischen Epoche", d. h. der Zeit zwischen den Päpsten Pius IX. (1846-1878) und Pius XII. (1939-1958), der römische Zentralismus[40]. Allerdings stand es „nicht in der Macht des Papstes, regierende Diözesanbischöfe von der Teilnahme an dem AK auszuschließen"[41].

4. Impulse und Ansätze des Zweiten Vatikanischen Konzils

Das Zweite Vatikanische Konzil hat die Aussagen des Ersten Vatikanischen Konzils über die Rechtsstellung des Papstes rezipiert und bekräftigt (vgl. Art. 18 VatII LG), sie jedoch in die Überlegungen zur Kollegialität der Bischöfe (vgl. Art. 22 Abs. 1 VatII LG) integriert[42] und bewusst den Schwerpunkt „auf die Behandlung des Episkopates" gelegt[43]. Die neue Entwicklung, die das Zweite Vatikanische Konzil im Blick auf die Leitung der katholischen Kirche initiiert hat, besteht, wie Joseph Listl zu Recht bemerkt, darin, „daß auf der Grundlage des Prinzips der Kollegialität die Rechtsstellung und die Leitungsbefugnisse der Bischöfe sowohl in der Gesamtkirche als auch in den Teilkirchen näher bestimmt und erheblich gestärkt wurden. Dadurch wurde der auf dem I. Vatikanischen Konzil nicht erfolgte

---

[39] Ries, Amt (Anm. 24), S. 224; zu den Teilnehmern ausführlich May, Verhältnis (Anm. 29), S. 238-247.

[40] Vgl. K. Rahner, Strukturwandel der Kirche in der künftigen Gesellschaft, in: ders., Schriften zur Theologie, Bd. 14: In Sorge um die Kirche. Bearbeitet von P. Imhof, Zürich, Einsiedeln, Köln 1980, S. 333-354, hier S. 334-336; ferner in: ders., Sämtliche Werke, Bd. 28: Christentum in Gesellschaft. Schriften zur Pastoral, zur Jugend und zur christlichen Weltgestaltung. Bearbeitet von A. R. Batloog, W. Schmolly, Freiburg, Basel, Wien 2010, S. 48-63, hier S. 49 f.

[41] May, Verhältnis (Anm. 29), S. 240.

[42] Vgl. P. Hünermann, Theologischer Kommentar zur dogmatischen Konstitution über die Kirche Lumen gentium, in: Herders Theologischer Kommentar zum Zweiten Vatikanischen Konzil. Hrsg. von P. Hünermann, B. J. Hilberath, Bd. 2, Freiburg, Basel, Wien 2004, S. 263-582, bes. S. 422-428.

[43] Vgl. K. Rahner, Kommentar zur Konstitution Lumen gentium Art. 18-27, in: LThK^2-Konzilskommentar, Bd. I (1966), S. 210-246, hier S. 210.

Ausgleich zwischen der primatialen Stellung des Papstes und den kollegialen Befugnissen der Bischöfe herbeigeführt"[44]. Grundlegend ist die Aussage: „Die Ordnung der Bischöfe aber, die dem Kollegium der Apostel im Lehr- und Hirtenamt nachfolgt, ja, in welcher die Körperschaft der Apostel immerfort weiter besteht, ist gemeinsam mit ihrem Haupt, dem Bischof von Rom, und niemals ohne dieses Haupt, gleichfalls Träger der höchsten und vollen Vollmacht über die ganze Kirche (subiectum quoque supremae ac plenae potestatis in universam ecclesiam)" (Art. 22 Abs. 2 VatII LG; vgl. auch Art. 4 VatII CD). Wie Ilona Riedel-Spangenberger betont, geht diese Aussage „eindeutig von zwei Trägern der höchsten und vollen kirchlichen Vollmacht aus: vom Papst einerseits und vom Bischofskollegium mit dem Papst andererseits"[45]. Allerdings hat sich „die durch die Kernaussage des Zweiten Vatikanischen Konzils über Subjekt und Ausübung der höchsten Autorität in der Kirche ausgelöste Debatte ... bis heute noch nicht erschöpft"[46]. Während der Papst seine Vollmacht immer frei (libere) ausüben kann, kommt dem Bischofskollegium seine Autorität nur zusammen mit dem Papst zu (vgl. Art. 22 Abs. 2 VatII LG; Art. 4 Abs. 1 VatII CD). Gemäß dem Konzil wird „die höchste Gewalt über die ganze Kirche, die dieses Kollegium besitzt, ... in feierlicher Weise im ökumenischen Konzil ausgeübt. Ein ökumenisches Konzil gibt es nur, wenn es vom Nachfolger Petri als solches bestätigt oder wenigstens angenommen wird; der Bischof von Rom hat das Vorrecht, diese Konzilien zu berufen, auf ihnen den Vorsitz zu führen und sie zu bestätigen" (Art. 22 Abs. 2 VatII LG; vgl. auch Art. 4 Abs. 1 VatII CD)[47]. Das Zweite Vatikanische Konzil

---

[44] J. Listl, Das ekklesiologische Selbstverständnis der katholischen Kirche, in: $EvStL^3$, Bd. 1 (1987), Sp. 1529-1539; abgedr. in: ders., Kirche im freiheitlichen Staat. Schriften zum Staatskirchenrecht und Kirchenrecht. Hrsg. von J. Isensee und W. Rüfner in Verbindung mit W. Rees (= Staatskirchenrechtliche Abhandlungen, Bd. 25), Berlin 1996, S. 945-956, hier S. 952; s. insgesamt T. Stubenrauch, Der Papst als primus inter pares und höchste Autorität in der katholischen Kirche. Zur Rezeption eines zentralen Themas des II. Vatikanischen Konzils in den beiden kirchlichen Gesetzbüchern, in: S. Demel, L. Müller, Krönung oder Entwertung des Konzils? Das Verfassungsrecht der katholischen Kirche im Spiegel der Ekklesiologie des Zweiten Vatikanischen Konzils, Trier 2007, S. 74-103, bes. S. 75-85.

[45] Riedel-Spangenberger, Papst (Anm. 27), S. 38; ebenso auch ebd., S. 39; Stubenrauch, Papst (Anm. 44), S. 79 und S. 81-84; P. Krämer, Kirchenrecht II. Ortskirche – Gesamtkirche (= Studienbücher Theologie, Bd. 24,2), Stuttgart, Berlin, Köln 1993, S. 107 f.

[46] L. Gerosa, Die Träger der obersten Leitungsvollmacht, in: $HdbKathKR^2$, S. 326-330, hier S. 326. Hier ist auch auf die Spannungen auf dem Konzil selbst hinzuweisen.

[47] Diese Vollmacht des Bischofskollegiums kann gemäß Art. 22 Abs. 2 VatII LG auch ohne Versammlung ausgeübt werden, insofern „nur das Haupt des Kollegiums sie [die Bischöfe] zu einer kollegialen Handlung ruft oder wenigstens die gemeinsame Hand-

hat „den Standpunkt überwunden, der die sich im fünfzehnten und sechzehnten Jahrhundert zeigende Spannung zwischen dem Papst und dem Konzil durch die Behauptung zu lösen versuchte, das Konzil bekomme vom Bischof von Rom seine Autorität, und dies sowohl dadurch, daß die Jurisdiktionsgewalt eines jeden Bischofs ihm vom Papst verliehen worden sei, als dadurch, daß es der Papst sei, der das Konzil einberief. Dieser Standpunkt wurde durch die Lehre über die sakramentale Wurzel des bischöflichen Amtes (‚Lumen gentium' 21) in Frage gestellt, nach der jeder Bischof kraft seiner Bischofsweihe dem Kollegium der Bischöfe angehört und an der Verantwortung dieses Kollegiums für das Leben der Gemeinschaft der Kirche teilhat"[48].

Eine Stärkung der päpstlichen Primatialgewalt ist durch die Nota explicativa praevia erfolgt, die der Generalsekretär Msgr. Felici zu Beginn der Sitzung des Konzils am 19. November 1964 verlesen hat, wenn es dort heißt, dass es dem Urteil des Papstes überlassen werde, gemäß den jeweiligen Umständen die erforderliche Art und Weise der Ausübung der höchsten und umfassenden kirchlichen Vollmacht festzulegen, „sei es persönlich, sei es kollegial" (vgl. Nr. 3) und der Papst „seine Vollmacht jederzeit nach Gutdünken (ad placitum) ausüben" könne (Nr. 4, Abs. 1)[49]. Um Missverständnisse zu vermeiden, wird angefügt: „sicut ab ipso suo munere requiritur" (wie es von seinem Amt her erforderlich wird) (vgl. Nr. 4, Abs. 1)[50]. Eine „wahre Lösung" der Spannung zwischen Papst und Konzil, d. h. zwischen papalen und konziliaren Tendenzen, wurde weder auf dem Ersten noch auf dem Zweiten Vatikanischen Konzil erreicht[51]. Wie Wilhelm de Vries herausstellt, hat das Zweite Vatikanische Konzil die „objektiven Normen, die die Ausübung des Primats einschränken", nicht deutlich genug herausgestellt. Es sei daher nicht verwunderlich, „daß

---

lung der räumlich getrennten Bischöfe billigt oder frei annimmt, so daß ein eigentlich kollegialer Akt zustande kommt".

[48] G. Alberigo, Die Rolle des Papstes auf dem ökumenischen Konzil, in: Concilium 19 (1983), S. 551-558, hier S. 551 f.

[49] Nota explicativa praevia; lat./dt.: LThK^2-Konzilskommentar, Bd. I (1966), S. 350-359, hier S. 354-357.

[50] Vgl. J. Ratzinger, Kommentar zu den „Bekanntmachungen, die der Generalsekretär des Konzils in der 123. Generalkongregation am 16. November 1964 mitgeteilt hat", in: LThK^2-Konzilskommentar, Bd. I (1966), S. 348-359, bes. S. 350-357, hier S. 356: „Es kann somit nur besagen, daß der Papst bei seinem Handeln keinem äußeren Tribunal untersteht, das als Appellationsinstanz gegen ihn auftreten könnte, wohl aber an den inneren Anspruch seines Amtes, der Offenbarung, der Kirche gebunden ist. Dieser innere Anspruch seines Amtes schließt aber auch eine moralische Bindung an die Stimme der Gesamtkirche ohne Zweifel mit ein."

[51] Vgl. de Vries, Konzil (Anm. 7), S. 35.

seine Beschlüsse über die Kollegialität von den nichtkatholischen Ostchristen als unzureichend angesehen werden. Nicht bloß die Abhängigkeit des Kollegiums vom Haupt, sondern auch die Abhängigkeit des Hauptes vom Rest des Kollegiums müßte geklärt werden, etwa im Sinn des von Kardinal Guidi beim I. Vatikanum vorgeschlagenen Canons, der mit Recht hervorhob, daß die Unfehlbarkeit dem Papst nicht getrennt von der Kirche zukommt, sondern in organischer Verbindung mit ihr und ihren Bischöfen“[52]. Nach de Vries berücksichtigt die Nota praevia „nur den Normalfall, nicht aber eine Notsituation wie etwa die, vor der das Konzil von Konstanz stand. Das Bischofskollegium muß in solchen Notsituationen um der Kirche willen auch ohne Haupt handlungsfähig sein“[53]. Letztlich hat das Zweite Vatikanische Konzil seine Aussagen über das Bischofskollegium „weniger unter dem Aspekt der Aufgaben dieses Kollegiums entwickelt, sondern ... mit der Frage nach dem Träger der Höchstgewalt in der Kirche verknüpft“[54].

5. Bestimmungen des CIC/1983 zu Papst und Ökumenischem Konzil

Der CIC/1983 ist das unmittelbare Ergebnis des Zweiten Vatikanischen Konzils und von dessen Ekklesiologie her bestimmt. In ihm finden sich im II. Teil des II. Buches mit der Überschrift „Hierarchische Verfassung der Kirche“ („De ecclesiae constitutione hierarchica“) in der ersten Sektion unter dem Titel „Die höchste Autorität der Kirche“ (De suprema ecclesiae auctoritate) nach einem theologischen Leitsatz (c. 330 CIC/1983) Aussagen zur Rechtsstellung des Papstes (cc. 331-335 CIC/1983) und des Bischofskollegiums (cc. 336-341 CIC/1983). Es ist jedoch kein eigenes Kapitel dem Ökumenischen Konzil gewidmet. Vielmehr wird dieses innerhalb des Artikels über das Bischofskollegium (cc. 337-341 CIC/1983) in fünf Kanones behandelt, die ursprünglich in der so genannten „Lex Ecclesiae Fundamentalis“ (LEF) vorgesehen waren (vgl. cc. 44-47 LEF), die jedoch nicht zustande gekommen ist[55]. Die Kanones umfassen im Wesentlichen

[52] de Vries, Konzil (Anm. 7), S. 39.

[53] de Vries, Konzil (Anm. 7), S. 38. Die Frage nach einem möglichen Missbrauch päpstlicher Gewalt bleibt auch im CIC/1983 offen. Zum päpstlichen Amtsmissbrauch s. B. Ries, Petrusdienst – Dienst an der Einheit. Katholische und ökumenische Perspektiven, in: Demel/Müller, Krönung (Anm. 44), S. 104-126, hier S. 107 f.; s. auch dies., Amt (Anm. 24), S. 345-360; ferner ebd., S. 142-174 und S. 209-223 bezüglich eines Papa haereticus oder idioticus.

[54] Aymans – Mörsdorf, KanR II, S. 196.

[55] Die Kanones der LEF in der Fassung vom 7.-12. 1. 1980 sind abgedr. in: Communica-

die Bestimmungen des CIC/1917 mit Ausnahme jener über die Stellvertreter (c. 224 CIC/1917), die Anwesenheitspflicht (c. 225 CIC/1917) und über die Unmöglichkeit, vom Papst an ein allgemeines Konzil zu appellieren (c. 228 § 2 CIC/1917; vgl. c. 333 § 3 CIC/1983). Näherhin verdeutlicht c. 330 CIC/1983[56] in Übereinstimmung mit Art. 22 VatII LG „die Einheit und zugleich spezifische kirchliche Eigenart des aus Mitgliedern und Haupt bestehenden Bischofskollegiums mit je eigener Sendung für den Petrusnachfolger und die Apostelnachfolger in wechselseitiger Verbundenheit, so dass von vornherein eine Gegenüberstellung verschiedener Rechtssubjekte ausgeschlossen ist"[57]. Somit kann in der gemeinsamen Behandlung beider Organe, d. h. von Papst und Bischofskollegium, in einer Sektion „ein deutlicher Hinweis auf deren enge Verbundenheit" und damit auch ein großer Fortschritt „gegenüber dem CIC/1917 gesehen werden"[58]. Andererseits wird es gerade als „Schwäche" herausgestellt, dass der CIC/1983 „die Bestimmungen über den Papst und das Bischofskollegium in zwei getrennten Artikeln darlegt" und „in der getrennten Behandlung von Papst und Bischofskollegium die Canones über den Papst (cc. 331-335) denen über das Bischofskollegium (cc. 336-341) vorangestellt sind ... Dadurch erfährt die durch die systematische Trennung anfanghaft erfolgte Isolierung des Papstes und seine Überordnung über die Gemeinschaft der Bischöfe eine nochmalige Verstärkung"[59]. Im Unterschied dazu habe Art. 22 VatII LG die Aussagen über den Primat des Papstes in die Aussagen über das Bischofskollegium als Bezugsrahmen eingeordnet. Die in einer frühen Fassung der LEF vorgesehene Systematik, das Bischofskollegium vor dem Papst zu behandeln, „wurde mit der Begründung abgelehnt, ‚man könne kaum vom Bischofskollegium sprechen, wenn nicht zuvor vom Papst, dem Haupt dieses Kollegiums die Rede ge-

---

tiones 13 (1981), hier S. 50-53; s. auch W. Aymans, H. Heinemann, K. Mörsdorf, R. A. Strigl, Lex Ecclesiae Fundamentalis. Bericht über die Arbeitsergebnisse eines Kanonistischen Symposions in München 1971, in: AfkKR 140 (1971), S. 407-506, hier S. 450-454 (Aymans); s. auch die entsprechenden cc. 50-54 CCEO.

[56] C. 330 CIC/1983: „Wie nach der Weisung des Herrn der heilige Petrus und die übrigen Apostel ein einziges Kollegium bilden, so sind in gleicher Weise der Papst als Nachfolger des Petrus und die Bischöfe als Nachfolger der Apostel untereinander verbunden." Dieser Kanon war im Schema CIC 1982 noch nicht enthalten.

[57] Riedel-Spangenberger, Papst (Anm. 27), S. 44; dies., Diskussion (Anm. 19), S. 42-44.

[58] Stubenrauch, Papst (Anm. 44), S. 85-89, hier S. 85 f.; s. auch S. Schwarz, Strukturen von Öffentlichkeit im Handeln der katholischen Kirche. Eine begriffliche, rechtshistorische und kirchenrechtliche Untersuchung (= KStKR, Bd. 3), Paderborn, München, Wien, Zürich 2004, S. 231-235.

[59] Stubenrauch, Papst (Anm. 44), S. 87 f.; in diesem Sinn auch O. Stoffel, Kommentar, in: MKCIC, Einführung vor 336, Rdnr. 2 (Stand April 1991); ders., ebd., c. 336, Rdnr. 1 (Stand April 1991).

wesen sei'"[60]. Mit Bedauern wurde auch angemerkt, dass die Bestimmungen zum Ökumenischen Konzil nicht ein eigenes Kapitel bilden, wie dies im CIC/1917 der Fall war, oder im CIC/1983 bei anderen Formen kollegialen Handelns zwischen Papst und Bischöfen, wie etwa der Bischofssynode, erfolgt ist[61].
Näherhin ist „der Bischof von Rom, in dem das vom Herrn einzig dem Petrus, dem Ersten der Apostel, übertragene und seinen Nachfolgern zu vermittelnde Amt fortdauert, ... Haupt des Bischofskollegiums, Stellvertreter Christi und Hirte der Gesamtkirche hier auf Erden; deshalb verfügt er kraft seines Amtes in der Kirche über höchste, volle, unmittelbare und universale ordentliche Gewalt (Ecclesiae Romanae Episcopus ... suprema, plena, immediata et universali in Ecclesia gaudet ordinaria potestate), die er immer frei (libere) ausüben kann" (c. 331 CIC/1983)[62]. Aus dieser Kennzeichnung der päpstlichen Vollmacht folgert das kirchliche Gesetzbuch, dass der Papst von niemandem vor Gericht gestellt werden kann (c. 1404 CIC/1983), es gegen ein Urteil oder Dekret des Papstes weder Berufung noch Beschwerde gibt (c. 333 § 3 CIC/1983) und die Appellation gegen eine Maßnahme des Papstes an ein Ökumenisches Konzil oder das Bischofskollegium mit einer Beugestrafe belegt werden soll (c. 1372 CIC/1983). In c. 331 CIC/1983 fehlt die Aussage „vere episcopalis" (vgl. c. 218 § 2 CIC/1917); die freie Ausübung der Vollmacht durch den Papst wurde in Anlehnung an Art. 22 VatII LG übernommen, „ohne auf deren nähere Erläuterung in der ‚Nota praevia' zu achten"[63]. Insgesamt gesehen hat es der kirchliche Gesetzgeber „versäumt, die päpstliche Vollmacht gegenüber der bischöflichen Vollmacht klarer zu bestimmen"[64].

---

[60] J. Komonchak, Das ökumenische Konzil im neuen Kirchenrechtskodex, in: Concilium 19 (1983), S. 574-579, hier S. 576.

[61] Vgl. K. Walf, Einführung in das neue katholische Kirchenrecht (= Arbeits- und Studienbücher Theologie), Zürich, Einsiedeln, Köln 1984, S. 75; s. auch P. Huizing, K. Walf, Das ökumenische Konzil: Seine Bedeutung für die Verfassung der Kirche, in: Concilium 19 (1983), S. 499 f., hier S. 500; Stiftung Concilium, Sorge um das Konzil. Eine Erklärung zum neuen Codex Iuris Canonici, in: Concilium 19 (1983), S. 585 f., hier S. 586. Die neue Systematik begrüßt Ries, Amt (Anm. 24), S. 318, da zum Ausdruck komme, „daß Bischofskollegium und Ökumenisches Konzil in einem tiefen Bezug zueinander stehen und deshalb auch in einem einzigen Abschnitt zusammen behandelt werden können". Krämer, Kirchenrecht (Anm. 45), S. 110 mit Anm. 27, sieht es als „abwegig", in der Systematik des CIC/1983 eine Abwertung des Konzils gegenüber dem CIC/1917 zu sehen.

[62] Bezeichnender Weise versteht sich Papst Franziskus vorrangig als Bischof von Rom.

[63] Kritisch hierzu Stubenrauch, Papst (Anm. 44), S. 93 f. Die Behinderung der kirchlichen Gewalt ist gemäß c. 1375 CIC/1983 strafbar.

[64] Krämer, Kirchenrecht (Anm. 45), S. 101.

Der einzelne Bischof wird aufgrund der Bischofsweihe und der hierarchischen Gemeinschaft, wie Udo Breitbach feststellt, „Glied des Bischofskollegiums und damit über das ihm anvertraute konkrete Amt hinaus, auch Mitträger der höchsten Vollmacht im Hinblick auf die Gesamtkirche"[65]. Er trägt somit, wie Papst Johannes Paul II. im Nachsynodalen Apostolischen Schreiben „Pastores Gregis" vom 16. Oktober 2003 deutlich herausstellt, nicht nur Verantwortung für seine Diözese, sondern als Mitglied des Bischofskollegiums zugleich auch für die gesamte Kirche[66]. Näherhin ist gemäß c. 336 CIC/1983 das „Bischofskollegium, dessen Haupt der Papst ist und dessen Glieder kraft der sakramentalen Weihe und der hierarchischen Gemeinschaft mit dem Haupt und den Gliedern des Kollegiums die Bischöfe sind, ... zusammen mit seinem Haupt und niemals ohne dieses Haupt ebenfalls Träger höchster und voller Gewalt (subiectum quoque supremae et plenae potestatis) in Hinblick auf die Gesamtkirche". Zwar ist die höchste Vollmacht des Papstes ihrem Inhalt nach nicht größer als jene des Bischofskollegiums. Ein Unterschied besteht jedoch in Bezug auf die Ausübung. So kann das Bischofskollegium diese Vollmacht nur zusammen mit dem Papst als Haupt ausüben, während es dem Papst zukommt, diese jederzeit nach Gutdünken allein auszuüben[67]. Die Ausübung der höchsten Vollmacht wird dem Bischofskollegium[68], in Übernahme der Aussagen des Zweiten Vatikanischen Konzils, auf zweifache Weise zugesprochen, im Ökumenischen Konzil (vgl. c. 337 § 1 CIC/1983) und außerhalb davon „durch eine vereinte Amtshandlung der auf dem Erdkreis verstreut weilenden Bischöfe ..., sofern diese Handlung als solche vom Papst in die Wege geleitet oder frei angenommen ist, so daß ein wirklich kollegialer Akt zustande kommt" (c. 337 § 2 CIC/1983)[69]. Gleich-

---

[65] Vgl. U. Breitbach, Art. Bischof. II. Kath., in: LKStKR, Bd. 1 (2000), S. 266-268, hier S. 266; s. auch c. 336 CIC/1983 und Art. 22 VatII LG.

[66] Vgl. Johannes Paul II., Nachsynodales Apostolisches Schreiben „Pastores Gregis" zum Thema: „Der Bischof – Diener des Evangeliums Jesu Christi für die Hoffnung der Welt" vom 16. 10. 2003, Nr. 55, in: AAS 91 (2004), S. 825-924, hier S. 895 f.; dt.: VApSt 163, Bonn 2003, S. 103; s. auch Kongregation für die Bischöfe, Direktorium für den Hirtendienst der Bischöfe vom 22. 2. 2004, bes. Nr. 13-21; dt.: VApSt 173, Bonn 2004, S. 34-47.

[67] Vgl. O. Stoffel, Kommentar, in: MKCIC, c. 331, Rdnr. 4 (Stand April 1991).

[68] Wie O. Stoffel, Kommentar, in: MKCIC, c. 331, Rdnr. 3 (Stand April 1991), bemerkt, findet sich die Aussage „Haupt des Bischofskollegiums" noch nicht im CIC/1917; sie ist „ein konziliarer, wenn auch historisch nicht völlig neuer Titel. Als Bischof ist der Papst Mitglied des Bischofskollegiums und als Bischof von Rom dessen Haupt".

[69] Vgl. im Einzelnen K. Hartelt, Das Ökumenische Konzil, in: HdbKathKR^2, S. 347-353; H. Schwendenwein, Die Katholische Kirche. Aufbau und rechtliche Organisation (= MKCIC, Beiheft 37), Essen 2003, S. 218-220; W. Rees, Der Diözesanbischof in kollegialer Verantwortung. Seine Mitwirkung im Bischofskollegium und in den Teilkirchen-

wohl sah sich der kirchliche Gesetzgeber veranlasst, „dort, wo er feststellt, daß das Bischofskollegium ‚ebenfalls Träger höchster und voller Gewalt im Hinblick auf die Gesamtkirche' ist (c. 336), ... gleich viermal in Folge auf den Papst den Ausdruck ‚Haupt' (‚caput') anzuwenden; in den verbleibenden Kanones spricht der Gesetzgeber dann ausschließlich vom Ökumenischen Konzil und nicht vom Bischofskollegium als solchem und vergißt somit, daß eben gerade dieses Bischofskollegium und nicht das Konzil, auch wenn die Bischöfe zu einem solchen zusammenkommen, das Subjekt der ‚plena et suprema potestas' bildet"[70]. Wenngleich Dogmatiker eher von einem Träger der Höchstvollmacht in der Kirche ausgehen, nämlich von Papst und Bischofskollegium zusammen, lassen die Aussagen des Konzils und die Bestimmungen des CIC/1983 eher an zwei Träger denken, nämlich auf der einen Seite der Papst, auf der anderen Seite Papst und Bischofskollegium zusammen. Mit der Bezeichnung „Ökumenisches Konzil" wird, wie Peter Krämer unter Hinweis auf c. 337 § 1 CIC/1983 herausstellt, „eine innerhalb der katholischen Kirche bestehende Einrichtung ausgedrückt, nämlich die Versammlung der zur katholischen Kirche gehörenden Bischöfe"[71]. Eine Teilnahme von Nichtbischöfen, d. h. auch von Laien und Ordensleuten, und von nichtkatholischen Christinnen und Christen sowie Amtsträgern ist nicht ausgeschlossen (vgl. c. 339 § 2 CIC/1983). Mit Blick auf das Ökumenische Konzil (vgl. c. 337 § 1 CIC/1983) ist nicht von höchster Gewalt die Rede[72]. Auch hat das Bischofskollegium „im Vergleich zur Vollmacht des Papstes ... keine potestas immediata und ist gemäß c. 336 nur zusammen mit seinem Haupt Subjekt der suprema et plena potestas"[73].

Die hervorragende Stellung des Papstes als Haupt des Bischofskollegiums im Blick auf ein Ökumenisches Konzil ist nicht zu übersehen. Diese zeigt sich im Vorrecht der Einberufung, im Recht des Vorsitzes, im Recht der Verlegung, Unterbrechung oder Auflösung des Konzils, im Recht zum Erlass der Geschäftsordnung und der Festlegung der Verhandlungsgegenstände sowie der Genehmigung der Dekrete (c. 338 § 1 CIC/1983; vgl.

---

verbänden, in: I. Riedel-Spangenberger (Hrsg.), Rechtskultur in der Diözese. Grund-lagen und Perspektiven (= QD, Bd. 219), Freiburg, Basel, Wien 2006, S. 72-119, bes. S. 75-78.

[70] Gerosa, Träger (Anm. 46), S. 328 f.

[71] Krämer, Kirchenrecht (Anm. 45), S. 109.

[72] S. dazu Komonchak, Konzil (Anm. 60), S. 574 f. Vgl. aber c. 336 CIC/1983 sowie Art. 22 VatII LG und Art. 4 VatII CD, die davon sprechen, dass dem Bischofskollegium diese Vollmacht zukommt und das Kollegium diese in feierlicher Weise auf einem Ökumenischen Konzil ausübt.

[73] Riedel-Spangenberger, Papst (Anm. 27), S. 44.

c. 341 § 1 CIC/1983)[74]. Sie zeigt sich auch darin, dass das Konzil „von Rechtswegen unterbrochen“ ist, „wenn im Verlauf des Konzils der Apostolische Stuhl vakant wird“, nämlich solange, „bis der neue Papst dessen Fortführung anordnet oder es aufgelöst hat“ (c. 340)[75]. Die Konzilsväter können lediglich „den vom Papst vorgelegten Themen ... andere hinzufügen, die vom Papst zu genehmigen sind“ (c. 338 § 2 CIC/1983), also sehr eingeschränkt an der Themenauswahl mitwirken. Der Papst kann „gewisse Themen von der Diskussion ausschließen und seiner persönlichen Entscheidung vorbehalten, wie beim II. Vaticanum die Themen der Geburtenkontrolle und des Klerikerzölibats“[76]. Gemäß c. 339 § 1 CIC/1983 haben „alle und nur die Bischöfe, die Glieder des Bischofskollegiums sind, ... das Recht und die Pflicht, am Ökumenischen Konzil mit entscheidendem Stimmrecht teilzunehmen“[77]. Dieses Recht ergibt sich, wie Aymans – Mörsdorf betonen, „einerseits aus dem Empfang der Bischofsweihe und andererseits aus der konstitutiven ‚communio hierarchica‘ mit dem Papst“[78]. Dadurch unterscheiden sich die Bestimmungen des CIC/1983 von jenen des CIC/1917, der stärker die „Vorsteherschaft in einer Teilkirche“ betont hat; Titularbischöfe mussten „weder eingeladen werden noch konnten sie im Falle ihrer Einladung ohne weiteres Stimmrecht beanspruchen“[79].

„Dekrete (Decreta) des Ökumenischen Konzils haben Rechtsverbindlichkeit nur, wenn sie zusammen mit den Konzilsvätern vom Papst genehmigt (approbata), von diesem bestätigt (confirmata) und auf seine Anordnung hin promulgiert (eius iussu promulgata) worden sind“ (c. 341 § 1 CIC/1983)[80]. Insbesondere erscheint die vom kirchlichen Gesetzgeber geforderte zusätzliche Bestätigung der Konzilsbeschlüsse durch den Papst, wie

---

[74] Wie O. Stoffel, Kommentar, in: MKCIC, c. 338, Rdnr. 2 (Stand April 1991), bemerkt, schließt c. 338 § 1 CIC/1983 „eine Einberufung durch eine andere Autorität aus, so daß ein Konzil allenfalls noch durch gemeinsame Initiative seiner Teilnehmer entstehen kann“.

[75] Vgl. die beiden Tagungsperioden von VatII.

[76] O. Stoffel, Kommentar, in: MKCIC, c. 338, Rdnr. 3 (Stand April 1991).

[77] Damit geht es über das Zweite Vatikanische Konzil hinaus. Art. 4 VatII CD legt fest, „daß allen Bischöfen, die Glieder des Bischofskollegiums sind, das Recht zusteht, am ökumenischen Konzil teilzunehmen. Art. 52 LEF sprach allen Mitgliedern des Bischofskollegiums das volle Stimmrecht zu. A. A. Aymans / Heinemann / Mörsdorf / Strigl, Lex Ecclesiae Fundamentalis (Anm. 55), S. 450 f. (Aymans), die es für angebrachter hielten, Stimmrecht nur den Diözesanbischöfen zu gewähren. S. auch Feliciani, Prozeß (Anm. 35), S. 529.

[78] Aymans – Mörsdorf, KanR II, S. 221.

[79] Aymans – Mörsdorf, KanR II, S. 221, unter Hinweis auf c. 223 CIC/1917.

[80] Nach Krämer, Kirchenrecht (Anm. 45), S. 112, Anm. 31, ist „im Unterschied zu c. 341 ... der synodale Charakter eines Konzilsbeschlusses in c. 338 § 1 nicht erkennbar, insofern hier nur auf die Approbation der Dekrete durch den Papst hingewiesen wird“.

Konrad Hartelt bemerkt, „zumindest als überflüssig; sie könnte sogar geeignet sein, das dargestellte Miteinander zwischen Haupt und Gliedern des Bischofskollegiums auf dem Konzil zu verdunkeln, d. h. zugunsten einer zusätzlichen und hier nicht mehr notwendigen, außerhalb des konziliaren Aktes liegenden Aktivierung der päpstlichen Primatialgewalt zu verschieben“[81]. Eine ausdrückliche Bestätigung der Konzilsbeschlüsse durch den Bischof von Rom kannte die Kirche „vor dem Pontifikat Leos I. (440-461) nicht“[82]. In der Form der Promulgierung zeigen sich bei den beiden vatikanischen Konzilien Unterschiede[83]. In Fortführung der Tradition der päpstlichen Konzilien des Mittelalters beginnen die Dekrete des Ersten Vatikanischen Konzils: „Pius, Bischof, Diener der Diener Gottes, mit Billigung des heiligen Konzils ...“[84] Hingegen lautet die Form der Verkündigung und Bestätigung der Beschlüsse des Zweiten Vatikanischen Konzils: „Et Nos, Apostolica a Christo Nobis tradita potestate, illa una cum Venerabilibus Patribus, in Spiritu Sancto approbamus, decernimus ac statuimus et quae ita synodaliter statuta sunt ad Dei gloriam promulgari iubemus“.[85] Beide Formen, die Promulgationsformel des Zweiten Vatikanischen Konzils und jene des Ersten, sind im CIC/1983 erkennbar. Aufgrund der Tatsache, dass das Zusammenwirken von Papst und Bischöfen

---

[81] Hartelt, Konzil (Anm. 69), S. 351 f.; a. A. O. Stoffel, Kommentar, in: MKCIC, c. 341, Rdnr. 2 (Stand April 1991). Papst Paul VI. wollte ein solches Missverständnis bewusst vermeiden und hat eine zusätzliche Bestätigung der Konzilsbeschlüsse nicht vorgenommen. Vgl. auch J. Gehr, Die rechtliche Qualifikation der Beschlüsse des Zweiten Vatikanischen Konzils (= MthStkan, Bd. 51), St. Ottilien 1997.

[82] G. Denzler, Autorität und Rezeption der Konzilsbeschlüsse in der Christenheit, in: Concilium 19 (1983), S. 507-511, hier S. 507; s. auch ebd., S. 508.

[83] S. zum Folgenden auch Vries, Konzil (Anm. 7), S. 35

[84] Erstes Vatikanisches Konzil, Pastor aeternus (Anm. 24), S. 811. Die Promulgationsformel des Konzils von Trient lautete: „Die hochheilige Synode von Trient, im heiligen Geist rechtmäßig versammelt, unter dem Vorsitz der drei Legaten des Apostolischen Stuhles ... entschied und beschloß ...“ Vgl. z. B. Sessio II, 7.1.1546, Decretum de modo vivendi et alliis in concilio servandis, in: Wohlmuth, Decrete, Bd. 3 (Anm. 24), S. 660 f., hier S. 660.

[85] S. VatII LG, in: AAS 57 (1965), S. 5-67, hier S. 67. Nach der Geschäftsordnung des II. Vatikanischen Konzils war noch die Formel vorgesehen: „Nosque, sacro approbante Concilio, illa ita decernimus ...“ Vgl. Johannes XXIII., Litterae Apostolicae Motu Proprio datae „Appropinquante Concilio Oecumenico Vaticano II“: Normae statuuntur Concilii Oecumenici Vaticani Secundi celebrandi vom 6.8.1962, in: AAS 54 (1962), S. 609-611; Ordo Concilii Oecumenici Vaticani II Celebrandi, Art. 49 § 2, ebd., S. 612-631, hier S. 626 f.; zur Geschäftsordnung des Zweiten Vatikanischen Konzils s. Ganzer, Geschäftsordnungen (Anm. 26), S. 860-863; ferner K. Mörsdorf, Die Promulgationsformel des Zweiten Vatikanischen Konzils, in: AfkKR 147 (1978), S. 456-462; abgedr. in: ders., Schriften zum Kanonischen Recht. Hrsg. von W. Aymans, K.-T. Geringer, H. Schmitz, Paderborn, München, Wien, Zürich 1989, S. 339-345, hier S. 340.

auf einem Ökumenischen Konzil weithin vom Papst her bestimmt ist, bemerkt Sabine Demel, dass „das Ökumenische Konzil im CIC/1983 mehr zu einem Machtforum des Papstes als zu einem Zusammenspiel von Papst und Bischofskollegium ausgestaltet" ist[86]. Zugleich ist zu bedenken, dass ein Ökumenisches Konzil eher eine seltene Ausnahme bildet[87]. Hinzu kommt, dass der Papst, wenngleich er „bei der Ausübung seines Amtes als oberster Hirte der Kirche stets in Gemeinschaft mit den übrigen Bischöfen, ja sogar mit der ganzen Kirche" steht, „das Recht (hat), entsprechend den Erfordernissen der Kirche darüber zu bestimmen, ob er dieses Amt persönlich oder im kollegialen Verbund ausübt" (c. 333 § 2 CIC/1983), d. h. „die konkrete Weise der Primatsausübung innerhalb der hierarchischen Gemeinschaft ... selber" bestimmt[88]. Die Vision Karl Rahners, nach der der Papst bei Entscheidungen gleichsam immer das Bischofskollegium konsultieren bzw. miteinbeziehen müsste, hat sich nicht verwirklicht[89]. Die bereits in den Texten des Zweiten Vatikanischen Konzils vorhandene Spannung zwischen Vorrang des Papstes und Kollegialität der Bischöfe bleibt auch im CIC/1983 erhalten. Ja, es kommt die Vorrangstellung des Papstes und damit eine Begrenzung bzw. Einschränkung der bischöflichen Kollegialität in den kirchenrechtlichen Bestimmungen deutlich zum Tragen.

6. Ausblick

Oskar Stoffel bemerkt, dass „eine rechtliche Begrenzung des Primats ... nach Meinung der meisten Theologen und Kanonisten mit den zwei Vatikanischen Konzilien unvereinbar"[90] ist. Daher wurde eine Selbstbegrenzung durch den Papst vorgeschlagen. So habe Wolfgang Klausnitzer herausstellt, bereits Karl Rahner habe empfohlen, „der Papst solle durch bestimmte rechtliche Entscheide (‚iure humano'), die ihn und seine Nachfolger dauerhaft binden, sich in seiner rechtlichen Kompetenz selbst beschränken – und auf diese Weise die Befürchtung der nichtkatholischen

---

[86] S. Demel, Mitmachen – Mitreden – Mitbestimmen. Grundlagen, Möglichkeiten und Grenzen in der katholischen Kirche (= Topos Ius Positionen), Regensburg 2001, S. 118.

[87] In den zurückliegenden 500 Jahren fanden nur drei Ökumenische Konzilien statt, nämlich das Konzil von Trient (1545-1566), das Erste Vatikanische Konzil (1869/70) und zuletzt das Zweite Vatikanische Konzil (1962-1965).

[88] O. Stoffel, Kommentar, in: MKCIC, c. 333, Rdnr. 3 (Stand April 1991).

[89] Vgl. W. Rees, Karl Rahner und das Kirchenrecht, in: Salus animarum suprema lex. Festschrift für Offizial M. Hopfner zum 70. Geburtstag. Hrsg. von U. Kaiser, R. Raith und P. Stockmann (AIC, Bd. 38), Frankfurt am Main u. a. 2006, S. 359-398, hier S. 372.

[90] O. Stoffel, Kommentar, in: MKCIC, c. 337, Rdnr. 4 (Stand April 1991).

(und mancher katholischen) Christen aus[...]räumen, er werde in der vereinten Kirche der Zukunft eine Art ‚absolutistischer' Herrscher sein"[91]. Wichtige Entscheidungen sollten demnach wohl nicht ohne Zustimmung des Bischofskollegiums erfolgen. Peter Krämer verweist darauf, dass „die konkrete Form eines Konzils variabel (ist) und ... entsprechend den jeweiligen Zeiterfordernissen ausgestaltet werden" muss[92]. So werde man aus der engen Verklammerung von Bischofskollegium und Ökumenischem Konzil nicht notwendigerweise das Teilnahme- und Stimmrecht aller Bischöfe ableiten können, zumal die Versammlung aller Bischöfe eher schwerfällig sei und nicht zu einem praktischen Arbeiten führe. Auch könnte der Gesichtspunkt der Repräsentation wieder stärker berücksichtigt und an eine repräsentative Vertretung der Bischöfe, die einer Teilkirche vorstehen, gedacht werden. Das Bischofskollegium müsste stärker bei der Themenfestlegung[93] miteinbezogen werden sowie auf die Abhaltung und Gestaltung eines Konzils Einfluss nehmen können. Zu bedenken gilt wohl auch, dass „ein nur aus Bischöfen bestehendes Konzil die Zweiteilung zwischen Amtsträgern und Volk (verfestigt). Statt die Gesamtkirche sichtbar zu machen, macht es nur ihr Amtsgefüge sichtbar, den eigentlichen Leib der Kirche dagegen macht es unsichtbar"[94]. Neben der Teilnahme an einem Ökumenischen Konzil zeigt sich die Mitverantwortung des Bischofskollegiums und damit des ihm angehörenden einzelnen Bischofs für die Leitung der Gesamtkirche auch in verschiedenen Organen und Einrichtungen der Kirche, näherhin in der Bischofssynode (vgl. c. 342 CIC/1983) und im Kardinalskollegium (vgl. c. 349 CIC/1983), aber auch in der Mitwirkung von Bischöfen in der Römischen Kurie (vgl. c. 360 CIC/1983; vgl. PastBon). Man könnte vermuten, dass hier dem Bischofskollegium bzw. dem einzelnen Bischof eine größere Mitwirkung bei der Leitung der Gesamtkirche zukommt. Jedoch untersteht auch die Bischofssynode – ebenso wie das Ökumenische Konzil und vereinte Amtshand-

---

[91] Klausnitzer, Papst (Anm. 12), S. 85; ders., Primat (Anm. 24), S. 444, unter Hinweis auf H. Fries, K. Rahner, Einigung der Kirchen – reale Möglichkeit. Mit einer Bilanz „Zustimmung und Kritik von Heinrich Fries (= QD 100), Freiburg, Basel, Wien [2]1985, S. 98-107 und S. 173 f.

[92] Krämer, Kirchenrecht (Anm. 45), S. 113, unter Hinweis auf W. Aymans, Das synodale Element in der Kirchenverfassung (= MthStkan, Bd. 30), München 1970, S. 126-128; ähnlich auch O. Stoffel, Kommentar, in: MKCIC, c. 337, Rdnr. 2 (Stand April 1991).

[93] Hartelt, Konzil (Anm. 69), S. 349, fordert, „daß die Bischöfe ... ihre Anliegen einbringen und auf dem Konzil frei artikulieren können", und sieht darin eine „notwendige Voraussetzung zur Ausübung der Höchstgewalt des Bischofskollegiums".

[94] P. Ricca, Das Ökumenische Konzil: Ausdruck der Kollegialität der Bischöfe oder der communio ecclesiarum oder gar der gesamten Gemeinschaft der Gläubigen, in: Concilium 19 (1983), S. 563-569, hier S. 566.

lungen des Bischofskollegiums – direkt der Autorität des Papstes. Zudem beschränkt sich die Bischofssynode, wie Ilona Riedel-Spangenberger die bestehende Situation zusammengfasst hat, „auf die Funktionen der Unterstützung und Beratung des Papstes. Die daran teilnehmenden Bischöfe können nur die Erfahrungen und Anliegen ihrer Teilkirche oder Teilkirchenverbände einbringen, selbst aber nicht entscheidend mitwirken“[95]. Somit ist der Eindruck, die Bischofssynode biete dem einzelnen (Diözesan-)Bischof „ein besonders geeignetes Forum für die Zusammenarbeit mit dem Papst, ... nicht gerechtfertigt“[96]. Dies bedeutet, dass auch die Bischofssynode – wie das Ökumenische Konzil – als Rechtsfigur „entwicklungsfähig“ ist, dies umso mehr, als das geltende kirchliche Recht dem Papst Gestaltungsmöglichkeiten darüber zugestehe, wie „das Bischofskollegium seine Aufgabe hinsichtlich der Gesamtkirche kollegial ausüben soll“ (vgl. c. 337 § 3 CIC/1983)[97]. So könnte in Zukunft einer Bischofssynode, da sie gegenüber einem Ökumenischen Konzil mit weniger Aufwand einzuberufen und durchzuführen ist, durchaus mehr Gewicht und zugleich auch Entscheidungskompetenz zugesprochen werden, wenngleich dem Papst so etwas wie ein Vetorecht zukommen müsste.

Das Bischofskollegium als solches ist „Träger von Leitungsgewalt“ und „da es immer in der Kirche anwesend ist, ... beständiges Rechtssubjekt“[98]. Auch steht der Papst nicht über der Kirche, sondern in der Kirche, ist also Glied dieser Gemeinschaft und ebenso des Bischofskollegiums. So gilt es, die oben angesprochenen Überlegungen bei den derzeitigen, von Papst Franziskus in die Wege geleiteten Reformen mit Blick auf eine Neustrukturierung der römisch-katholischen Kirche verstärkt in den Blick zu nehmen, aber auch aus ökumenischer Perspektive über das Papstamt nachzudenken. Hierzu hat ja bereits die Enzyklika „Ut unum sint“ von Papst Johannes Paul II. im Jahr 1995 Hinweise gegeben.

---

[95] I. Riedel-Spangenberger, Die Rechtsstellung des Diözesanbischofs zwischen kirchlicher Hierarchie und politischer Demokratie, in: Weg und Weite. Festschrift für K. Lehmann. Hrsg. von A. Raffelt unter Mitwirkung von B. Nichtweiß, Freiburg, Basel, Wien 2001, S. 737-753, hier S. 745; s. im Einzelnen M. Graulich, Bischofssynode. Kollegialität und Primat, in: Riedel-Spangenberger, Leitungsstrukturen (Anm. 27), S. 50-75.

[96] G. Bier, Die Rechtsstellung des Diözesanbischofs nach dem Codex Iuris Canonici von 1983 (= FzK, Bd. 32), Würzburg 2001, S. 322.

[97] Aymans – Mörsdorf, KanR II, S. 232; s. auch Rees, Verantwortung (Anm. 69), S. 80-86.

[98] Aymans – Mörsdorf, KanR II, S. 216.

Johanna Rahner

Zwischen Stamm und Borke?

Der päpstliche Primat im Beziehungsgeflecht der beiden Vatikanischen Konzilien

Nimmt man den Primatsgedanken und die kollegial-kommuniale Grundstruktur von Kirche als die beiden unaufgebbaren ‚Säulen' römisch-katholischer Ekklesiologie wahr, so wird angesichts des I. Vaticanums sehr schnell deutlich, dass dieses Konzil einen Pendelschlag auf eine Seite des dynamischen Verhältnisses beider darstellt. Freilich bildet es damit keine Ausnahme, denn die „Geschichte dieses Verhältnisses ist eine Geschichte der Schwerpunktverschiebungen und Spannungen"[1]; und beides steht zudem im Einflussfeld der zeitgenössischen theologischen und gesellschaftlichen Entwicklungen. Im Vorfeld des I. Vaticanum werden zwei fast gegensätzlich anmutende Strömungen prägend[2]: die antirevolutionäre, politisch-restaurative Bewegung, die das Papsttum im Sinne der Restaurationspolitik J. de Maistres zum letzten Hort der Sicherheit und des Halts in einer aus den Fugen geratenen Welt stilisiert[3] und die gerade auf die Selbstständigkeit der Kirche drängende, staatskritische Option eines F. d. Lamennais, die sich die Freiheit der Kirche und all ihrer Glieder – in sich durchaus an die Ideale der Französischen Revolution anschließender Manier – auf ihre Fahnen schreibt, und den Bruch von Thron und Altar zum Leitgedanken etabliert. Mit ihr wird der Bruch mit nationalen Abhängigkeiten zum Hauptkennzeichen und der sogenannte 'Ultramontanismus' zur Massenbewegung[4].

---

[1] K. Schatz, Primat und Kollegialität, Eine geschichtliche Skizze ihres Verhältnisses, IkaZ 27 (1998) 289-309: 289.

[2] Vgl. dazu und zum Folgenden auch H.-J. Pottmeyer, Ultramontanismus und Ekklesiologie, SdZ 210 (1992) 449-464: 454ff; ders., Unfehlbarkeit und Souveränität. Die päpstliche Unfehlbarkeit im System der ultramontanen Ekklesiologie des 19. Jahrhunderts, TTS Bd. 5, Mainz 1975; ders., Die Rolle des Papsttums im dritten Jahrtausend, QD Bd. 179, Freiburg 1999, 69ff.

[3] Vgl. J. Brosseder, Die Unfehlbarkeit des Papstes, in: ders., Reformatorischer Rechtfertigungsglaube und seine Kraft im ökumenischen Gespräch der Gegenwart, Ausgewählte Beiträge zur ökumenischen Theologie aus drei Jahrzehnten, Frankfurt am Main 1999, 237-248: 243f mit Verweis auf Pottmeyer, Unfehlbarkeit und Souveränität.

[4] Vgl. K. Schatz, Wie kam es 1870 zur Definition der Unfehlbarkeit?, in: Das Petrusamt – Geschichtliche Stationen seines Verständnisses und gegenwärtige Positionen, hrsg. v.

1. Primat und Episkopat auf dem I. Vaticanum

Der theoretische Hintergrund der Diskussionen des I. Vaticanums und seiner Beschlüsse ist zunächst durch eine nur einseitig das Verhältnis von Papst und Einzelbischof in den Blick nehmende Ekklesiologie geprägt. Der ekklesialen Sicht des Konzils „fehlt die primäre Kategorie der Communio und der Kollegialität“[5]. Die Zeitbedingtheit dieses Blickwinkels ist offensichtlich, da aufgrund der Erfahrung, die sich „aus der Gegenreformation und den Kämpfen des mit Jansenismus, Gallikanismus, Josefinismus, Febronianismus und schließlich der Französischen Revolution nährte“ [6], nur die Option für ein erstarktes Papsttum als dem definitiven Ankerpunkt kirchlicher Einheit und Wahrheit hier den kräftezehrenden und kirchenbedrohlichen Auseinandersetzungen Einhalt zu gebieten vermag. Die Argumente der Konzilsminderheit, die daran festhielt, dass „die Glaubenswahrheit in der Kirche eine Sache der Communio, also des Zusammenwirkens des ganzen Leibes sei und daß der Papst hier niemals ‚allein‘ und ‚aus sich‘ handeln könne, sondern immer in Einheit mit allen Gliedern des Leibes, als Mund, Repräsentant und Sprecher der ganzen Kirche und vor allem des Bischofskollegiums“[7], finden keinen weiteren Niederschlag in den verabschiedeten Texten des Konzils (vgl. allenfalls das Proömium [DH 3051][8]), sind also allein aus den Konzilsakten rekonstruierbar[9]. Aus den dort auffindbaren Voten und Diskussionsbeiträgen wird ersicht-

---

K. Lehmann, München 1982, 67-88: 76ff; Pottmeyer, Ultramontanismus, 457ff; Brosseder, Unfehlbarkeit, 244f. Zum dritten mentalitätsgeschichtlich wohl prägendsten Impuls, dem durch die Bildung des italienischen Nationalstaats absehbaren und letztendlich eintretenden Verlust des Kirchenstaats vgl. Schatz, ebd. 74ff; zur damit verbundenen Stilisierung Pius' IX. zum ‚Märtyrer‘ und die dadurch ausgelösten Solidaritätsbewegungen vgl. V. Conzemius, Warum wurde der päpstliche Primat gerade im Jahre 1870 definiert? Conc 7 (1971) 263-267: 265.

[5] Schatz, Primat und Kollegialität, 303.

[6] Ebd. 304. Zum mentalitätsgeschichtlichen Hintergrund vgl. Conzemius, Primat, 266. Die Abgrenzungen gegenüber den philosophischen Debatten findet neben diesem formalen Ausdruck in der (halben) Kirchenkonstitution ihren entscheidenden Niederschlag in der Offenbarungskonstitution ‚Dei Filius‘ (vgl. dazu und zum philosophischen Umfeld K. Müller, Das kirchliche Lehramt und die Philosophie – Eine brisante Beziehung, die zu denken gibt, ThGl 90 (2000) 417-432: bes. 423ff).

[7] Schatz, Primat und Kollegialität, 304. Zu den Debatten auf dem Konzil, die aber letztlich keinen Eingang in die verabschiedeten Texte gefunden haben vgl. W. Kasper, Primat und Episkopat nach dem Vatikanum I., in: ders., Glaube und Geschichte, Mainz 1970, 415-441: 428ff.

[8] Kasper, Primat, 423.

[9] Vgl. dazu bes. Pottmeyer, Rolle, 72ff. Zur besonderen Funktion der ‚Kollektiverklärung‘ des deutschen Episkopats von 1875 s.u.

lich, dass sich die Formeln der Erklärung zu Primatialgewalt und Unfehlbarkeit des Papstes, insbesondere aber der Jurisdiktionsprimat als ‚Notstandsgesetzgebung' der römisch-katholischen Kirche verstehen wollen: „Die Gewalt des Papstes ist in erster Linie um der Einheit der Kirche willen da, für Krisenfälle, in denen die Gewalt des Bischofs nicht mehr ausreicht oder wenn dieser seiner Pflicht nicht nachkommt. Im Grunde ist das nichts anderes als die Anerkennung des Subsidiaritätsprinzips für den Raum der Kirche"[10]. Freilich kommt man mit Walter Kasper nicht umhin hier festzustellen: „Eine deutlichere Herausstellung dieses Gedankens wäre wünschenswert gewesen. Aber im Prinzip hat das Konzil solche Gedanken nicht abgelehnt, es hat nur die faktische Notwendigkeit, sie deutlicher zum Ausdruck zu bringen, nicht gesehen"[11]. Dennoch hält das Konzil an Episkopat und Primat als ‚potestates ordinariae et immediatae' sowie einiger konkreter Anweisungen zum Zusammenwirken beider und der Stützung und Festigung des Episkopats durch den Primat fest (vgl. DH 3061)[12]. Denn beide – die ordentliche Vollmacht der Bischöfe wie die außerordentliche des Papstes – haben ihr Recht im Stifterwillen Christi selbst[13]. Es mag aus heutiger Sicht verwundern, dass trotz der heftigen Auseinandersetzungen um die Unfehlbarkeit die Diskussionen um den Jurisdiktionsprimat relativ unspektakulär verlaufen und selbst von der gegen die Unfehlbarkeit opponierenden Konzilsminderheit Zustimmung erfahren[14]. Als plausibler Erklärungsgrund kann hier nur die durch ver-

---

[10] Kasper, Primat, 427.

[11] Ebd. 427f.

[12] Zur Debatte um die Häufigkeit des außerordentlichen Eingreifens des Papstes vgl. auch K. Schatz, Die Debatten um den Jurisdiktionsprimat auf dem Ersten Vatikanum, in: Communio – Ideal oder Zerrbild von Kommunikation? Hrsg. v. B. J. Hilberath, QD Bd. 176, Freiburg 1999, 39-53: 48f mit Verweis auf die Wortmeldung Bischof Zenellis; dazu auch Kasper, Primat, 431ff.

[13] Zu den Ausführungen z. B. Bischof Gassers in der Konzilsaula vgl. Kasper, Primat, 435f. In Gassers Deutung ist die „kollegiale Amtsführung und Ausübung der obersten Hirtengewalt in der Kirche [...] das medium ordinarium, das Normale. Lediglich in der Art und Weise, wie sich dieses Zusammenspiel von Primat und Episkopat vollzieht, ist der Papst je nach Lage der Dinge und der Zeitumstände frei. Hier bleibt Raum für eine zeitgemäße Auslegung des ius divinum durch das ius humanum und für die jeweilige Persönlichkeit der Amtsträger [...]. Aber auch wenn der Papst ohne ausdrücklich in Erscheinung tretende Mitwirkung des Episkopates handelt, so tut er das zwar aufgrund einer ihm eigens verliehenen Vollmacht Christi, aber doch immer als persona publica, universalem ecclesiam repraesentans, als Haupt und Repräsentant des Episkopats. Der ordentliche Weg bleibt die Ausübung der plenitudo potestatis in und durch den Gesamtepiskopat" (ebd. 436).

[14] Vgl. dazu auch Schatz, Debatten, 39. Interessant ist dabei auch, dass Jurisdiktionsprimat und Unfehlbarkeit von den Konzilsvätern nicht als Einheit verstanden wurden

schiedenste Nationalismen als bedroht empfundene kirchliche Einheit benannt werden[15]: Der päpstliche Primat wird als den Episkopat stützende Instanz in diesen Auseinandersetzungen verstanden[16].
Angesichts solcher Vorgaben kann man mit Klaus Schatz zunächst feststellen, dass die in theologischen Bereichen zumeist nur unterschwellig behandelte ‚Machtfrage' in der römisch-katholischen Kirche ihren expliziten Ausdruck gefunden hat, denn das „reale historische Problem ist [...] wie eine Instanz beschaffen sein muß, um insbesondere in schweren historischen Krisen und gegen massive innerkirchliche oder außerkirchliche Widerstände christliche Normen durchzusetzen und Akzeptanz zu erringen. [...] Jedenfalls ist es das spezifische Charisma der katholischen Kirche, daß sie nicht durch bloßes Reden von ‚Dienst' bzw. ‚Communio' das Problem der Macht als dem Evangelium zuwider verdrängt hat. Sie hat vielmehr auf dieses Problem eine Antwort nicht von außen [...], sondern innerkirchlich-theologisch zu geben versucht"[17]. Die Frage nach Dynamik, Flexibilität und Stabilität hat durch das I. Vaticanum eine eindeutige Fixierung erfahren[18], die aber zugleich den Nachteil der Betriebsblindheit gegenüber systemimmanenten Sackgassen besitzt. Eine dieser Sackgassen stellt das Problem dar, dass jeglicher Streit um Sachfragen immer auch zur Autoritäts- und damit Machtfrage wird: „Überall dort letztlich, wo die Beurteilung der Sachprobleme nicht frei ist vom Selbstverteidigungs-Zwang der Autorität, besteht die Gefahr einer solchen Verfestigung, die dann sehr lange fortbesteht und, da sie natürlich wesentliche Kräfte absorbiert, immer neue Komplikationen und geschichtliche Hypotheken zeitigt"[19]. Das größte Manko ist indes das Fehlen eines systemimmanenten Korrektivs. Daher ringt sowohl die Konzilsminderheit

---

(vgl. ebd. 42f): „Die meisten [Konzilsväter] betonten die qualitative Andersartigkeit der Lehrgewalt, für welche die Kategorie des Zeugnisses und daher des Konsenses gelte, nicht die der Souveränität und der ‚suprema potestas'; sie weigerten sich daher, die ‚plenitudo potestatis', die sie dem Papst für den jurisdiktionellen Bereich zugestanden, auf den Lehrbereich zu übertragen" (ebd. 43), vgl. Pottmeyer, Rolle, 74f.

[15] Vgl. Schatz, Debatten, 40.

[16] Ebd. 41 mit Verweis auf den historischen Anlass: das Verhalten des Apostolischen Stuhls gegenüber Napoleon und die damit verbundene Bereinigung des französischen Schismas 1801. Vgl. dazu auch Kasper, Primat, 441; Kasper plädiert daher für die Notwendigkeit einer kritische Distanzierung von diesen Vorgaben durch die heute deutlich veränderten Zeitumstände: „Müßte die entsprechende vollgültige innerkirchliche Antwort daruf nicht erst noch gegeben werden? Vielheit ohne Einheit ist Anarchie; Einheit ohne Vielheit ist Tyrannei (Pascal)" (ebd.).

[17] K. Schatz, Unkonventionelle Gedanken eines Kirchenhistorikers zum päpstlichen Primat, Cath 50 (1996) 164-180: 167.

[18] Vgl. ebd. 167f.

[19] Ebd. 174.

des I. Vaticanum wie später das II. Vaticanum um einen binnenkirchlichen Ausgleich, der freilich im I. Vaticanum zumindest im verabschiedeten Text völlig unter den Tisch zu fallen droht, und im II. Vaticanum allzu harmonistisch ausfällt. Freilich: „Eine einseitig konfliktlose und rein an einem Harmoniemodell ausgerichtete Sicht des Verhältnisses von Primat und Episkopat wird sicher den Erfahrungen der Geschichte nicht gerecht"[20].
Die endgültige Formel des Jurisdiktionsprimats selbst spiegelt eine eher sekundäre, aus kurzlebigem Anlass inszenierte theologische Auseinandersetzung um die Frage, ob die römisch-katholische Kirche nun eine absolute oder konstitutionelle Monarchie sei (vgl. DH 3064)[21]. Eine angemessene Verortung dieses Passus im Gesamtkontext des Konzils erfolgt freilich erst 1875 durch die Kollektiverklärung des deutschen Episkopats auf die sogenannte ‚Zirkulardepesche' Bismarcks[22]. Diese Erklärung betont gegenüber dem naheliegenden Vorwurf Bismarcks[23] – der Jurisdiktionsprimat des Papstes degradiere die Bischöfe zu päpstlichen Beamten und damit zu Untergebenen eines fremden Souveräns –, dass die päpstliche Gewalt einen subsidiären Charakter habe, der keinesfalls die Bischöfe zu bloßen Befehlsempfängern mache und dass die römisch-katholische Kirche kein absolutistischer Staat sei – dies widerspräche der göttlichen ‚Natur' ihrer Verfassung. Der Konzilstext selbst belege ausdrücklich das Gegenteil[24]. Zu Recht können die deutschen Bischöfe hierfür auf die Betonung der göttlichen Einsetzung des Bischofsamtes verweisen, wie sie das Konzil im Proömium von ‚Pastor aeternus' ausdrücklich festgeschrieben hatte.
Mit dieser von Pius IX. legitimierten Erklärung kann päpstliche und bischöfliche Jurisdiktion im I. Vaticanum nicht einfach mehr das gleiche bedeuten, sondern es muss sich um eine analoge Begriffsverwendung handeln[25]. „Das Verhältnis beider zusammen ist dann [...] durch das Prin-

---

[20] Ebd. 179.

[21] Hintergrund ist wohl das Buch des französischen Bischofs H.-L. C. Maret ‚Du concile génér l et de la paix religieuse' und die dadurch ausgelösten Diskussionen. Man kann daher konkret von einem Anti-Maret-Einschub in der Formel des Jurisdiktionsprimats sprechen (vgl. Schatz, Debatten, 50).

[22] Vgl. dazu und zum Folgenden auch J. Werbick, Den Glauben verantworten – Eine Fundamentaltheologie, Freiburg 2000, 788f.

[23] Werbick spricht wohl zu Recht von einem ‚absichtsvollen Missverständnis' Bismarcks, das diese Reaktion auslöste (vgl. ders., Glauben, 788).

[24] Vgl. Schatz, Primat und Kollegialität, 51f.

[25] Vgl. z. B. K. Lehmann, Grundlinien und Probleme des ökumenischen Petrusdienstes. Katholische Überlegungen zu den internationalen Gesprächsergebnissen, in: Das Petrusamt, Geschichtliche Stationen seines Verständnisses und gegenwärtige Positionen, hrsg. v. K. Lehmann, München 1982, 129-150: 145.

zip der Kollegialität, der synodalen Struktur, der Subsidiarität, der Einheit in Vielfalt bestimmt", so dass „das Vaticanum I und das Vaticanum II grundsätzlich auf der theologischen Ebene hier einen erheblichen Spielraum offenlassen zur sinnvollen Selbstbegrenzung des päpstlichen Jurisdiktionsprimat. Der Primat ist nicht [...] ein Universalepiskopat über die ganze Kirche, der Papst ist nicht einfach der Bischof der ganzen Welt, ein ‚Superbischof'"[26]. Entgegen späterer Interpretationen geht es bereits auf dem I. Vaticanum nicht „um Herrschaft, sondern um das Prinzip der Leitung des gemeinsamen Handelns aller Bischöfe, um das, was Paul VI. nannte ‚principe indispensable de vérité, de charité, d'unité. Mission pastorale de direction, de service, de fraternité'"[27]. Die Beschlüsse des I. Vaticanums sind daher offen für eine veränderte Wahrnehmung und Gestaltung des Petrusdamtes.

Trotz dieser verbindlichen Verdeutlichung der Beschlüsse des I. Vaticanums verbleiben diese in einer grundlegenden Dialektik. Der Status des Bischofskollegiums wie auch eine angemessene Verhältnisbestimmung von Primat und Episkopat bleiben eine vom I. Vaticanum und seiner Wirkungsgeschichte her offene Fragestellung. Lösungsmöglichkeiten mögen bereits auf dem I. Vaticanum ansatzweise diskutiert worden sein, eine konkrete Einordnung wird erst auf dem II. Vaticanum versucht.

2. Der Primat und die Ekklesiologie des Zweiten Vatikanischen Konzils

Die eigentliche ‚Innovation' des II. Vaticanum besteht in der Wiederbewusstmachung der ganzen Kirche als Subjekt der Verkündigung der Heilsbotschaft vom offenbar gewordenen Heilshandeln Gottes in Jesus Christus. Alle in der Kirche haben den aktiven Sendungsauftrag, an dieser Verkündigung teilzuhaben[28]. Die Etablierung bzw. die Rückbesinnung auf zentrale synodale Elemente ist die Folge[29]. Zugleich entdeckt und betont

---

[26] Ebd.

[27] Ebd.

[28] H.-J. Pottmeyer, Kontinuität und Innovation in der Ekklesiologie des II. Vaticanums, in: Kirche im Wandel – Eine kritische Zwischenbilanz nach dem Zweiten Vatikanum, hrsg. v. G. Alberigo u. a., Düsseldorf 1982, 89-110: 107; vgl. ders., Die zwiespältige Ekklesiologie des Zweiten Vatikanums – Ursache nachkonziliarer Konflikte, TThZ 92 (1983) 272-283: 280f.

[29] Demgegenüber hatte das I. Vaticanum die ‚Selbstbewusstwerdung der Kirche als Subjekt' noch in Analogie zu den als absolute Monarchie strukturierten entstehenden Nationalstaaten des 18. und 19. Jahrhunderts vollzogen (vgl. Pottmeyer, Zwiespältige Ekklesiologie, 279; zur staatstheoretischen und -philosophischen Grundlegung vgl.

die römisch-katholische Kirche in den Texten des Konzils eine gewisse Selbstbescheidung und Selbstrelativierung ihres eigenen Kircheseins gegenüber diesem alle umfassenden kirchlichen Sendungsauftrag in der Nachfolge Christi. In beiden Teilen dieser Neu- bzw. Rückbesinnung steht das II. Vaticanum in einer gewissen Spannung zum I. Vaticanum, weil es dieses neue Bewusstwerden des Gesamtsubjekts Kirche auch und gerade in Abgrenzung von dessen Einseitigkeiten formuliert[30]. Es kommt dem II. Vaticanum dabei nicht darauf an, die aktive Gesamtverantwortung des Papstamtes auf irgendeine Weise in Frage zu stellen, sondern es geht dem Konzil darum, „diese Verantwortung so einzusetzen, daß sie die Entfaltungs- und Gestaltungsfreiheit der übrigen Strukturen und Glieder der Kirche fördert“[31]. Das Konzil macht die Mitverantwortung aller, die Förderung der Mitverantwortung des gesamten Episkopats, die Stärkung der Eigenverantwortung der Ortskirche wie der communio aller zum eigentlichen, innersten Kennzeichen des Primats und ordnet die Bestimmungen des I. Vaticanum in die ekklesiale Grundstruktur des II. Vaticanum ein.

Hierfür nimmt die Kirchenkonstitution des II. Vaticanum einen doppelten Ausgangspunkt: Zum einen bei der Verwirklichung der einen Kirche Jesu Christi vor Ort in der in Gemeinschaft mit ihrem Bischof die Eucharistie feiernden Ortsgemeinde, zum andern beim Bischofsamt selbst[32]. Das Grundverständnis der einen Kirche Jesu Christi, die sich in und aus Ortskirchen verwirklicht, bildet die notwendige Grundlage für das Verständnis der Kirche als ‚communio ecclesiarum‘ wie das Verständnis des Papstamtes in der Gemeinschaft dieser Ortskirchen: „Das Bischofsamt als Dienst in einer Kirche, die strukturell eine Communio bildet, hat einen wesentlich kollegialen Charakter. Der Papst wird deshalb als Anhaltspunkt der Einheit des Glaubens und der Gemeinschaft gesehen; sich von ihm trennen heißt, sich von der Einheit des Kollegiums und der Kirche trennen“[33].

---

ders., Unfehlbarkeit und Souveränität, passim). Erst mit dem II. Vaticanum ‚entdeckt‘ die römisch-katholische Kirche die anderen aktiven Subjekte des Subjektseins von Kirche wieder. Diese veränderte Weise des Subjektwerdens spiegelt sich auch in einem zur Alten Kirche sehr verschiedenen Verhältnis von Kirche und Überlieferung, den man traditionell als den Wechsel von ‚traditio passiva‘ zur ‚traditio activa‘ bezeichnet (ebd. 281).

[30] Pottmeyer, Kontinuität, 109.

[31] Ebd. 110.

[32] Zur zeitgeschichtlichen Einordnung und den theolischen Vorabeiten zum Konzil vgl. die Beiträge in: Das Bischofamt und die Weltkirche.

[33] A. Carrasco Rouco, Der päpstliche Primat und das Zweite Vatikanum, IkaZ 27 (1998) 310-329: 314.

Während das I. Vaticanum sich darauf konzentrierte, die „durch den Heiligen Geist gewährleistete Rolle [zu definieren], die der römische Bischof in der kirchlichen Communio spielt und zu der die konkrete, mit Autorität ausgestattete Tätigkeit gehört, um die Glaubensüberlieferung und die Einheit der Kirche zu bewahren", ist das II. Vaticanum deutlicher darauf ausgerichtet, „die Gliederung der Jurisdiktion und [...] die Formen ihrer Ausübung" zu bestimmen[34]. Die päpstliche Unfehlbarkeit ist durch die veränderten Grundperspektiven eher ein peripheres Thema geworden. Im II. Vaticanum geht es primär darum, „die Autorität theologisch und praktisch in organischer Verbindung mit der Wirklichkeit der Kirche und des Bischofsamtes zu verstehen"[35]. Dazu erscheint notwendig, die Sache des I. Vaticanum so zu interpretieren, dass sie über die zeitbedingten Formeln und dadurch bedingten Einseitigkeiten hinaus Geltung erlangen kann. Dabei weist das II. Vaticanum Konzil trotz „der begrifflichen Begrenztheiten, insbesondere hinsichtlich des Jurisdiktionsprimats [...] der Theologie [...] Wege, auch wenn es sie selbst nicht bis zum Ende geht"[36].

3. Der Bischof von Rom und die Gemeinschaft der Bischöfe: Offene Fragen

Geht auch der Inhalt der Ausführungen des II. Vaticanums (vgl. bes. LG 22, 23 und 25) nicht über das traditionell in der römisch-katholischen Kirche und auch auf dem I. Vaticanum Vertretene hinaus, so ist er dennoch „eine bisher so explizit vom außerordentlichen Lehramt noch nicht vorgetragene Lehre"[37]. Er betont die eigene Bevollmächtigung – es handelt sich also nicht um eine von einer anderen Autorität übertragene oder abgeleitete Vollmacht – des Bischofskollegiums zusammen mit dem Papst als Subjekt der vollen, höchsten und universalen Gewalt der Kirche. Bereits der Begriff ‚collegium' bereitet indes Kopfzerbrechen[38]. Es ist daher kein Zufall, dass innerhalb der Ausführung der Kirchenkonstitution der Begriff mit anderen Begriffen wie ‚ordo' und ‚corpus' wechselt, und dies zur Konkretion in der ‚Nota explicativa praevia' nötigt: „Collegium non

---

[34] Vgl. ebd. 315.
[35] Ebd.
[36] Ebd. 316.
[37] K. Rahner Kommentar zu Artikel 18-27 der dogmatischen Konstitution über die Kirche, LThK Erg.bd. 1, Freiburg 1966, 210-246: 222.
[38] Vgl. z. B. J. Ratzinger, Die bischöfliche Kollegialität – Theologische Entfaltung, in: De ecclesia, Beiträge zur Konstitution ‚Über die Kirche' des Zweiten Vatikanischen Konzils Bd. 1 und 2, hrsg. v. G. Baraúna, Freiburg 1966, Bd. 2, 44-70: 44f.

intelligitur sensu stricte iuridico, scilicet de coetu aequalium, qui potestate suam praesidi suo demanderent, sed de coetu stabili, cuius structura et auctoritas ex Revelatione deduci debent" (NEP 1). Die Nota selbst wirkt indes wie der „letzte Nachhall der harten Diskussionen im Konzil, durch die die ‚Minorität' sich gegen die Aufnahme des Wortes ‚collegium' in den Konzilstext zu wehren gesucht hatte. Offensichtlich betrachteten die Leute von der Minorität diese Idee von der Kollegialität der Bischöfe als das ‚Trojanische Pferd', durch das die auf dem I. Vaticanum einst abgewiesenen ‚semigallikanischen' Vorstellungen von der Begrenzung der päpstlichen Machtfülle durch den Episkopat wieder eingeschmuggelt werden sollte"[39]. Freilich ist die Nota insofern inkonsequent, als sie einen ‚sensu stricte iuridico' zwar ablehnt, zugleich aber mit der Formel des ‚coetus stabilis' als ‚divina institutio' gleichwohl eine verfassungsrechtlich verbindliche Bestimmung vorlegt[40]. Damit sind die verfassungsrechtlichen Fragen nicht etwa beendet, sondern sie stellen sich erst recht. Das Konzil übernimmt die Aussagen des I. Vaticanum, betont zusätzlich die notwendige Verhältnisbestimmung von Gesamtepiskopat und Primat und lässt alle weiteren Fragen offen[41].

Die eigentliche Problematik besteht in der Folge zum einen in der, auf die innere Logik der rechtlichen Konstruktion zielenden Frage nach dem Verhältnis beider, anscheinend zu unterscheidenden ‚Subjekte' der höchsten Autorität – der ‚Romanus Pontifex seorsim' und das Kollegium ‚zusammen mit seinem Haupt' –, die, wenn sie sich nicht doch gegenseitig ausschließen oder infrage stellen sollen, eigentlich näher in ein Verhältnis zueinander gesetzt werden müssten. Zum anderen drängt sich aber die eher praktisch-rechtlich orientierte Problematik in den Mittelpunkt, ob denn „die Autorität und Initiative des Kollegiums zu einer bloß verbalen Fiktion [wird], wenn sie jederzeit ‚frei' vom Papst in ihrer Auswirkung unterbunden werden kann?"[42] Was die konkrete rechtliche Umsetzung betrifft sprach Karl Rahner zu Recht schon vor dem Konzil von einem ‚metaphysischen Nonsens' der Rechtskonstruktion[43], die zwei voneinander strikt getrennte ‚Subjekte' als Träger der höchsten kirchlichen Voll-

[39] H. Bacht, Primat und Episkopat im Spannungsfeld der beiden vatikanischen Konzile, in: Wahrheit und Verkündigung FS Schmaus, hrsg. v. L. Scheffczyk (u. a.), München 1967, Bd. II, 1447-1466: 1450.

[40] Vgl. Rahner LThK, 225.

[41] Vgl. ebd. 223.

[42] Ebd.

[43] Vgl. K. Rahner, Über das ius divinum des Episkopats: in: ders. / J. Ratzinger, Episkopat und Primat Freiburg 1961, 60-125: 86; später entschärft: ders., Vergessene Anstöße dogmatischer Art des Zweiten Vatikanischen Konzils, in: ders., Schriften zur Theologie Bd. XVI, 131-142: 138. Vgl. dazu auch Pottmeyer, Rolle, 109ff.

macht annahm, und versuchte eine Deutung, die von zwei Handlungsweisen ein und desselben Rechtssubjekts – nämlich des Bischofskollegiums zusammen mit dem Papst – ausging: „Wenn also der Papst einmal ‚allein', das andere Mal zusammen mit dem Konzil definiert, dann handelt es sich nicht um zwei Akte zweier verschiedener Subjekte, sondern um zwei verschiedene Verfahrensweisen ein und desselben Subjektes, die sich bloß durch den Umstand differenzieren, daß in dem einen Fall das eine moralische Subjekt ‚über den Erdkreis zerstreut', im anderen Fall an einem Ort versammelt ist und dabei Mitwirkung und zustimmende Mitbeteiligung der Mitglieder des Kollegiums mit dem Haupt deutlicher in Erscheinung treten"[44].

Die Kanonistenriege opponierte nicht nur gegen die Unterstellung des metaphysischen Unfugs[45], sondern versuchte die dahinter stehende Idee dadurch plausibel zu machen, dass man von zwei hier gar nicht adäquat unterscheidbaren Subjekten zu sprechen habe, da das Bischofskollegium ja nur mit seinem Haupt Träger der höchsten Vollmacht sei. Zu Recht zieht Rahner aus dieser Einschränkung die eigentlich entscheidende Konsequenz, die die kanonistische Doktrin zu ziehen vermeidet: Will man nämlich damit das Problem wirklich lösen, so „müßte man, um eine wirkliche Versöhnung beider Aussagen deutlich zu machen [...] betonen, daß auch dann, wenn der Papst für sich allein in Lehre und Gesetz handelt, er als Haupt des Gesamtepiskopates seine Vollmachten ausübt. Denn sonst würde eben doch der Gesamtepiskopat, insofern er eben nicht mit dem Papst identisch ist, zu einer beratenden Behörde der Gesamtkirche degradiert. Die Vollmacht des Papstes muß immer und überall – auch wenn er ‚allein handelt' [...] – integriert sein in die Vollmacht des Gesamtepiskopates, so wie umgekehrt diese nicht ohne die einzigartige Vollmacht des Papstes gedacht werden kann"[46]. Man müsste also von so etwas wie

---

[44] Rahner, Ius divinum, 90; vgl. auch ders., LThK, 228.

[45] Vgl. auch I. Riedel-Spangenberger, Papst und Bischofskollegium – Träger höchster kirchlicher Autorität und Verantwortung, in: dies., Leitungsstrukturen der katholischen Kirche, QD Bd. 198, Freiburg 2002, 23-49: 41; dies., Der Jurisdiktions- und Lehrprimat des Papstes in der Diskussion. Bemerkungen aus der Perspektive des Kirchenrechts und der Ökumene, AkKR 165 (1996) 25-55: 38f.

[46] Rahner, Vergessene Anstöße, 135f. Auch wenn der Papst ‚allein' handelt, handelt er „nicht als ‚persona privata', sondern als sichtbares Haupt der Kirche [...], was der Papst nur ist, wenn er Glied der Kirche ist, das von ihrem Geist und ihrer Gesamtinstitution lebt. Muß er als sichtbares Haupt der Kirche handeln, dann auch als Haupt des Kollegiums. Das streng eine kollegiale Subjekt der höchsten Gewalt der Kirche hat also [...] zwei Handlungsweisen: durch den Papst ‚allein' als sein primatiales Haupt und durch einen eigentlichen actus stricte collegialis" (Rahner LThK, 229; vgl. auch W. Kasper, Zur Theologie und Praxis des bischöflichen Amtes, in: Auf neue Art Kirche sein, FS Homey-

einer ‚wechselseitigen Inexistenz' von Haupt und Kollegium ausgehen[47]. Das allein wäre eine suffiziente ‚Lösung' des Problems.
Mit Joseph Ratzinger u. a. kann man hier im Gefolge des II. Vaticanum tatsächlich von zwei Deutungstypen der Kollegialität sprechen[48]: einem eher spekulativen (u. a. von K. Rahner vertretenen) Typus, der davon ausgeht, dass das Kollegium zusammen mit dem Papst in gewisser Weise die Verantwortung für die Gesamtkirche trägt, und einem zweiten, eher altkirchlich orientierten Typus, der als Hauptwirkungsfeld des Bischofs seine Ortskirche bestimmt und in der Wahrnehmung seiner Verantwortung dort seinen Beitrag zur Wahrnehmung der Verantwortung für die Gesamtkirche als geleistet ansieht[49]. Beide Typen sind indes keine sich gegenseitig ausschließenden Modelle[50]. Das eher spekulative (neuzeitliche) Modell verweist dabei auf ein Problem, das die Alte Kirche so noch nicht kannte und daher in ihrer Struktur auch nicht berücksichtigt: „Die alte Kirche kannte noch keine gesamtkirchliche Gesetzgebung und Administration. Bestimmungen, die die Gesamtkirche banden, wurden durch ein Konzil getroffen [...] das ein außerordentliches und seltenes Ereignis war. Die normale Regelung der kirchlichen Ordnung und des kirchlichen Lebens geschah innerhalb der Patriarchate durch den Patriarchen zusammen mit den Bischöfen oder deren Repräsentanten"[51]. Demgegenüber geht es für die heutige Kirche, die gerade eine besondere Betonung der zentralen Gesetzgebung und Administration kennt, darum, „die zentrale Gesetzgebung und Administration der Gesamtkirche kollegial zu prägen und [...] zugunsten regionaler Ordnungsinstanzen zu minimieren"[52]. Erst eine solche Struktur kann heute als Verwirklichung des altkirchlichen Ideals betrachtet werden. Der Primat im Sinne des II. Vaticanum ist also ein Communio-Primat.[53] Wie

---

er, hrsg. v. W. Schreer (u. a.), München 1999, 32-48: 42; ders., Kircheneinheit und Kirchengemeinschaft in katholischer Perspektive, in: Glaube und Gemeinschaft, FS Scheele, hrsg. v. K. Hillenbrand (u. a.), Würzburg 2000, 100-117: 112ff.

[47] Vgl. Bacht, Primat, 1454. Das nötigt indes dazu, die deutlich ‚trennenden' Begriffe wie ‚seorsim', ‚ad placidum' harmonisierend auszulegen (vgl. z. B. J. Ratzinger, Kommentar zu den ‚Bekanntmachungen, die der Generalsekretär des Konzils in der 123. Generalkongregation am 16. November 1964 mitgeteilt hat' [Nota praevia explicativa zur Dogmatischen Konstitution über die Kirche], LThK Erg.bd. 1, Freiburg 1966, 348-359: 356).

[48] Vgl. dazu und zum Folgenden bes. Ratzinger, Kollegialität, 56ff.

[49] Zur Präsenz beider Typen in der Kirchenkonstitution vgl. Pottmeyer, Rolle, 103ff.

[50] Vgl. ebd., 105.

[51] Ebd., 107.

[52] Ebd.

[53] Vgl. H.-J. Pottmeyer, Der mühsame Weg zum Miteinander von Einheit und Vielfalt im Verhältnis von Gesamtkirche und Ortskirchen, in: A. Franz (Hg.), Was ist heute noch katholisch? Zum Streit um die innere Einheit und die Vielfalt der Kirche, , QD Bd. 192,

dieser freilich in der Praxis (und in der rechtlichen ‚Fixierung' dieser Praxis) aussehen könnte, ist weder vom Konzil noch danach adäquat erfasst geschweige denn umgesetzt worden[54]. Das Konzil „stellt also eine theologische Aufgabe, die es selbst nicht einlöst: in Theorie und Praxis deutlich zu machen, daß und wie der Gesamtepiskopat die Kirche regiert"[55]. Die theoretischen Vorgaben sind gelegt, doch „in der Praxis ist ja nicht allzuviel davon zu bemerken, daß der Papst gerade als Haupt und Repräsentant des Gesamtepiskopates seine Vollmachten ausübt"[56].

Sosehr das Konzil das sich gegenseitige Durchdringen von episkopaler und primatialer Vollmacht unter dem Leitgedanken einer Communio-Ekklesiologie implizit in den Mittelpunkt stellt, so offen bleibt die Frage der konkreten rechtlich verbindlichen Umsetzung[57], ja „die damaligen Kontroversen sind [...] bis heute nicht wirklich gelöst und wirken noch immer nach"[58]. Insofern ist Klaus Schatz am Ende zuzustimmen, der für die Regelungen des Konzils die Idee einer praestabilierten, durch die Kirchengeschichte aber nicht gedeckten Harmonie unterstellt und diese als die eigentliche Schwachstelle der Konzilstexte offenlegt[59]. Hier kann der Weg des Konzils als noch nicht beendet bezeichnet werden. Kein Wunder also, dass der nachkonziliar mit Vehemenz ausgetragene Streit um das Verhältnis von Orts- und Gesamtkirche sich letztlich als Prolongation der konzilaren Auseinandersetzungen um die primatiale und episkopale Vollmacht erweist. Das ‚Steckenbleiben' des Konzils in dieser Frage führt hier in eine in der Folge unauflösbar erscheinende Aporie[60].

Freiburg 2001, 291-310: 308. „Wer dagegen von der Priorität der Gesamtkirche ‚in der Zeit' vor der Ortskirche spricht, steht zumindest in der Gefahr, die Vollmacht des Bischofsamtes aus der des Papstamtes abzuleiten, wozu eine universalistische Ekklesiologie neigt; das ist mit der Lehre des 2. Vatikanums kaum vereinbar" (ebd.).

[54] Zur Möglichkeit einer kollegialen Ausübung vgl. Pottmeyer, Rolle, 110.

[55] Rahner, Vergessene Anstöße, 137.

[56] Ebd. 137. Rahner benennt die Problematik der Bischofssynoden, der Bischofswahlen sowie die nur mangelhafte rechtliche Umsetzung der Eigenständigkeit des Bischofs (vgl. ebd. 137ff).

[57] Zu den Aporien im CIC und CCEO vgl. Riedel-Spangenberger, Jurisdiktionsprimat, 42ff.

[58] Kasper, Theologie und Praxis, 41.

[59] Schatz, Primat und Kollegialität, 305f. Zum sich dahinter verbergenden pneumatischen Element vgl. auch K. Rahner, Episkopat und Primat, in: ders. / J. Ratzinger, Episkopat und Primat Freiburg 1961,13-36: 31; P. Hünermann, Kommentar zu Lumen gentium, in: Herders Theologischer Kommentar zum Zweiten Vatikanischen Konzil, Bd. 2, 263-563: 425ff.

[60] Das zeigt besonders die berühmte Kasper-Ratzinger-Debatte; vgl. ausführlich dazu: J. Rahner, Communio – Communio ecclesiarum – Communio hierarchica. Anmerkungen zu einer notwendigen theologischen Differenzierung des Communio-Begriffs, in: IkaZ 39 (2010) 665-679.

Ioan-Vasile Leb

Petrusdienst und Papstamt aus orthodoxer Sicht

Wie schon bekannt, hat der Verzicht des Papstes Benedikt XVI. auf den vatikanischen Thron viele Diskussionen, sowohl positive als auch negative, ausgelöst. Eines aber ist ganz klar: Die Geste des Papstes war eine mutige und ernsthafte Entscheidung, die doch Platz für eine neue Entwicklung des Papstamtes einräumt. Denn, wie Damaskinos Papandreou einmal sagte, ist die Frage nach dem Petrusamt „eine wichtige ekklesiologische Frage, die uns verpflichtet, in einem leidenschaftslosen Dialog die trennenden Wände zu durchbrechen".[1] Wie das aber zu verwirklichen ist, ist gar nicht leicht, solange trotz aller Gemeinsamkeiten zwei verschiedene Auffassungen in Bezug auf die Stellung und den Dienst des Bischofs von Rom im Osten und im Westen bestehen. Selbst Papst Paul VI. gab zu, dass der Papst „das schwierigste Hindernis auf dem Wege des Ökumenismus" ist![2] Denn der Papst beansprucht, den Vorrang (primatus) in der Kirche zu haben, nämlich nicht nur als *Primus inter Pares,* sondern als *Jurisdiktionsprimat*, wonach der Papst der Führer des gesamten Christentums sei.

1. *Die römisch-katholische Kirche* führt diesen Anspruch auf den Apostel Petrus zurück, der der erste Bischof von Rom gewesen sei und dort das Martyrium erlitten habe. Daraus leitete man die ununterbrochene Apostolische Sukzession und auch die Autorität der römischen Cathedra ab, was in der Zeit vom 11. bis zum 16. Jahrundert zur Ausformung des Primates führte. Später definierte das Erste Vatikanische Konzil (1869 bis 1870) diesen Jurisdiktionsprimat folgendermaßen: „Wer also sagt, der römische Bischof habe nur das Amt einer Aufsicht oder Leitung und nicht die volle und oberste Gewalt der Rechtsbefugnis über die ganze Kirche – und zwar nicht nur in Sachen des Glaubens und der Sitten, sondern auch in dem, was zur Ordnung und Regierung der über den ganzen Erdkreis verbreiteten Kirche gehört –; oder wer sagt, er habe nur einen größeren Anteil, nicht aber die ganze Fülle dieser höchsten Gewalt, oder diese

---

[1] D. Papandreou, Bleibendes und veränderliches im Petrusamt. Überlegungen aus orthodoxer Sicht, in: J. Ratzinger, Dienst an der Einheit, Patmos Verlag Düsseldorf 1978, S. 146.

[2] E. D. Theodorou, Der päpstliche Primat aus der Sicht der orthodoxen Tradition, in: A. Rauch / P. Imhof SJ (HG), Das Dienst der Einheit in der Kirche, EOS Verlag Erzabtei St. Ottilien 1991, S. 183.

seine Gewalt sei nicht ordentlich und unmittelbar, ebenso über die gesamten und die einzelnen Kirchen wie über die gesamten und einzelnen Hirten und Gläubigen, der sei ausgeschlossen."[3] Dazu hatte das Vaticanum I auch die Unfehlbarkeit des Papstes *„ex sese, non autem ex consensu Ecclesiae"* dogmatisch definiert.[4] Da aber diese Definitionen von den anderen Kirchen kritisiert wurden, versuchte man auf dem Zweiten Vatikanischen Konzil (1962-1965) diese Definitionen zu ergänzen, ohne sie aber zu ändern. So lautet die neue Definition im Kodex des Kanonischen Rechts von 1983, Canon 331: „Der Bischof der Kirche von Rom, in dem das vom Herrn einzig dem Petrus, dem Ersten der Apostel, übertragene und seinen Nachfolgern zu vermittelnde Amt fortdauert, ist Haupt des Bischofskollegiums, Stellvertreter Christi und Hirte der Gesamtkirche hier auf Erden, deshalb verfügt er kraft seines Amtes in der Kirche über höchste, volle, unmittelbare und universale ordentliche Gewalt, die er immer frei ausüben kann." Und in Canon 1399 wird die umfassende Art der Ausübung dargestellt.[5] Die Konzilsväter wollten zwar die Kollegialität in der Kirche wiederbeleben, was aber leider nicht geschah, da das Ganze weiter unter der päpstlichen Gewalt steht.

2. *In der orthodoxen Kirche* wird der petrinische Dienst in einer *synodal-kollegialen Deutung* verstanden. Die gemeinsame Basis ist dieselbe Stelle von Mt 16,18f: „Du bist Petrus, und auf diesen Felsen werde ich meine Kirche bauen, und die Mächte der Unterwelt werden sie nicht überwältigen. Ich werde dir die Schlüssel des Himmelreichs geben, was du auf Erden binden wirst, das wird auch im Himmel gebunden sein, und was du auf Erden lösen wirst, das wird auch im Himmel gelöst sein." Es ist wahr, dass Petrus der Koryphaios im Kollegium der Apostel war. Er wird als Erster unter den Zwölf genannt, und er ist häufig ihr Sprecher. In der Jerusalemer Gemeinde hat er eine besondere Stelle, und er ist vielen Kirchen wohlbekannt. Er wird als der erste apostolische Zeuge des auferstandenen Herrn aufgeführt (1 Kor 15; Lk 24), er bzw. *sein Bekenntnis ist der Felsen,* auf dem die Kirche gegründet werden soll, und ihm wird die Schlüsselgewalt anvertraut werden (Mt 16). Petrus ist derjenige, der

---

[3] H. Denzinger / A. Schönmetzer, Enchiridion Symbolorum, Ed. XXXIII, Herder, Barcionae, Friburgi Brisgoviae, Romae, MCMLXV, 1831, 3064, p. 599; G. Alberigo (Hrsg.), Geschichte der Konzilien. Vom Nicaenum bis zum Vaticanum II, Fourier Verlag Wiesbaden, S. 406-407.

[4] Denzinger/Schönmetz, 1839, 3074, S. 601; Alberigo, S. 407.

[5] Siehe auch: Alberigo, S. 407; K. Schatz, Allgemeine Konzilien – Brennpunkte der Kirchengeschichte, Ferdinand Schöning, Paderborn – München – Wien – Zürich 1997, S. 312-313.

seine Brüder im Glauben stärken soll (Lk 22), er ist derjenige, dem, nachdem er seine Liebe bekannt hat, aufgetragen wurde, Jesu Lämmer zu weiden (Joh 21), und er ergreift die Initiative zur Besetzung des frei gewordenen Platzes unter den Zwölf (Apg 1). Petrus nimmt auch die ersten zum Christentum konvertierten Heiden auf (Apg 10), aber er ist auch derjenige, der Jesus verleugnet (vgl. alle vier Evangelien) und wegen seines mangelnden Glaubens in den Wellen versinkt. Petrus wird von Jesus und später von Paulus scharf zurechtgewiesen (Mk 8; Mt 16; Gal 12). All dies könnte ein Hinweis auf seine besondere Stellung sein.[6] Dennoch kann man daraus nicht den Schluss ziehen, im Neuen Testament sei von einem Primat Petri die Rede. In diesem Sinne äußerte sich Afanassieff, als er schrieb: „Petrus stand der Kirche von Jerusalem vor, die jedoch eine örtlich begrenzte Gemeinde war, obschon sie eine Zeit lang als einzige bestanden hatte; als dann andere lokale Kirchen dazukamen, wurde Jakobus, der Bruder des Herrn, das Haupt der Kirche von Jerusalem. Wir wissen nicht, ob Petrus zu dieser Zeit einer andern Kirche vorstand. Wenn wir die Behauptung vom Primate Petri aufstellen, so müssen wir gleichzeitig annehmen, daß er seinen Primat unabhängig von jeder Ortsgemeinde ausgeübt hat; das ist aber ganz und gar unannehmbar sowohl für die damalige wie für irgendeine andere Zeit. Wir sehen also, daß der Primat des Petrus in der Urkirche nicht deutlich in Erscheinung getreten ist, und wir können somit nicht bezeugen, daß die Verheißung an Petrus in Erfüllung gegangen sei, sofern wir sie als Verheißung des Primates verstehen."[7] Selbst wenn wir vertrauenswürdige Informationen darüber hätten, daß Petrus, der nach Rom ging und dort den Märtyrertod fand, als Aufseher oder Bischof der Ortskirche in Rom wirkte, wäre es nicht richtig, das spätere Papsttum mit dem Petrusamt gleichzusetzen. Und es wäre anachronistisch, aus neutestamentlichen Zeugnissen über das Petrusamt Schlussfolgerungen für das heutige Papsttum zu ziehen.[8] Denn alle Apostel leiten ihr Amt von dem Amt Christi ab, der sie als Apostel auserwählt und sendet. Das Apostelamt ist also die Fortsetzung der Sendung Jesu Christi, ein charismatisches Amt, das von ihm stammt und nicht übertragbar ist. Alle Apostel waren von ihrem Amt, von ihrem Charisma her gleich,

---

[6] D. Papandreou, Petrusdienst und Primat, in: Theologische Quartalschrift 178 (1998), S. 97-98.

[7] N. Afanassieff, Das Hirtenamt der Kirche: in der Liebe der Gemeinde vorstehen, in: B. Bobrinskoy, O. Clément, B. Fize, J. Meyendorff (Hrsg.), Der primat des Petrus in der orthodoxen Kirche, Bibliothek für orthodoxe Theologie und Kirche, Bd. 1, EVZ – Verlag Zürich, 1961, S. 37. Siehe, in demselben Band, auch: N. Koulomzine, Die Stellung des Apostels Petrus in der Urkirche, S. 67-94.

[8] D. Papandreou, Petrusdienst und Primat, S. 98.

und der heilige Apostel Petrus bildete in dieser Hinsicht keine Ausnahme.[9]
Zugunsten des päpstlichen Primats oder gegen ihn werden auch Zeugnisse aus der Alten Kirche herangezogen, von denen wir hier nur einige erwähnen. So schrieb z. B. um 96 der hl. Klemens, Bischof von Rom, an die Christengemeinde zu Korinth. Sein Brief beinhaltet aber keine ausdrückliche und direkt autoritative Intervention, die die Brudergemeinde rechtlich binden und verpflichten will.[10] Der hl. Ignatius von Antiochien († 110) erwähnt die Apostel Petrus und Paulus in ihrer autoritativen Stellung zu den Römern und rühmt die römische Gemeinde, dass sie im Glauben führend ist und den Vorsitz in der Liebe hat.[11] Etwas später, um 155, verhandelte der hl. Polykarp († 156) mit Papst Anicet in Rom über Tag und Inhalt der Osterfeier, aber er konnte sich mit ihm nicht einigen. Trotzdem reichte Anicet Polykarp die eucharistische Kommunion, und sie trennten sich in Frieden.[12] Papst Victor I. (189-199) suchte im Osterfeststreit den römischen Führungsanspruch zur Geltung zu bringen, stieß aber auf den Widerspruch des Bischofs Polykrates von Ephesus, der um 190 eine Synode der kleinasiatischen Bischöfe einberief, die sich für die Beibehaltung des Osterdatums der Quartodezimaner (14. Nissan) und gegen die Annahme der römischen Praxis entschied. In seiner Antwort an Viktor berief sich Polykrates auf die einheimischen „großen Leuchten", auf die Autoritäten der asiatischen Kirche, von den Aposteln Johannes und Philippus bis zu Meliton von Sardes, und auf seine eigenen Vorgänger in Ephesus. Victor drohte mit der Exkommunikation, aber Polykrates erwiderte, er werde sich durch keine Drohung schrecken lassen, denn größere Männer als er hätten gesagt: „Man muss Gott mehr gehorchen als den Menschen." Das Schisma wurde vermieden, nachdem sich Irenäus in Rom für Polykrates eingesetzt hatte und Victor den Weg des Friedens und der Liebe zeigte.[13] Irenäus selbst stammte aus Kleinasien und war Schüler des hl. Polykarp. Er verbindet das Traditionsprinzip nicht speziell mit dem Apostel Petrus, sondern mit allen Aposteln und ihren Nachfolgern in allen Kirchen. Über die Kirche von Rom sagt er, dass sie „von den zwei glorreichen Aposteln Petrus und Paulus" gegründet worden sei. Für

---

[9] Theodor Nikolaou, Das Bischofsamt als Dienstamt der Einheit der Kirche, in: A. Rauch / P. Imhof SJ (HG), Das Dienst der Einheit in der Kirche, EOS Verlag Erzabtei St. Ottilien 1991, S. 427-429.
[10] E. D. Theodorou, Der päpstliche Primat aus der Sicht der orthodoxen Tradition, S. 184.
[11] Ebd.
[12] Ebd., S. 185-185; B. Altaner / A. Stuiber, Patrologie. Leben, Schriften und Lehre der Kirchenväter, Freiburg – Basel – Wien 1993, S. 50.
[13] Theodorou, S. 185; Altaner/Stuiber, S. 108.

die richtige Glaubensüberlieferung stehen alle von den Aposteln gegründeten Kirchen, nicht nur die von Rom. Wie W. Kasper sagte, sind bei Irenäus „noch keine Primatsansprüche im späteren Sinn zu finden".[14] Nicht mal bei dem hl. Cyprian von Karthago († 258) kann man den Primat finden, denn „der dem Petrus zukommende Primat ist ein Ehrenvorrang im Sinne eines primus inter pares".[15] Bis zu Bischof Stephan I. von Rom (253-257) liegen keine Zeugnisse vor, die von einem „Petrusamt" reden, sondern erst in der Zeit danach gibt es Äußerungen, die als eine Sonderstellung ausgelegt werden können.

Diese Sonderstellung, der Primat des Apostels Petrus den anderen Aposteln gegenüber, wird aber im Osten anders als im Westen verstanden.[16] Im orthodoxen Verständnis wird immer wieder der kollegiale Charakter des Apostelamtes betont, der besonders dann in Erscheinung trat, wenn Probleme und Meinungsverschiedenheiten in Bezug auf den Auftrag des Herrn aufkamen, wie es in Apg 15 bewiesen ist. Dieser Auftrag vereinigte alle Apostel zum Kollegium und bestand in der einen Glaubens- und Liebesbotschaft. Die Weitergabe des Apostelamtes durch die apostolische Sukzession ist gerade die Übertragung des Sendungsbewusstseins und der Verantwortung der Apostel auf die Amtsträger, die diese mit der Gemeinde teilen.[17] Diese Kollegialität spiegelt sich in der synodalen Struktur der Kirche im Osten wider, die keinen päpstlichen Monarchismus kennt. Alle Bischöfe sind und bleiben von ihrem Amt her gleichrangig. Dies wurde vom ökumenischen Patriarchen Dimitrios folgendermaßen ausgedrückt: „Damit wir offen, aufrichtig und ehrlich zu uns und untereinander, aber auch der ganzen Welt gegenüber sind, müssen wir wiederholen und betonen, daß kein Bischof in der Christenheit ein göttliches oder menschliches Privileg der Universalität über die eine, heilige, katholische und apostolische Kirche Christi besitzt; sondern daß wir alle, sei es in Rom oder in dieser Stadt (sc. Konstantinopel) oder in irgendeiner Stadt, von egal welcher kirchlich hierarchischen oder politischen Einstellung,

---

[14] Theodorou, S. 186; Altaner/Stuiber, S. 113-114.

[15] Theodorou, S. 186-187; Altaner/Stuiber, S. 179.

[16] Dazu bemerkte J. Meyendorff Folgendes: „Die erste Reaktion des kirchlichen Bewußtseins des Ostens angesichts der westlichen Lehre vom Primat wies somit die Neigung auf, den Primat Petri unter den anderen Aposteln nicht zu bestreiten, wohl aber ihn anders zu verstehen, als dies der Westen tat, weil jenes sich dabei auf eine andere Auffassung der Kirche stützte, als diejenige im Westen Geltung hatte". Siehe J. Meyendorff, Der heilige Petrus, sein Primat und seine Sukzession in der byzantinischen Theologie, in: B. Bobrinskkoy u. a., Der Primat des Petrus in der orthodoxen Kirche, S. 110; T. Nikolaou, Das Bischofsamt als Dienstamt der Einheit der Kirche, S. 429.

[17] T. Nikolaou, Das Bischofsamt als Dienstamt der Einheit der Kirche, S. 429-430.

schlicht und nur Mitbischöfe unter dem einzigen Hohenpriester, dem Haupt der Kirche, unserem Herrn Jesus Christus, immer in der von alters her kirchlich akzeptierten hierarchischen Ordnung sind. ... In dieser unseren Botschaft wünschen wir, als Ökumenischer Patriarch, zu betonen, daß alle künftigen pankatholischen und panorthodoxen Begegnungen, Dialoge und Beratungen auf folgenden grundlegenden Prinzipien stattfinden werden:

- *Erstens,* die höchste Autorität (αὐθεντία) der heiligen, katholischen und apostolischen Kirche liegt in der ökumenischen Synode der Gesamtkirche.
- *Zweitens,* niemand unter den Bischöfen in dieser katholischen Kirche besitzt eine Autorität (ἐξουσία) oder einen Rechtsanspruch oder ein kanonisch festgelegtes Recht auf irgendeine kirchliche Jurisdiktion ohne den eigenen kanonischen Willen und die Zustimmung des anderen (sc. Bischofs).“[18]

3. *Im ersten Millenium*, bis zum Großem Schisma von 1054, als sich das Metropolitan-und-Patriarchal-System herausausbildete, hat man dem Bischof von Rom, dem Papst, einen Ehrenprimat als *Primus inter Pares* zuerkannt. Mit der Erhebung Konstantinopels zur Hauptstadt des Römischen Reiches wurde Konstantinopel der Status des Neuen Roms verliehen. Das 2. Ökumenische Konzil (Konstantinopel, 381) bestimmt in seinem Kanon 3: „Der Bischof von Konstantinopel hat den Vorrang der Ehre nach dem Bischof von Rom, denn Konstantinopel ist das Neue Rom.“[19] Das 4. Ökumenische Konzil (Chalkedon, 451) stipulierte ergänzend: „Wir folgen in jeder Hinsicht den Entscheidungen der heiligen Väter und entscheiden in Kenntnis des soeben verlesenen Kanons der 150 gottgeliebten Bischöfe, die zur Zeit des großen Theodosius seligen Angedenkens, des damaligen Kaisers, im kaiserlichen Konstantinopel, dem Neuen Rom, versammelt waren, dasselbe auch unsererseits über die Vorrechte der heiligen Kirche von Konstantinopel, dem Neuen Rom. Denn dem Stuhl des Alten Rom haben die Väter begreiflicherweise die Vorrechte zugestanden, weil jene Stadt Kaiserstadt war. Aus demselben Beweggrund haben die 150 gottgeliebten Bischöfe die gleichen Vorrechte dem heiligen Stuhl des Neuen Rom zugesprochen, wobei ihr Urteil ganz vernünftig lautete, die durch Kaiser und Senat geehrte Stadt, die die gleichen Vorrechte wie

---

[18] Episkepsis, Nr. 90, 11. 12. 1973, S. 18-19;

[19] G. Alberigo u. a., Conciliorum Oecumenicorum Decreta, Band 1: Konzilien des ersten Jahrtausends. Vom Konzil von Nizäa (325) bis zum vierten Konzil von Konstantinopel (869-870), hrsg. von J. Wohlgemuth, Paderborn – München – Wien – Zürich 1998, S. 32.

die alte Kaiserstadt Rom genießt, sei auch in kirchlicher Hinsicht wie jene mit Macht und Ansehen auszustatten, denn sie ist die zweite nach jener."[20] Es ist also sehr klar: Der Primat des Bischofs von Rom wurde von den Konzilsvätern nicht von der Sukzession dieses Bischofs vom Apostel Petrus her verstanden, sondern aufgrund der politischen Bedeutung Roms als Hauptstadt des Reiches. Ebenso ergab sich die Vorrangstellung des Sitzes von Konstantinopel nicht aus seinem Alter (die Sitze von Jerusalem, Alexandrien und Antiochien waren älter) und auch nicht aus irgendwelchen anderen kirchlichen Begründungen, sondern einzig aus der politischen Bedeutung Konstantinopels als „Stadt des Kaisers und der Regierung".[21] Nach der Kirchenspaltung von 1054 ging der Ehrenvorrang unter den orthodoxen Kirchen auf den Patriarchen von Konstantinopel über, solange das Byzantinische Reich existierte. Nach der Eroberung Konstantinopels durch die Osmanen (1453) besaß der Patriarch von Konstantinopel die Privilegien eines Ethnarchen, der an der Spitze der gesamten orthodoxen Bevölkerung des Ottomanischen Reiches stand, nicht aber außerhalb der Grenzen dieses Reiches. Nach der Bildung der Nationalstaaten in den Territorien, die unter den Türken standen, haben im 19. und im 20. Jahrhundert auch ihre Kirchen die Autokephalie von Konstantinopel erlangt. Heutzutage existieren 15 orthodoxe Landeskirchen, und jede ist in der Frage der internen Leitung vollkommen selbstständig und in keiner Weise Konstantinopel unterstellt.[22] Als konziliare Gemeinschaft kennen aber die orthodoxen Kirchen „weder das Papsttum noch eine ähnliche ständige Institution, die in ihrem Namen gemeinsame Angelegenheiten verbindlich regelt. Dem zentralistischen Organisationssystem Roms[23] stellt die orthodoxe Kirche das Ökumenische Konzil entgegen, dem die höchste Autorität der Kirche zukommt. Die lokalen autokephalen orthodoxen Kirchen, die nach dem Konziliaritätsprinzip verwaltet

---

[20] Ebd., S. 99-100.

[21] H. Alfeyev, Primat und Katholizität in der orthodoxen Tradition, in: Una Sancta, 3/2008, S. 225.

[22] Ebd., S. 226.

[23] Treffend sagt G. Larentzakis: „Bei der Rangordnung, bei der τάξις der gleichwertigen orthodoxen autokephalen Kirchen, nimmt das Ökumenische Patriarchat von Konstantinopel aufgrund von Entscheidungen von ökumenischen Konzilien den ersten Platz ein, als *primus inter pares*. Der ökumenische Patriarch ist der *primus*, der *Erste*, nicht der *Höchste,* und die anderen Patriarchen oder Erzbischöfe stehen nicht *unter* seiner Jurisdiktion. Dieser *primus inter pares* darf sich nicht willkürlich in die inneren Angelegenheiten des Schwesterkirchen einmischen und hineinregieren. Er ist kein orthodoxer hierarchischer Monarch, auch kein Papst der Orthodoxie". Siehe: Gr. *Larentzakis, Die Strukturen der orthodoxen Kirche und das Ökumenische Patriarchat von Konstantinopel. Seine Aufgaben, in: Una Sancta, 3/2008, S. 208.*

werden, können über wichtige Fragen des Glaubens und der Disziplin keine Entscheidungen im Alleingang fällen. Diese Vollmacht übt ausschließlich das Ökumenische Konzil aus."[24] Seit Langem haben die Orthodoxen Vorbereitungen getroffen, um ein heiliges und großes Konzil einzuberufen, das die vielen Probleme der Kirche lösen soll, diese Vorbereitungen sind aber noch nicht ausgereift.[25]

4. *Die katholische Kirche des Abendlandes* entwickelte unabhängig und im Gegenteil zur orthodoxen Kirche ihren monarchischen Primat. In der Zeit nach dem Schisma von 1054 haben sich die Orthodoxen polemisch mit dem Primat des Papstes auseinandergesetzt und nicht als ein petrinisches Amt anerkannt. Im 14. Jahrhundert, in der Zeit des „Hesychastenstreits", schrieb z. B. Abt Barlaam, ein Gegner des heiligen Gregorios Palamas, einige Bücher gegen die Lateiner. Für ihn war das entscheidende Argument, dass der Primat Petri nicht notwendigerweise an die römische Kirche gebunden ist. Er macht eine deutliche Unterscheidung zwischen dem Dienst der Apostel und dem Bischofsamt. „Kein Apostel", schreibt er, „ist zum Bischof in der oder jener Stadt oder Gegend ernannt worden; sie hatten überall die gleichen Befugnisse; die Bischöfe dagegen, die durch sie zu ihren Nachfolgern geweiht wurden, waren örtliche Hirten in verschiedenen Städten und Gegenden."[26] Was den Bischof von Rom betrifft, schreibt Barlaam weiter: „Der Papst besitzt zwei Vorrechte: er ist Bischof von Rom und der Erste unter den anderen Bischöfen. Er hat vom göttlichen Petrus die römische Bischofswürde empfangen; was den Vorrang an Ehre betrifft, so wurde er erst viele Jahre später durch die frommen Kaiser Konstantin und Justinian und durch die göttlichen Konzilien mit dieser Würde bekleidet." Als Bischof ist der Papst den anderen gleichgestellt: „Jeder orthodoxe Bischof ist ein Vikar Christi und Nachfolger der Apostel; wenn daher alle Bischöfe der Erde sich vom wahren Glauben entfernen würden und nur ein einziger als Hüter der wahrhaftigen Dogmen übrigbliebe ..., so wäre es dieser, in welchem auf solche Weise der Glaube des göttlichen Petrus erhalten bliebe." Da zudem der Auftrag der Apostel und derjenige der Bischöfe nicht identisch sind, kann

---

[24] A. Kallis, Ekklesiologische Indikationen eines konziliaren Prozesses. Die Panorthodoxen Konferenzen, in: Una Sancta, 2/2009, S. 157.

[25] Siehe dazu auch: A. Vletsis, Der letzte macht das Licht aus: Orthodoxie vor dem Kollaps, in: Una Sancta 3/2008, S. 234-247, A. Anapliotis, Der Kanon 28 von Chalcedon: Ein kirchenrechtlicher Zankapfel der interorthodoxen und ökumenischen Beziehungen (auch in Westeuropa), in: Una Sancta, 2/2008, S. 194-206; T. Fitzgerald, Servant of the Gospel: Ecumenical Patriarch Bartholomew of Constantinople, in: Greek Orthodox Theological Rewiew 56: 1-4, 2011, S. 9-25.

[26] PG, CLI, 1260; vgl. 1262C.

man überhaupt nicht in einem einzigen Bischof den einzigen Nachfolger eines bestimmten Apostels sehen: „Die durch Petrus eingesetzten Bischöfe sind die Nachfolger nicht allein Petri, sondern auch der anderen Apostel; gleichwie die von den andern Aposteln geweihten Bischöfe auch die Nachfolger Petri sind."[27] In derselben Richtung schreibt auch Symeon von Thessaloniki im 15. Jahrhundert ergänzend: „Man soll den Lateinern nicht widersprechen, wenn sie sagen, der Bischof von Rom sei der Erste; dieser Primat schadet der Kirche nicht. Sie sollen nur einmal dessen Treue zum Glauben Petri und seiner Nachfolger unter Beweis stellen! Wenn dem so ist, so mag er in den Genuß aller Vorrechte Petri kommen, und er mag der Erste sein, das Haupt aller und der Pontifex maximus ... Der Bischof von Rom soll nur einmal der Nachfolger in der Rechtgläubigkeit eines Silvester, eines Agathon, eines Leo, eines Liberius, eines Martin und eines Gregors sein, dann werden auch wir ihn apostolisch und den Ersten unter den andern Bischöfen nennen; dann werden auch wir uns ihm unterwerfen nicht nur wie Petrus, sondern wie dem Erlöser selbst."[28] Dazu bemerkt Meyendorff ganz treffend: „Man darf in diesen Worten Symeons nicht bloß eine rhetorische Übertreibung sehen wollen; jeder orthodoxe Bischof ist ein Abbild Christi in seiner Kirche, solange er seine Bischofswürde nicht verrät, was er allerdings auch kann. Und der Erste, Oberste unter den Bischöfen macht hierin keine Ausnahme: auch er ist dazu berufen, in den ihm anvertrauten Amtshandlungen Christi Abbild in Erscheinung treten zu lassen, in diesem Falle in der Ausübung des Primates."[29]

5. *Die oben erwähnte Auffassung* wurde immer wieder von den Orthodoxen betont, und sie ist auch heute gültig, gerade wenn es um den orthodox-katholischen Dialog geht. Das Problem besteht nur darin, dass die katholische Lehre vom Primat im Gegensatz zum orthodoxen Verständnis bis zur erwähnten Dogmatisierung auf dem Ersten Vatikanischen Konzil immer weiter monarchisch zugespitzt wurde. Das Zweite Vatikanische Konzil versuchte, durch neue ekklesiologische Perspektiven die Beziehungen zwischen dem römischen Primat und dem Episkopat zu umschreiben. So heißt es in LG 22: „Das Kollegium oder die Körperschaft der Bischöfe hat aber nur Autorität, wenn das Kollegium verstanden wird in Gemeinschaft mit dem Bischof von Rom, dem Nachfolger Petri, als seinem Haupt, und unbeschadet dessen primatialer Gewalt über alle Hirten und Gläubi-

---

[27] Die ganze Diskussion bei J. Meyendorff, Der heilige Petrus, sein Primat und seine Sukzession in der byzantinischen Theologie, in: B. Bobrinskkoy u. a., Der Primat des Petrus in der orthodoxen Kirche, S. 111.
[28] Dialogus contra Haereses XXIII, PG XLV, 120AC.
[29] Meyendorf, Der heilige Petrus ..., S. 113-114.

gen. Der Bischof von Rom hat nämlich kraft seines Amtes als Stellvertreter Christi und Hirt der ganzen Kirche volle, höchste und universale Gewalt über die Kirche und kann sie immer frei ausüben. Die Ordnung der Bischöfe aber, die dem Kollegium der Apostel im Lehr- und Hirtenamt nachfolgt, ja, in welcher die Körperschaft der Apostel immerfort weiterbesteht, ist gemeinsam mit ihrem Haupt, dem Bischof von Rom, und niemals ohne dieses Haupt, gleichfalls Träger der höchsten und vollen Gewalt über die ganze Kirche. Diese Gewalt kann nur unter Zustimmung des Bischofs von Rom ausgeübt werden." Dadurch wird eigentlich die Aussage des Ersten Vaticanums bestätigt, dass der Bischof von Rom „das immerwährende, sichtbare Prinzip und Fundament für die Einheit der Vielfalt von Bischöfen und Gläubigen" ist. Durch die Betonung der kollegialen Autorität der Bischöfe versuchte man ein Gleichgewicht zwischen Primat und Kollegialität herzustellen. Dennoch blieben sowohl das Dogma über den Primat als auch dasjenige über die Unfehlbarkeit oder über die universelle Jurisdiktion unangetastet.[30]

Trotz vieler symbolischer Gesten, die in die Richtung einer Verständigung mit den Orthodoxen – die Aufhebung der Anathemen 1965, die Bereitschaft zur gemeinsamen Erforschung des Primates im ersten Millennium, gegenseitige Besuche, die Arbeit der Gemeinsamen orthodox-katholischen Dialogkommission, die Verwendung der Expression „Schwesterkirchen" u. v. a.[31] – gehen, scheint Rom eher auf der alten Basis des Ersten Vaticanums zu stehen. Die Wiederbelebung des Uniatismus, aber auch die neuesten Erklärungen[32] zeigen deutlich, dass der Vatikan gar nicht auf den Primat und auf seine monarchische und universalistische Ekklesiologie verzichten will. Vielmehr betont er weiter die Forderung der christlichen Einheit als Rückkehr unter die absolute Autorität (*iure divino*) des Stellvertreters Christi. Vom *Primus inter Pares* ist keine Rede, was die Dialogbestrebungen nur erschweren kann. Aufrecht sagte N. Nissiotis schon vor langer Zeit: „Die orthodoxe Opposition ist nicht anti-ekklesial, sondern pro-katholisch im wahren Sinne des Wortes; sie ist nicht antiepiskopal, sondern pro-apostolisch, für eine kirchliche Ordnung in und nicht über der Gemeinde. Der Geist der Orthodoxie richtet sich nicht

---

[30] D. Papandreou, Petrusdienst und Primat, S. 99.

[31] J. Meyendorff, Eglises soeurs. Implications ecclésiologiques du Tomos Agapis, in : Istina, 20, 1975, S. 35-46 ; Orthodox-Katholischer Dialog: Das Wiener Kommuniqué. Die 12. Plenarversammlung der Internationalen Gemischten Kommission für den theologischen Dialog zwischen der Katholischen und der Orthodoxen Kirche, Vienna, Austria, 26 September 2010.

[32] Oan I. Ică j., Vatican, iulie 2007 – Răspunsuri vechi la contexte noi. Radiografia unei autodefiniri, in: Studii Teologice, Seria a III-a, Nr. 2, 2007, S. 141-159; A. Plămădeală, Ca toţi să fie una, Bucureşti, 1979, S. 193-273.

gegen die Autorität, sondern ist für die Gemeinde, er ist nicht anti-päpstlich, sondern vertritt einen rechten Gehorsam in der Kirche, der die Ehre des Vorrangs und die Vorrechte der Ehre für diejenigen wahrt, die eingesetzt worden sind, um auf besondere Weise die Geschichte und die Kontinuität der Kirche deutlich werden zu lassen."[33]

---

[33] N. A. Nissiotis, *Das Hauptproblem der Ekklesiologie des Zweiten Vatikanischen Konzils und die nicht-römischen Kirchen (aus riner orthodoxen Sicht)*, in: Kyrios 5, 1965, S. 95.

Stephen Platten

Das Papsttum nach dem Zweiten Vatikanischen Konzil aus anglikanischer Sicht[1]

Benedikt XVI. ist gemeinhin als Wiederhersteller einer Art konservativen Revisionismus beurteilt worden. Ironischerweise jedoch war im Lichte einer solchen journalistischen Beurteilung seines Pontifikats seine mutige Entscheidung, von seinem Amt aus Altersgründen zurückzutreten, sehr wahrscheinlich als radikalster Schritt seiner Amtszeit auf dem Stuhl Petri zu bewerten. In der Neuzeit war es bisher undenkbar gewesen, dass der Heilige Vater zurücktritt. Päpste sterben im Amt. Dieser Schritt hat dazu beigetragen, das Papstamt zu entmythologisieren, indem dessen zentralisierte, übermäßig absolutistische Autorität in positiver Weise reduziert wurde.

Zweifelsohne würden anglikanische Beobachter dieser Reflexion hinsichtlich seines Mutes zum Rücktritt zustimmen. Wir sollten jedoch feststellen, dass die englische Kirche dem Papsttum viel zu verdanken hat, insbesondere in der Person von Papst Gregor dem Großen, der Augustinus auf seine Missionsreise zu den Angeln sandte. Man könnte argumentieren, dass Gregor mit der Kreation des einen Namens der Angeln für die diversen Völker und Königreiche dieser Inseln wesentlich zum Werden einer Nation beigetragen hat. Der Name der Angeln wurde gleichbedeutend mit den christianisierten Völkern dieser Inseln. In der Tat kann man sagen, dass die kirchliche Einigung der Nation vor der politischen kam.[2] Nichtsdestotrotz haben in der Neuzeit sowohl die Kirche von England als auch Anglikaner weltweit eine eher ambivalente Einstellung in Bezug auf das Papsttum und das im Petrusamt zentrierte Autoritätsmodell gezeigt. Diese Ambivalenz lässt sich bis in die Reformationszeit zurückverfolgen, in der eine eindeutig feindliche Haltung der Autorität des Bischofs von Rom gegenüber zum Vorschein kam, so er diese im „Reich von England" auszuüben suchte. Diese feindliche Haltung ist in einer Reihe von kuriosen Beispielen historischer Kontinuität in den historischen Lehrformeln der Kirche von England bis heute festgelegt und überliefert. So muss jeder

---

[1] Die deutsche Übersetzung der englischen Urfassung dieses Beitrags ist Natalie K. Watson zu verdanken.

[2] P. Wormald, The Venerable Bede and the Church of the English, in: G. Rowell (ed.), The English Religious Tradition and the Genius of Anglicanism. Wantage, Ikon. 1992. pp.20-21.

Diözesanbischof in der Kirche von England einen Amtseid auf den Monarchen als Oberhaupt ablegen. In einer kurzen Zeremonie vor dem Lord Chancellor im Buckingham Palace muss der Bischof folgendes Gelübde ablegen:

> „Ich, NN, gewählt, bestätigt und geweiht als Bischof von NN, erkläre hiermit, dass Eure Majestät das einzige Oberhaupt dieses Reiches in geistlichen und kirchlichen Angelegenheiten als auch in zeitlichen ist und dass kein ausländischer Prälat oder Machthaber jegliches Amtsrecht in diesem Reich hat, und ich erkenne an, dass mir dieses Bischofsamt und die damit verbundene geistliche Macht allein von Eurer Majestät verliehen ist, und für die gleichen zeitlichen Güter gebe ich Eurer Majestät die Ehre, so mir Gott helfe. Gott segne Elisabeth, die Königin."

Dieses Gelübde enthält kaum verborgene Hinweise auf den Bischof von Rom. Es ist eindeutig, worauf sich die Worte „ausländischer Prälat oder Machthaber" beziehen. Ich will hier keineswegs in eine Diskussion der religionspolitischen Dimensionen der Reformation Heinrichs VIII. abschweifen. In seiner definitiven Biografie von Heinrichs Erzbischof und getreuem Diener Thomas Cranmer zeigt Diarmaid MacCulloch jedoch, wie sich die Ansichten des Erzbischofs und die des Königs im Laufe der Jahre entwickelt hatten. MacCulloch stellt fest:

> „Die Belege für Cranmers Eifer gegen das Papsttum in den 1520er Jahren könnten schwerlich weniger überzeugend sein."[3]

MacCulloch legt die wenigen Belege dar und stellt kurz darauf fest:

> „Also zeigt das emotionale Gleichgewicht in diesen Randbemerkungen Cranmer gewiss als papsttreu, aber gewiss auch als Konziliaristen."[4]

Dieses zweite Zitat greift eine der Hauptfragen in Bezug auf das anglikanische Verständnis der Autorität des Papstes angesichts seiner Entwicklung im Laufe der Jahrhunderte auf. Wenngleich Cranmer (im Gegensatz zu Martin Luther) papsttreu blieb, so ist hier doch ein weiteres Schlüsselelement zu finden. Der Konziliarismus mit Nikolaus von Kues als Hauptvertreter hatte sich in Deutschland im vierzehnten Jahrhundert entwickelt und von dort aus weiter verbreitet. Schon damals, im Europa der frühen Neuzeit, begann sich eine nuanciertere Sichtweise der Autori-

---

[3] D. MacCulloch, Thomas Cranmer: A Life, Newhaven und London, 1996, S. 27.

[4] Op. cit., S. 29.

tät des Papstes und der Bischöfe zu zeigen. MacCulloch zeigt, wie sich die aggressiven Ansichten des Königs dem Papst gegenüber mit Unterstützung und Hilfe seines Erzbischofs von Canterbury entwickeln.[5] Er zeigt auch, wie Heinrichs eigene Reaktionen in England in keiner Weise neu waren.

In der Tat finden sich eindeutige Anzeichen dieser Spannungen zur Zeit von Anselm als Erzbischof von Canterbury im späten elften und frühen zwölften Jahrhundert, als sowohl der König als auch der Erzbischof (beide oft in akuter Spannung) die normannische Oberherrschaft über England etablierten.[6] Anselm selbst war der kontinentalen Autorität gegenüber misstrauisch und duldete außer dem Erzbischof von Canterbury keinen päpstlichen Gesandten in England.

Also gehen einige der frühesten Zweifel an der Autorität des Papstes auf die Zeit vor der eigentlichen Kirche von England zurück und stellen eindeutige politische Bedenken neben religiösen und theologischen Vorbehalten dar. Das Gleichgewicht verschob sich jedoch im Laufe der Reformation unter Edward VI. von 1548 bis 1552, als der Kinderkönig und seine Berater eher offensichtlich theologische Einwände gegen die Ausübung päpstlicher Autorität erhoben. MacCulloch liefert eindeutige Beweise dafür, dass es sich dabei in der Tat um die Ansichten des jungen Monarchen selbst handelt.[7] Elizabeth I. sah den Papst als *primus inter pares* und steuerte damit die Kirche von der puritanischen Ordnung weg. Diese Ansicht vertrat sie auch gegenüber dem Konzil von Trient und verteidigte damit die Katholizität der Kirche von England, eine Katholizität mit Abstand von der eher zentralisierten kirchlichen Autorität.[8]

Die Jahre unter der Herrschaft Elizabeths trugen jedoch weiter zur Verschanzung hinter einer instinktiven Angst vor dem römischen Katholizismus bei, bei der sogar der Papst als Antichrist gesehen wurde. Derartige Vorurteile setzten sich bis weit ins zwanzigste Jahrhundert fort. Diese Ansichten befanden sich fast auf der Ebene des Volksglaubens, sie wurden Teil der von allen Engländern geteilten Psyche. Des Weiteren wurden sie im späten neunzehnten Jahrhundert auf eher theologisch-informierter Ebene nicht gerade gemildert durch die Ergebnisse der theologischen

---

[5] Op. cit., S. 56.

[6] Siehe S. N. Vaughn, Archbishop Anselm. 1093-1109: Bec Missionary, Canterbury Primate, Patriarch of Another World. Farnham, 2012; vgl. C. Haigh, English Reformations, Press, Oxford, 1993, S. 6-8 und ad loc.

[7] Vgl. D. MacCulloch, Tudor Church Militant, Edward VI and the Protestant Reformation, London, 1999, S. 26-27.

[8] H. McAdoo, 'Richard Hooker', in: G. Rowell (Hrsg.), The English Religious Tradition and the Genius of Anglicanism, Wantage, 1992, S. 107. McAdoo zitiert M. Creighton, Queen Elizabeth, 1923, S. 71.

Verhandlungen von E. F. Portal und Lord Halifax in Rom von 1894 und 1895. Als die Ergebnisse dieser Gespräche den vatikanischen Autoritäten vorgetragen wurden, antwortete Papst Leo XIII. im September 1896 mit der Bulle *Apostolicae curae*, in der die anglikanischen Weihen als ungültig, sowohl in ihrer Gestalt als auch in ihrer Intention, verurteilt wurden. Trotz der Responsio der Erzbischöfe von Canterbury und York im Jahre 1897 gab es keinen weiteren Fortschritt, und dies ist seither ein negativer Meilenstein in den anglikanischen Beziehungen zum Papsttum geblieben. Nichtsdestoweniger initiierte Lord Halifax trotz dieses Rückschlags einen weiteren Dialog in Zusammenarbeit mit Kardinal Mercier in Belgien. Die als Malines-Gespräche bekannt gewordenen Verhandlungen legten die Übereinstimmungen in einer Reihe von theologischen Fragen dar. Neben der Bestätigung der Realpräsenz Christi im Abendmahl stimmte man darin überein, dass der Papst einen Ehrenvorrang haben sollte. Die Vertreter protestantischer Ansichten in der Kirche von England wandten sich gegen die Gespräche, und diese Meinungsverschiedenheiten in der Kirche von England werfen Fragen auf, auf die wir später zurückkommen werden. Und trotz der weiteren Hinderung des Prozesses durch die Enzyklika Papst Pius' XI. *Mortalium animos* von 1928 leisteten die Gespräche einen Beitrag zur größeren Zusammenarbeit zwischen der Kirche von England und der römisch-katholischen Kirche.

Der historische Kontext ist notwendig für das Verständnis der anglikanischen Haltung zum Papsttum nach dem Zweiten Vatikanischen Konzil, wie in der Tat auch der Besuch von Erzbischof Geoffrey Fisher bei Papst Johannes XXIII. im Jahre 1960 beweist. Geoffrey Fisher war ein eher unwahrscheinlicher Vorreiter im Bereich ökumenischer Initiativen mit der katholischen Kirche. Wenngleich kein streitender Protestant im traditionellen Sinne, war Fisher gewiss kein Bewunderer Roms. Nach seinem Besuch beim Papst stellte er fest:

> „Mir war der Widerstand gegen alles was von Rom kam, gleichermaßen angeboren. Ich nahm Anstoß an ihrer Lehre, an ihrer theologischen Argumentationsweise, Anstoß an ihrer Vorgehensweise in diesem Land."[9]

Ein Historiker reflektiert, dass diese Einstellung zu Rom in seinen Beziehungen innerhalb Englands klar zum Ausdruck kam.[10] Aber diese Einstellung änderte sich, und Purcell zitiert wiederum den Erzbischof selbst, um die Gründe zu erklären:

---

[9] Zitiert in W. Purcell, Fisher of Lambeth, London, 1969, S. 271.

[10] A. Chandler und D. Hein, Archbishop Fisher, 1945-1961: Church, State and World, Farnham, 2012, S. 106.

„Es war ... offenbar, dass Papst Johannes XXIII. ein Papst anderer Art war, den ich gern treffen wollte und treffen konnte auf der Grundlage christlicher Bruderschaft ohne jegliche Form des kirchlichen Kompromisses auf der einen oder anderen Seite. Dessen war ich mir bereits sicher.“[11]

Der Besuch war außerordentlich in vielerlei Hinsicht. Es war der erste Besuch eines Erzbischofs von Canterbury seit der Reformation. Zweitens war es der erste erzbischöfliche Besuch seit 1397. Drittens ist klar, dass viele im Vatikan selbst der Initiative dieses englischen (und in ihrer Sicht) protestantischen Prälaten mit wenig Begeisterung gegenüberstanden. In seinem Bericht über den Besuch stellt Bernard Pawley, einer der anglikanischen Beobachter beim Zweiten Vatikanischen Konzil, fest:

„Das Staatssekretariat hat alles in seiner Macht Stehende getan, um den Besuch des Erzbischofs zu verhindern und ihm so wenig Publicity wie möglich zu geben ... Kardinal Tardini hatte vier Bedingungen für den Besuch des Erzbischofs gestellt ... es sollte keine Photos des Erzbischofs mit dem Papst geben, der Erzbischof sollte Kardinal Bea nicht treffen, es sollte keine Presseerklärung nach dem Besuch geben, und der Minister sollte keine offiziellen Vertreter des Vatikans einladen, den Erzbischof in seinem Haus zu treffen.“[12]

Letztlich – allen Bemühungen der Kurienbeamten zum Trotz – vereitelte der Papst deren Pläne und befahl Kardinal Bea, mit dem Erzbischof zusammenzukommen; dies führte zur Anstellung einer Kontaktperson der Kirche von England in Rom, um die Konzilsvorbereitungen zu studieren. Die Rolle des Zentrums in den päpstlich-erzbischöflichen Beziehungen ist nun in anderer Weise ertragreich. Die Wiederaufnahme der Kommunikation nach Jahrhunderten der Spaltung war nun an der Tagesordnung. Dies legte den Grund für den gleicherweise historischen Besuch von Michael Ramsey sechs Jahre später. Ramsey, Fishers Schüler aus seiner Zeit als Schuldirektor in Repton, brachte andere Gaben mit, gleichsam ein Kontrast zu Fisher. Fisher war ein guter Verwalter, aus dem Mittelfeld oder eher protestantischen Teil der Kirche von England. Ramsey dagegen war Theologe und Traktarianer. Als katholischer Anglikaner fühlte er starke Resonanzen mit Rom, ohne von ihnen gefangen zu sein.

Ramseys Gesprächspartner bei seinem Besuch in Rom war eine Persönlichkeit, die gleichermaßen in Kontrast zu Papst Johannes XXIII. stand. Gianbatista Montini war nach einem Leben als vatikanischer Diplomat

---

[11] Purcell, op cit., S. 273.

[12] B. und M. Pawley, Rome and Canterbury Through Four Centuries, London and Oxford, 1974, S. 335.

und Kurienbeamter Kardinalerzbischof von Mailand gewesen. Im Gegensatz zu Roncallis (Johannes XXIII.) schlichter und warmer Extrovertiertheit stellte Montini eine ruhigere, eher nach innen gewandte und reflektierte Persönlichkeit dar. Auch war ihm der Anglikanismus keineswegs fremd. Er hatte sich mit einer Gruppe anglikanischer Geistlicher getroffen, als er noch in Mailand war, und war von da an mit den Delegierten in Kontakt geblieben.

All dies waren gute Vorboten für den Besuch von Erzbischof Michael Ramsey bei Montini, nunmehr Papst Paul VI. im Jahre 1966. Ramsey wohnte als Gast des Papstes im Venerable English College. Von dort fuhr er zur Sixtinischen Kapelle, um sich dort mit dem Papst zu treffen. Hier begrüßte der Heilige Vater den Erzbischof mit den Worten:

> „Durch Euer Kommen baut Ihr eine Brücke wieder auf, eine Brücke, die über Jahrhunderte zusammengefallen war, zwischen der Kirche von Rom und Canterbury ... So Ihr über unsere Schwelle tretet, ist es unser Wunsch, dass Ihr Euch nicht fühlt, als ob Ihr in ein fremdes Haus eintretet, sondern dass dies Euer Zuhause ist, in dem Ihr ein Wohnrecht habt."[13]

Keiner der Prälaten war naiv, und Ramsey begann charakteristisch mit dem Vorschlag, dass die ersten Schritte nach vorn die des gemeinsamen Gebetes und gemeinsamer Übersetzungen des Vaterunsers und des Glaubensbekenntnisses seien. Der Papst sagte, dass sogar die schwierige Frage der anglikanischen Weihen wieder und in neuem Licht angegangen werden könnte. Ohne das Dekret Leos XIII. zu ändern, sollte stattdessen die Frage in einem neuen Zusammenhang untersucht werden.

Ramseys Persönlichkeit, Ausstrahlung, theologischer Tiefgang und geistlicher Ernst hinterließen einen nachhaltigen Eindruck beim Papst, und am nächsten Tag bei ihrem Zusammentreffen in St. Paul vor den Mauern wurde ein weiterer historischer Meilenstein gesetzt. Es kam zum traditionellen Austausch von Gastgeschenken. Der Papst schenkte dem Erzbischof ein Fresko, das noch immer in der Krypta des Lambeth Palace hängt; der Erzbischof schenkte dem Papst ein Brustkreuz. Aber es war die Abschiedsgeste des Papstes, die die anglikanische Haltung zum Papsttum um mehrere Längen vorwärtsbewegte. Er streifte seinen Bischofsring ab und setzte ihn auf den Ringfinger der Hand des Erzbischofs. Dies war eine Geste von großer symbolischer Bedeutung. Was hatte den Papst dazu bewogen? Wahrscheinlich sollte es daran erinnern, dass Kardinal Mercier seinen Ring Lord Halifax zur Zeit der Malines-Gespräche gegeben hatte. (Dieser Ring ist nun in den Fuß eines Abendmahlskelches eingesetzt, der

---

[13] Op. cit., S. 461.

noch heute in York Minster in Gebrauch ist.)[14] Diese Geste ist verstanden worden als Symbol des Engagements bzw. Neu-Engagements zwischen den beiden Gemeinschaften. Jedes Mal, wenn seitdem ein Erzbischof von Canterbury den Papst besucht hat, hat er diesen Ring getragen. In der Tat musste gelegentlich ein schnelles Auto vom Flughafen Heathrow zum Lambeth Palace gemietet werden, wenn ein Beamter dieses Schlüsselelement der Beziehung zwischen den Anglikanern und dem päpstlichen Amt vergessen hatte.

Diese beiden Begegnungen – zwischen Papst Johannes XXIII. und Erzbischof Geoffrey Fisher sowie Papst Paul VI. und Erzbischof Michael Ramsey – erinnern alle, die die ökumenischen Beziehungen vorantreiben wollen, an eine wesentliche Tatsache: Die Etablierung zwischenmenschlicher Freundschaften zwischen getrennten Gemeinschaften ist ein entscheidender Schlüssel zur Aufschließung größeren Verständnisses. In der Tat bemerkte Robert Runcie bei seinem Treffen mit Papst Johannes Paul II. bei einem gemeinsamen Mittagessen, dass affektive Gemeinschaft zu effektiver Gemeinschaft führt.[15]

Diese Reihe von Begegnungen setzt nicht nur die Kulisse, sie ist auch der Anfang der ersten Pinselstriche auf der Leinwand des Bildes der Einstellung der Anglikaner (oder genauer gesagt der Kirche von England) zum Papsttum in der Gegenwart. Wir können bereits sehen, wie die stereotypen und etwas populistischen anti-päpstlichen Einstellungen in England zusammenbrechen.

Die 39 Glaubensartikel aus der Tudorzeit enthalten zwei Sätze, die für unsere Diskussion hier von Bedeutung sind. Erstens lesen wir im 19. Artikel:

> „Wie die jerusalemische, alexandrinische und antiochenische Kirche geirrt hat, so hat auch die römische Kirche geirrt, und zwar nicht nur im Handeln und in den zeremoniellen Riten, sondern auch in Glaubenssachen."

Anderswo (zum Beispiel in Artikel 32) wird auf die „römische Lehre" Bezug genommen, aber keiner der Artikel bezieht sich bisher auf den Bischof von Rom. Jedoch lesen wir im 37. Artikel:

> „Der römische Papst hat keine Jurisdiktion in diesem Königreich *England*."

Auch dieser letzte Bezug muss mit der Feinheit des Verständnisses von den politischen und religiösen Haltungen des sechzehnten Jahrhunderts

---

[14] Vgl. F. Bliss, Anglicans in Rome: A History, London, 2006. p. 94 (Fußnote).

[15] Siehe Barrett (Hrsg.), op. cit., S. 94.

verstanden werden. Oben haben wir bereits die ständigen Bedenken innerhalb von England (und insbesondere unter den englischen Monarchen und Kirchenführern des Mittelalters) gegenüber der Jurisdiktion des Bischofs von Rom genannt. Häufig wird die Motivation für die Reformation unter Heinrich als ganz und gar verstrickt in Heinrichs Ansinnen, seine erste Ehe zu annullieren, verstanden. Stattdessen muss diese spezifische Kontroverse als Teil von viel länger bestehenden Bedenken gegenüber der „Fremdherrschaft" des Bischofs von Rom im Königreich England verstanden werden. Des Weiteren war die Wende in Bezug auf die Sorge von Vorverständnissen in den letzten fünf Jahrhunderten enorm. In seiner Studie der 39 Artikel schreibt Oliver O'Donovan:

> „Es besteht in Wahrheit ein großer Abgrund zwischen den Sorgen des sechzehnten und des siebzehnten Jahrhunderts – so groß, dass man fast behaupten könnte, die Reformation sei die letzte Blütezeit des Mittelalters gewesen und das siebzehnte Jahrhundert der Moment des Einbruchs der Neuzeit. Natürlich ist es komplizierter als dies; schon in der Reformation blicken wir über die Schwelle der Neuzeit."[16]

Des Weiteren zeigt O'Donovan die übergroße Bedeutung auf, die einige protestantische Gelehrte den Artikeln zumessen.[17] So wäre es naiv, entweder für die dominante Rolle der Artikel für die Bestimmung des Wesens des Glaubens der heutigen Kirche von England oder gar des weltweiten Anglikanismus zu argumentieren. Sie weisen jedoch hin auf die Einflüsse, die dazu beigetragen haben, einige der traditionellen Vorurteile dem Papsttum gegenüber in England zu gestalten, Vorurteile, die weit hinausgehen über die regelmäßigen Gottesdienstbesucher in der „Staatskirche".

Statt uns weiter mit diesen Bekenntnissen zu beschäftigen, ist es sinnvoller, die Wirkung der beiden ersten erzbischöflichen Besuche in Rom in den Sechzigerjahren zu untersuchen, insbesondere in Bezug auf den daraus entstandenen ökumenischen Dialog. Aus der Begegnung mit Paul VI. gingen zwei sehr bedeutende Initiativen hervor. Die erste war die offizielle Einweihung des Anglikanischen Zentrums in Rom durch Michael Ramsey am 22. März 1966, zwei Tage vor der historischen Abschiedsgeste der Überreichung des Bischofsringes. Der Erzbischof stellt fest:

---

[16] O. O'Donovan, On the Thirty Nine Articles: Conversations with Tudor Christianity, London, 2011, S. 7.

[17] Op. cit., S. 5.

„Anglikanische Studenten sind oft in der Schuld von Autoren innerhalb der römisch-katholischen Kirche. Dieses Zentrum ist ein Versuch, diese Schuld zurückzuzahlen, indem wir die Ressourcen der anglikanischen Wissenschaft denen zugänglich machen, die kommen und sie genießen wollen."[18]

So wurde das Zentrum gegründet als Ort des Lernens, als Stätte der Begegnung und des Austausches und auch als Schlüsselstelle für den Erzbischof von Canterbury und die weltweite anglikanische Gemeinschaft, um die Beziehung zur römisch-katholischen Kirche zu pflegen und zu vertiefen.

Die andere Schlüsselinitiative, die aus der Begegnung zwischen Papst Paul VI. und Erzbischof Michael Ramsey hervorging, war die Aufnahme eines offiziellen bilateralen Dialogs zwischen beiden Kirchen. Die Gemeinsame Erklärung gab zunächst Anstoß zur Einsetzung einer Vorbereitungskommission, die im Januar 1968 die Malta-Erklärung abgab. Diese war mit Hilfe von Kardinal Jan Willebrands eingesetzt worden, der dem damals sogenannten Sekretariat zur Förderung christlicher Einheit vorstand. Die Unterstützung von Willebrand erwies sich als von enormem Vorteil bei der Aufnahme des bilateralen Dialogs. Die Malta-Erklärung schlug die Einsetzung einer „Ständigen Kommission" vor, aus der bald die Anglikanisch-römisch-katholische Internationale Kommission (ARCIC) wurde. Die erste Phase der ARCIC-Verhandlungen (ARCIC I) fand zwischen 1967 und 1981 statt, und der sogenannte Abschlussbericht wurde 1982 veröffentlicht. Dieser schloss mit der Übereinstimmung in Fragen der Eucharistie und des Amtsverständnisses und teilweiser Übereinstimmung in Fragen der Autorität. Die von Anfang an verwendete Methode zielte darauf ab, hinter die Kontroversen des sechzehnten Jahrhunderts zurückzugehen und sich stattdessen auf die Dinge zu konzentrieren, die uns gemeinsam sind. Diese Arbeitsweise ist bis heute das Herzstück des Dialogs. In einem der letzten Paragraphen des Malta-Berichtes heißt es:

„Echte oder scheinbare Differenzen zwischen uns kamen an die Oberfläche in Fragen wie der Einheit und der Unauflöslichkeit der Kirche und ihres Lehramtes, des *Primats des Stuhls Petri, der Unfehlbarkeit* [meine Heraushebung] und mariologischer Definitionen."[19]

In der zweiten Erklärung zum Thema Autorität im Abschlussbericht findet sich ein Schlüsselparagraph zum Papsttum und zum Amt Petri:

---

[18] Bliss, op. cit., S. 94.

[19] Anglican-Roman Catholic International Commission II, The Final Report, London, 1982, S. 115, Absatz 20.

„Trotz unserer Übereinstimmung hinsichtlich der Notwendigkeit eines allgemeinen Primates in einer geeinten Kirche akzeptieren Anglikaner nicht, dass der garantierte Besitz einer derartigen Gabe göttlichen Beistands im Urteil notwendigerweise mit dem Amt des Bischofs von Rom verbunden ist und dass dadurch seine offiziellen Entscheidungen als vollständig gewiss vor ihrer Rezeption durch die Gläubigen verstanden werden können."[20]

Zuvor, in Absatz 29, wird die Frage der Unfehlbarkeit und der Bewahrung der Kirche vor jeglichem Irrtum angegangen, und wiederum gibt es Vorbehalte hinsichtlich dessen, wie eine derartige Definition durch den Papst in einem weiteren Sinne verstanden werden kann. Ein weiterer Schlüsselabsatz (19) zeigt einen Weg nach vorn auf, wie die Rolle des Papstes als allgemeiner Primat verstanden werden kann:

„Der allgemeine Primat soll sein Amt ausüben und sichtbar ausüben nicht in Isolation, sondern in kollegialer Zusammenarbeit mit seinen Brüdern Mitbischöfen."[21]

Dies ist ein entscheidender Satz im Zusammenhang des ganzen zweiten Dokuments zum Thema Autorität im Abschlussbericht. Er spiegelt die kollegiale Denkweise des Zweiten Vatikanischen Konzils in der Dogmatischen Konstitution über die Kirche *Lumen gentium* wider. Er spricht auch direkt Fragen der Ordnung der anglikanischen Kirche an. Er erinnert daran, wie schon oben aufgezeigt, dass Cranmer und die Reformatoren in der Kirche von England bereits von der vorreformatorischen konziliaren Bewegung innerhalb des westlichen Christentums beeinflusst waren.[22] Er spricht auch von der Bedeutung der Kollegialität in der anglikanischen Synodalverfassung und der Rolle des Bischofskollegiums neben den Kammern der Geistlichen und Laien. Also findet sich bereits in der ersten Phase des ARCIC-Dialogs eine eindeutige Resonanz hinsichtlich der Rolle einer Form des Petrusamtes innerhalb der weitergefassten Kollegialität der Bischöfe. Das heißt nicht, dass hier Übereinstimmung festgestellt wird, aber dies weist hin auf ein gewisses Maß an Resonanz innerhalb der gemeinsamen Erklärung der Kommission. Man könnte dies als „in Arbeit" bezeichnen.

Ein Fortschritt hinsichtlich der Frage des universalen Primats geht eindeutig aus dem vorletzten Dokument von ARCIC II, „Die Gabe der Autorität",

---

[20] Op. cit., S. 97, Absatz 31.

[21] Op. cit., S. 89, Absatz 19.

[22] Vgl. hier Paul Avis, Beyond the Reformation: Authority, Primacy and Unity in the Conciliar Tradition, London, 2006.

hervor, dessen letzter Abschnitt den Titel „Der universale Primat: Eine zu teilende Gabe“ trägt. Dort lesen wir:

> „Die Arbeit der Kommission hat hinreichende Übereinstimmung hinsichtlich des universalen Primats als einer zu teilenden Gabe erzielt, so dass wir vorschlagen können, dass die Darbietung und der Empfang eines derartigen Primats schon vor der vollen Gemeinschaft unserer Kirchen möglich sind. Sowohl Katholiken als auch Anglikaner sehen die Ausübung dieses Dienstes in Kollegialität und Synodalität – ein Dienst des *servus servorum Dei* (Gregor der Große, zitiert in *Ut Unum Sint* 88).“[23]

Dies führt zu einer weiteren Schlussfolgerung:

> „Eine Erfahrung des universalen Primats dieser Art würde zwei spezifische Schlussfolgerungen, die wir erreicht haben, bestätigen; dass Anglikaner unter gewissen Bedingungen der Wiederherstellung und Wiederaufnahme der Ausübung des universalen Primats durch den Bischof von Rom offen gegenüberstehen und danach verlangen ...“[24]

Anglikaner waren dann in *Die Gabe der Autorität* bereit, einen Primat im Stil Gregors anzunehmen, in Liebe geführt, wie *Ut unum sint* andeutet, der weniger gebunden ist an die Komplexität und Hierarchie der Kurie. Solch ein Primat würde das *Primus-inter-Pares*-Modell einschließen und die römisch-katholische Kirche dazu ermutigen, ihre eigene Synodalität weiterzuentwickeln, als Komplement zum universalen Primat und regionalen Episkopat. Durch die gesamten ARCIC-Dialoge lässt sich ein wachsendes Maß an Verständnis der Rolle des Bischofs von Rom verfolgen. Dieser Prozess wurde weiter gestärkt durch die Fortsetzung einer Reihe von Begegnungen zwischen Päpsten und Erzbischöfen von Canterbury: Erzbischof Donald Coggan traf mit Papst Paul VI. zusammen; Erzbischof Robert Runcie traf sich mehrfach mit Papst Johannes Paul II.; Erzbischof Rowan Williams traf sowohl Papst Johannes Paul II. am Ende seines langen Pontifikats und mehrfach Papst Benedikt XVI.; Erzbischof Justin Welby hat sich nun zweimal mit Papst Franziskus getroffen. In seiner ersten Begegnung mit Erzbischof Welby am 14. Juni 2013 stellte Papst Franziskus fest, dass „wir gemeinsam gehen müssen“. Der Erzbischof, stark beeinflusst von der katholischen Soziallehre, sagte: „Es ist mein

---

[23] Anglican-Roman Catholic International Commission, The Gift of Authority. CTS / Anglican Book Centre / Church Publishing Incorporated, London; Toronto; New York. 1999. p. 42. paragraph 60.

[24] Op. Cit., S. 42, Absatz 62.

Gebet, dass die Nähe unserer beiden Amtseinsetzungen der Versöhnung der Welt und der Kirche dienen möge." Wiederum trug der Erzbischof den Bischofsring, der von Papst Paul VI. an Erzbischof Michael Ramsey überreicht worden war. Papst Franziskus erinnerte ermutigend an die Worte Papst Pauls VI. gegenüber Erzbischof Ramsey von 1966 und sagte abschließend: „Lasst uns gemeinsam auf dem Pfad zur Einheit reisen, brüderlich vereint in der Liebe und mit Jesus Christus als unserem ständigen Bezugspunkt." Dieses erste Zusammentreffen bot viele positive Hoffnungen für die Zukunft.
In seiner Begegnung mit Papst Johannes Paul II. schloss Erzbischof Robert Runcie die folgenden wesentlichen Gedanken in Bezug auf die Rolle des universalen Primats in seine Rede ein:

> „Für die universale Kirche plädiere ich erneut wie schon bei der Lambeth-Konferenz 1988: Könnten nicht alle Christen dazu kommen, die Art des Primats neu zu bedenken, die der Bischof von Rom in der frühen Kirche ausgeübt hat, eine ‚Führung in Liebe um der Einheit der Kirche willen in der Vielfalt ihrer Sendung'?"[25]

Es besteht kein Zweifel, dass Anglikaner am Mangel eines eindeutigen Primats leiden und dass so die obige Erklärung unter Anglikanern weiten Zuspruch finden würde, wenngleich sie keineswegs von allen angenommen werden kann.
Divergenzen innerhalb der Anglikanischen Kirche haben deutliche Implikationen für die Frage nach „*der* anglikanischen Sicht zum Papsttum". Kurz gesagt gibt es keine eine Sichtweise, wenngleich die Fortschritte im bilateralen Dialog eine wachsende Konvergenz andeuten, die eine positivere Haltung unter vielen Anglikanern weltweit zum Papsttum impliziert.
Im Rückblick auf nunmehr fast zwei Generationen sowohl des bilateralen Dialogs als auch des Engagements zwischen verschiedenen Päpsten und Erzbischöfen von Canterbury hat sich die Antwort von Anglikanern zum Papsttum radikal geändert. Das neue Pontifikat bietet echte Gelegenheiten, diese sich ändernden Wahrnehmungen weiter auszuweiten. Die Demut von Papst Franziskus in seinen ersten Amtsmonaten und die Möglichkeiten, die das neue Konzept der „rezeptiven Ökumene" bietet, lassen Gutes ahnen. Eine gewisse Form des allgemeinen Würdeprimats sollte etwas sein, was alle Anglikaner willkommen heißen und annehmen können. Es ist eine Herausforderung für beide Gemeinschaften, auf dem außergewöhnlichen Fortschritt seit dem Zweiten Vatikanischen Konzil aufzubauen.

---

[25] One in Hope: Documents of the Visit of Archbishop Robert Runcie to Pope John Paul II., London, 1989, S. 21.

Ute Mennecke

Das Papsttum aus evangelischer Sicht

Der bibeltheologische Neuansatz der reformatorischen Theologie, die Aufnahme spätmittelalterlicher und humanistischer Kirchen- und Papstkritik und nicht zuletzt die Reaktion des zeitgenössischen Papsttums auf die Anliegen der Reformation führten in allen ihren Strömungen zu einer Verurteilung der Institution des Papsttums aus fundamentaltheologischer Sicht, als nicht von Jesus Christus eingesetzt und nicht mit dem Geist des Evangeliums übereinstimmend, die in dem Vorwurf gipfelte, im Papst sei der Antichrist (nach 2 Thess 2,3f.) in der Kirche erschienen. Martin Luthers Verurteilung des Papstes als Antichrist war Ergebnis eines längeren Prozesses, der den Ketzerprozess gegen ihn begleitete.

1. Martin Luther

Seine kritische Sicht auf das Papsttum entwickelte sich im Zusammenhang seines Protests gegen den 1508 von Papst Leo X. neu aufgelegten Petersablass. In den Jahren zuvor scheint ihn diese Institution zunächst wenig interessiert zu haben. Doch Luther hatte sich in seinen frühen Vorlesungen eine biblische Theologie erarbeitet, die ganz von dem Gedanken durchdrungen war, Gottes Allmacht und Alleinwirksamheit zum Heil in Jesus Christus dem Unvermögen des Menschen entgegenzustellen. Dies eröffnete in den 95 Thesen eine kritische Sicht auf die der Ablasspraxis zugrundeliegende Vorstellung, dass die päpstliche *potestas iurisdictionis* sich über die kanonischen Kirchenstrafen hinaus auch auf das Fegefeuer erstrecke und dass der Papst überdies das Recht innehabe, über den Kirchenschatz zu verfügen. In dieser Anmaßung sieht Luther eine entscheidende Trennlinie zwischen dem menschlich-irdischen Bereich und den Vollmachten, die nur Gott zukommen, verwischt[1]. Die Thesen wollen aber keineswegs das Papsttum als solches in Frage stellen.

---

[1] Vgl. WA 1, 233f., Th. 6: der Papst könne Sündenschuld nur im Namen Gottes vergeben, also deklaratorisch – Th. 5, Th. 20: bestreiten die (Schlüssel-)Gewalt über das Fegefeuer: Er könne nur solche Strafen erlassen, die er selbst auferlegt habe, ansonsten könne er nur Fürbitte für die Verstorbenen leisten (234, 27f.).

In der weiteren Auseinandersetzung über die Thesen verdrängte das Thema „Papsttum" sehr schnell ihr eigentliches Hauptthema, den Ablass[2], bezüglich dessen noch dogmatischer Klärungsbedarf bestand. Eine Weichenstellung bedeutete das im Rahmen des Lutherprozesses stattfindende Verhör Luthers durch Kardinal Cajetan am Rande des Augsburger Reichstags (12.-14. 10. 1518), von dem Luther im Rückblick äußerte: „ibi primum disputare coepi contra papam" (WAT 5,80,5). Cajetan hatte sich intensiv mit Luthers Thesen und seinen von ihm nach Rom gesandten ausführlichen Resolutionen zu ihnen beschäftigt[3], verfolgte aber in der konkreten Verhörsituation die Strategie, Luther zum Widerruf seiner Irrtümer und damit zur Unterordnung unter die päpstliche Vollmacht zu veranlassen. Luther hielt die Papstbulle „Unigenitus" zum Kirchenschatz (1343) für nicht schriftgemäß, aber äußerte in seiner Appellation an den Papst die Bereitschaft, sich ihm zu unterwerfen und seine Stimme als die Stimme Christi anzuerkennen.[4] Dies schloss aber ein, dass auch der Papst sich der Schrift unterwerfe: „Die göttliche Wahrheit ist auch die Herrin des Papstes; ich erwarte nicht das Urteil eines Menschen, wo ich das göttliche schon kenne"[5] (WA 2,18,2). – Seit Ende 1519 bereitet sich Luthers Antichrist-Vorwurf gegenüber dem Papst in seiner Psalmenvorlesung *Operationes in psalmos* vor. Besonders zu Psalm 10 äußert er die Vermutung, „dass alles, was geschieht, dem Antichrist völlig entspricht"[6]. Auch die im Juni 1519 stattfindende Leipziger Disputation spitzte sich auf die Erörterung des Papsttums, insbesondere seine historischen Entstehung, zu. Luther hatte in seiner *Resolutio* zur 22. Ablassthese geäußert, die griechische Kirche habe noch zur Zeit Gregors I. nicht unter dem Papst

---

[2] Bereits in der im Jan. 1518 von dem Ablasskommissar Johannes Tezel vorgelegten, von Konrad Wimpina für eine Disputation in Frankfurt/Oder verfassten Thesenreihe wird die Ablassfrage auf den Papstgehorsam zugespitzt. Auch das Gutachten, das der Kurientheologe Silvester Prierias im Auftrag des Papstes zu Luthers Thesen abfasste (*In praesumptuosas Martini Lutheri conclusiones de potestate pape dialogus*, gedruckt Juni 1518), betonte die Irrtumslosigkeit des Papstes.

[3] Sein theologischer Widerspruch entzündete sich an These 58 zum Kirchenschatz und vor allem an Luthers sakramentstheologischer Aussage (*Resolutio* zu These 7), dass der Beichtende ohne den gewissen Glauben an die Wirkung des priesterlichen Absolution der Verwerfung würdig sei. Das heiße „eine neue Kirche bauen". – Vgl. O. H. Pesch, „Das heißt eine neue Kirche bauen". Luther und Cajetan in Augsburg. In: Begegnung. Beiträge zu einer Hermeneutik des theologischen Gesprächs, hg. von M. Seckler u. a., Graz, Wien, Köln 1972, 645-661.

[4] Vgl. hierzu und im Folgenden noch immer grundlegend: E. Bizer, Luther und der Papst, in: Theologische Existenz heute, NF 69, 1958, 1-56, hier 7.

[5] WA 2,18,2 (Acta Augustana): Veritas divina est etiam domina Papae: non enim iudicium hominis expecto, ubi divinum iudicium cognovi.

[6] Bizer (wie Anm. 4), 11ff.

gestanden[7], und Luthers Kontrahent, Johannes Eck, hatte dem in einer Gegenthese widersprochen. Ausgiebige Kirchengeschichts- und Dekretalenstudien verstärkten in Luther die Überzeugung, dass der päpstliche Primat nicht so alt sei, wie er vorgebe[8]. Diese Einsicht publizierte er im Februar 1519 als Gegenthese zu Eck: „Dass die römische Kirche höher sei als alle anderen, wird aus den ganz kalten Dekreten der römischen Päpste, die in den letzten 400 Jahren aufgekommen sind, bewiesen; wider dieselben stehen die anerkannte Geschichtsdarstellung von 1100 Jahren, der Text der Schrift und das Dekret des von allen Konzilien heiligsten Konzils von Nicäa"[9]. Vorwürfen, er rede schlecht von der Gewalt der Römischen Kirche, „als solt das alles nichts seyn", tritt er jedoch entgegen. „Das die Romische kirche von gott fur alle andern geeret sey", steht für ihn wegen ihrer 2 Apostel, 46 Päpste und „vill hundert tausend martyrer" außer Frage; deshalb könne durch nichts gerechtfertigt werden, „das man sich von der selben kirchen reißen adder scheyden soll". Die Gelehrten sollten ausfechten, „Was aber die gewalt und ubirkeit Romisches stuels vormag, und wie ferne sich dieselb streckt", und ansonsten solle man um der Einigkeit willen dem päpstlichen Kirchenregiment nicht widerstreben, „dan daran der seelen selickeyt gar nichts gelegen"[10].

Im Mai 1520 legte Luther in der Schrift „Von dem Papsttum zu Rom wider den hochberühmten Romanisten zu Leipzig" seine grundlegende theologische Stellungnahme zum päpstlichen Primat im Zusammenhang seines Kirchenverständnisses dar. Dem Argument des Leipziger Franziskaners Augustin von Alfeldt, dass die ganze Christenheit, wie eine jegliche Gemeine auf Erden, ein leibliches Haupt unter dem rechten Haupt Christi haben müsse, wenn sie nicht zerfallen solle, hält Luther entgegen, dass es auch in der Welt nicht nur die monarchische politische Verfassung gebe. Zudem sei auch der Analogieschluß von der politischen auf die christliche Gemeinde nicht zulässig, da letztere sich darin grundlegend von der welt-

---

[7] WA 1, 571, 16ff. – Bizer (wie Anm. 4), 17.

[8] Vgl. E. Schäfer, Luther als Kirchenhistoriker. Ein Beitrag zur Geschichte der Wissenschaft, Gütersloh 1897,45-69.

[9] WA 2, 161, 35: Romanam Ecclesiam esse omnibus aliis superiorem, probatur ex frigidissimis Romanorum Pontificum decretis intra CCCC annos natis, contra quae sunt historiae approbatae MC annorum, textus scripturae divinae et decretum Niceni Concilii omnium sacratissimi. – Im Vorfeld der Disputation veröffentliche er bereits eine Verteidigung dieser These (*Resolutio super propositione XIII de potestate papae*), die auch eine ausführliche Diskussion des ntl. Zeugnisses einschließt. Mt 16,18 gelte nicht der Person des Petrus, sondern sei auf das Glaubensbekenntnis Petri und die Kirche Christi an allen Orten zu beziehen. Die Bibelstellen über das Hirten- und Schlüsselamt Petri lieferten keine Schriftbegründung der päpstlichen Gewalt.

[10] WA 2, 73, 6ff.

lichen Gemeinde unterscheide, dass sie eine wesentlich geistige Versammlung der Herzen im Glauben sei. Diesen Glauben könne nur Jesus Christus einflößen. In dieser grundlegenden Bedeutung und Beziehung auf die Seele des Gläubigen könne Christus keine „Vicarien“ haben[11], er sei schlechthin nicht vertretbar durch Menschen und deshalb das alleinige Haupt der Christenheit. Petrus sei als Apostel mit derselben Sendung von Christus eingesetzt wie die anderen auch, und so seien auch alle Bischöfe nach göttlichem Recht gleich. Rangunterschiede unter ihnen seien nur kraft menschlicher Ordnung gültig. Aber dass der Papst die kirchliche Gewalt innehabe, könne nicht ohne Gottes Willen geschehen sein (wie alle Obrigkeit von Gott ist), wenn auch nicht unbedingt in gnädiger Absicht, deshalb solle man sie in Ehren halten und mit Geduld tragen, „gleich als wenn der Turck uber uns were“[12]. Mit der Veröffentlichung der römischen Bannbulle war jetzt für allerdings für Luther manifest, dass der Papst selbst in seiner Bulle die Wahrheit des Evangeliums verdamme. Dass er der Antichrist sei, wie er ihn nun auch in Druckschriften bezeichnet[13], wird ihm jetzt zur Gewissheit, und dies bezeichnet den Schlussstrich unter seine innere Auseinandersetzung mit dieser Institution[14]. Er wiederholte in späteren Jahren, nicht mit Polemik sparend, seine grundsätzlich ablehnende Haltung ihm gegenüber in ekklesiologischen Schriften (Von den Konziliis und Kirchen, 1542; Wider das Papsttum zu Rom, Vom Teufel gestiftet, 1546).

2. Melanchthons Stellungnahme, das Papsttum in den evangelischen Bekenntnisschriften

Im Augsburger Bekenntnis (1530) wurde das Papsttum mit Rücksicht auf den Kaiser nicht erwähnt; allerdings fügte Melanchthon bereits in seiner Apologie zu Art. 7 der CA einen Abschnitt dazu ein, in dem er die altgläubige Definition von Kirche als *monarchia externa suprema* als Papstherrschaft dem evangelischen Verständnis von Kirche gegenüberstellt[15].
In den im Hinblick auf das für Mai 1537 angekündigte Konzil in Mantua von Luther verfaßten „Schmalkaldischen Artikeln“ befasst sich Art. II, 4 mit dem Papsttum. Als Institution göttlichen Rechts könne es nicht gel-

---

[11] WA 6, 298, 27
[12] WA 6, 321,31ff.
[13] WA 6, 614-629 „Wider die Bulle des endechrists“, vgl. Bizer (wie Anm. 4), 36. Vgl. WABr 2, 195, 6.
[14] Bizer (wie Anm. 4), 40.
[15] BSELK 239ff.

ten. Die Kirche habe in den ersten Jahrhunderten und insbesondere im griechischen Osten ohne Papst bestanden, und dies zeige, daß sie „ohn solch Häupt wohl bleiben kann und wohl besser blieben wäre".[16] Aber selbst angenommen, dass die Kirche ein kraft menschlichen Rechts von Menschen erwähltes Oberhaupt brauche, um die Einheit der Christenheit gegen Abspaltung und Ketzerei zu erhalten, „daran sich die anderen alle hielten", dann sei letztlich mit einem solchen Amt – abgesehen davon, dass der Papst sich ihm verweigern werde – „der Christenheit nichts geholfen", weil es keinen unbedingten Gehorsam einfordern könne, sondern auf freiwilliger Anerkennung beruhe[17].

Melanchthon unterzeichnete die Schrift mit dem persönlichen Zusatz: „Vom Bapst aber halt ich, so er das Evangelium wollte zulassen, daß ihm umb Friedens und gemeiner Einigkeit willen derjenigen Christen, so auch unter ihm sind und kunftig sein möchten, sein Superiorität uber die Bischöfe, die er hat jure humano, auch von uns zuzulassen [und zu geben] sei" (BSELK 463f.). Die Stellung des Papsts als „Patriarch", d.h. oberste Appellationsinstanz der lateinischen Kirche, könne auch nach den Grundsätzen evangelischer Kirchenordnung anerkannt werden. Er stellte 1537 als Ergänzung zur CA die evangelische Position zum Papsttum in dem *Tractatus de potestate et primatu papae*[18] dar. Die Schrift, die vom Schmalkaldischen Bund als Bekenntnisgrundlage angenommen und später auch in das Konkordienbuch aufgenommen wurde, bestätigt Luthers theologische Analyse, die den Antichrist-Vorwurf als gerechtfertigt erscheinen lasse, sie rechtfertigt die kirchliche Abtrennung von Rom und fordert das religionspolitische anti-päpstliche Engagement der Fürsten. Dass selbst ein *iure divino* eingesetzter Papst keinen Gehorsam einfordern könne, wenn er evangeliumswidrige Lehre vertrete, lehre bereits das Kirchenrecht (Decr. Grat. P-I D 40 c.6).

Ob Luthers – so Bernd Moeller – „stählerner Antipapalismus"[19] den der anderen Reformatoren übertroffen habe, sei dahingestellt[20], trifft aber

[16] BSELK 429, 3.

[17] BSELK 429, 21ff.

[18] BSELK 469-496. – Nach R. Leuze, Art. Papst, Papsttum 2 (Systematisch-ökumenisch), in EKL 3. Aufl. Bd. 3, 1992, 1027-1033, diente dieser Traktat dem Ziel Melanchthons, seine abweichende Auffassung in der Papstfrage deutlich zu machen (1028). Ich vermag das nicht zu erkennen!

[19] B. Moeller, Luther und das Papsttum, in: Luther Handbuch, hg. von Albrecht Beutel, Tübingen 2005, 106-115, hier 114.

[20] Zu Martin Bucer vgl. M. Greschat, Bucer und die Erneuerung der Kirche in Europa, in: C. Strohm (Hg.), Martin Bucer und das Recht, Genf 2002, 271-284; zu Johannes Brenz vgl. Confessio Virtembergica / Das Württembergische Bekenntnis von 1551, hg. von Ernst Bizer Stuttgart 1952, Art. 28 Von dem Bapst, Art. 29,7 Von der Kirchen.

auf das Reformiertentum sicher nicht zu. Dass der in seiner Kirche gegenwärtige Christus kein monarchisches Statthalteramt haben könne, begründet Calvin nachdrücklich mit dem paulinischen Gedanken der Dienstgemeinschaft der von Christus zur Leitung der Kirche eingesetzten Gläubigen, zu der ein jeder sein besonderes Maß erhalten habe (Eph 4,4-10)[21]. Die scharfe Ablehnung einer päpstlichen Kirchenleitung fand auch Eingang in das von Heinrich Bullinger verfasste „Zweite Helvetische Bekenntnis" (1566).[22]

3. Hinweise zur weiteren historischen Entwicklung

Im Reformationsjahrhundert erschien die zeitgenössische Gestalt des Papsttums als mit dem Anliegen einer evangelischen Erneuerung der Kirche schlichtweg unvereinbar. „Papst *oder* Evangelium" – so stellte es sich als grundlegende Alternative dar[23]. Mit der Verfestigung der Konfessionen zum Ende des 16. Jh.s artikuliert sich dies Verständnis, das sich auch im Scheitern der Religionsgespräche spiegelt, in der kontroverstheologischen Thematik der Unterscheidung der wahren von der falschen Kirche, zwischen denen es keine Vermittlung gibt. Im 17. Jh., unter dem Eindruck des 30jährigen Krieges, gab es neue Ansätze zu konfessioneller Irenik. Der protestantischen Theologe Georg Calixt (1586-1656)[24] griff, anknüpfend an die dem humanistischen Konzept der „Religionsvergleichung" verpflichteten katholischen Reformtheologen Theologen Georg Witzel[25] und Georg Cassander, den Gedanken des *consensus antiquitatis* auf und stellte ihn als hermeneutisches Prinzip neben die Heiligen Schrift. Auf der Basis der Unterscheidung der christlichen Hauptlehren, die im Glaubensbekenntnis enthalten seien, das zum Heil Unentbehrliche enthielten und auch allen drei Konfessionen gemeinsam seien, und der theologischen Nebenlehren, die nicht entscheidbar, aber auch nicht heilsrelevant seien, solle die Einigung der Konfessionen erstrebt werden. Dies bedeutete aber auch für das päpstliche Amt „die Beschränkung [...] auf

---

[21] Vgl. J. Calvin, Unterricht in der christlichen Religion (*Institutio christianae Religionis*), nach der letzten Ausgabe übersetzt und bearbeitet von Otto Weber, Neukirchen 1938, IV,6, 8-10 (Bd. 3, 128ff.).

[22] *Confessio Helvetica Posterior*, hg. von E. Bröhl, Wien 1866, Kap. 17 De catholica et sancta Dei Ecclesia et unico capite Ecclesiae, bes. 53f.Vgl. J. Rohls, Theologie reformierter Bekenntnisschriften, Göttingen 1987, 300 passim.

[23] B. Moeller (wie Anm. 29), 113

[24] Vgl J. Wallmann, Art. Calixt, Georg, in TRE 7, 1981,552-559. Calixt sei der "größte Bekämpfer der Idee des Papsttums im 17. Jh. gewesen" (558).

[25] Vgl. U. Mennecke-Haustein, Art Witzel, Georg, in TRE 36, 2004, 257-260.

seine altkirchliche Stellung"[26]. Die päpstliche „Untrüglichkeit" könne nicht aus Schrift und alter Kirche bewiesen werden, sei aber zur Beilegung von Dissensen auch nicht notwendig[27]. Die Vorstellung einer Heilsnotwendigkeit des Papsttums betrachtete er nicht als verhandelbar[28]. Calixts irenischer Ansatz wurde nicht nur von katholischer Seite zurückgewiesen,[29] er fand auch innerprotestantisch keine Zustimmung. – Die protestantische Aufklärung ließ zum einen durch die Unterscheidung eines inneren Kerns der Religion von einer äußeren, beiläufigen Schale die christlichen Konfessionen in ihrem wesentlichen Glaubensinhalt näher aneinanderrücken[30]; zum anderen ermöglichte die „unparteiliche" , d. h. nicht aus einer konfessionellen Sicht urteilende, Darstellung der Geschichte der Religionsparteien auch eine Würdigung der positiven Leistungen von katholischer Kirche und Papsttum. Von der orthodoxen Interpretation des Papstes als Antichrist wie von jeglicher Polemik distanzierte man sich schon aus solcher Sicht heraus[31]. Die Aufklärung führte folgerichtig mit zahlreichen reunionistischen Projekten Calixts Bemühen weiter[32], wobei das Papsttum als zu reformierende und reformierbare Institution betrachtet wurde. Johann Salomon Semler erteilte in seinen „Freimütigen Briefen über die Religionsvereinigung der dreien streitigen Theile im röm. Reiche, 1. Smlg" (1783) solchen Projekten allerdings eine Absage. Die Quelle des Papsttums, von „Tyrannei, Pfafferei, Gleisnerei", das auch schon in seiner Geltung *iure humano* abzulehnen sei, sei die verwerfliche Vermischung des äußeren Kirchenwesens mit dem geistlich-innerlichen.[33] Die kirchliche Pluralität sei Ausdruck der Individualität der Privatreligion; eine Herstellung von äußerlicher Einheit würde diese eher unterdrücken als fördern[34].

[26] Vgl. dazu A. Merkt, Das patristische Prinzip. Eine Studie zur Bedeutung der Kirchenväter, Leiden, Boston, Köln 2001 (= Supplements to Vigiliae Christianae 58), 46.
[27] Merkt (wie Anm. 26), 60.
[28] Merkt (wie Anm. 26), 66.
[29] Merkt (wie Anm. 26), 171f.
[30] Vgl. C. Spehr, Aufklärung und Ökumene: Reunionsversuche zwischen Katholiken und Protestanten im deutschsprachigen Raum des späten 18. Jahrhunderts, Tübingen 2005 (BHTh 132).
[31] Vgl. z. B. auch K. v. Hase, Handbuch der protestantischen Polemik gegen die Römisch-katholische Kirche, 6. Aufl. Leipzig 1894, 182.
[32] Vgl. Spehr (wie Anm. 30).
[33] Semler, Freimütige Briefe, 1783, 169, zit. nach Spehr (wie Anm. 30), 367f.
[34] Spehr (wie Anm.30), 370f.

4. Das neuere ökumenische Gespräch

Die dogmatische Fixierung der päpstlichen Unfehlbarkeit im 1. Vatikanischen Konzil und seine Wiederholung im 2. Vat. Konzil bestätigte der evangelischen Kirche und Theologie im Grund die Kritik, die sie seit der Reformation formulierte. Im 20. Jh. artikulierte Karl Barth erneut den „grundsätzlichen Gegensatz zwischen Katholizismus und Protestantismus", der im Mariendogma und im unfehlbaren Lehramt kulminiere[35]. Gleichwohl ermöglichte gerade das letztere Konzil durch seine ökumenische Öffnung, seine Bestimmung des Lehramts als nicht über dem Wort Gottes stehend, sondern ihm dienend, und die Betonung der bischöflichen Kollegialität den Protestanten das ökumenische Gespräch in dem die Konfessionen verbindenden Bewusstsein, gemeinsam als Gottesvolk „unterwegs" zu sein. Als noch heute beachtetes Dokument zeugte 1972 der sog. „Maltabericht" einer 1965 von der Katholischen Kirche und dem Lutherischen Weltbund eingerichteten Arbeitsgruppe von dem eingetretenen allgemeinen Wandel der Auffassung. Man könne heute nicht die traditionellen kontroverstheologischen Positionen unverändert wiederholen. Die lutherische Seite schloss hier ein Papstamt als „sichtbares Zeichen der Einheit der Kirchen" nicht aus, sofern es „durch theologische Reinterpretation und praktische Umstrukturierung dem Primat des Evangeliums untergeordnet wird". [36] In Deutschland beteiligten sich auch die universitären Ökumeneinstitute an der Diskussion (1979 Papsttum als ökumenische Frage).

Im offiziellen bilateralen Dialog[37] wurde das Thema „Papstamt" bislang allerdings „erst zaghaft angefaßt"[38], was zeigt, welche Schwierigkeiten hier zu überwinden sind. Im Rahmen des 1980 nach dem Papstbesuch in Deutschland erteilten Auftrags, die Geltung der gegenseitigen Lehrverurteilungen des 16. Jh.s bezüglich des Amtes zu prüfen, stellte der Ökumenische Arbeitskreis 1986 in seiner Publikation „Lehrverurteilungen – kirchentrennend?" fest, dass der Papst nicht der Antichrist sei und kein Amt als solches mit dem Antichristen identifiziert werden könne[39]. Der in der

[35] Vgl. M. Bieler, Karl Barths Weg mit der römisch-katholischen Kirche, in MDKI 37, 1986, 28-33.

[36] Vgl. H. Leipold, Art. Papsttum II, Die neuere ökumenische Diskussion, in TRE 25, 1995, 676-695, bes. 680f. Zum Maltabericht vgl. auch R. Frieling, Amt, Göttingen 2002 (Bensheimer Hefte 99 / Ökumenische Studienhefte 13),143.

[37] Übersicht über die Gremien und ihre Publikationen in: Frieling, (wie Anm. 35),117-157.

[38] R. Frieling, Der Weg des ökumenischen Gedankens, Göttingen 1992,253 (KVR 1564, Zugänge zur Kirchengeschichte 10).

[39] So formulierte aber bereits Karl Barth, in: Ad Limina Apostolorum, Zürich 1967;

Bezeichnung enthaltene Vorwurf, dass sich das Papsttum über die Schrift hinwegsetze, sei auch schon im 16. Jh. sachlich nicht gerechtfertigt gewesen und dies gelte erst recht heute[40]. Die ersten Stellungnahmen äußern sich allerdings auch kritisch zu LV.[41] – Die Bezeichnung des Papstes als Antichrist wird heute auf evangelischer Seite nicht wiederholt werden, da sich in der geschichtlichen Rückschau angesichts der Leistungen des Papsttums erwiesen hat, dass diese Institution nicht in der Weise, wie es der Antichrist-Vorwurf voraussetzt und wie es Luther auch erfahren hat, zerstörerisch in der Kirche gewirkt hat.

In der zusammenfassenden Rückschau auf die Dokumente des bisherigen ökumenischen Dialogs lässt sich der Konsens der Exegeten konstatieren, dass „das Papsttum in seiner historisch entfalteten Gestalt [...] nicht in das neue Testament zurückprojiziert werden" kann.[42] Auf evangelischer Seite versteht man zwar die Faktizität der historischen Entwicklung nicht als geistgeleitet und damit notwendig, sondern eher als eine Möglichkeit. Allerdings wird auf lutherischer Seite ein „wachsendes Bewusstsein für die Notwendigkeit eines spezifischen Amtes, das der Einheit und universalen Sendung der Kirche dient", artikuliert[43]. Dieses, als Petrusdienst oder auch als „petrinische Funktion" bezeichnet[44], solle die Einheit der Gesamtkirche repräsentieren und fördern. Man weist darauf hin, dass eine Anerkennung des Papstes *de iure humano* von der Reformation niemals kategorisch ausgeschlossen worden sei[45]. Die reformatorische Grundskepsis gegenüber einer Sinnhaftigkeit oder gar Notwendigkeit des

---

zitiert nach: W. Fleischmann-Bisten, Das Papstamt in heutiger evangelischer Sicht, in: Ders. (Hg.), Papstamt – pro und contra. Geschichtliche Entwicklungen und ökumenische Perspektiven, Göttingen 2001,153-174, hier 162.

[40] Lehrverurteilungen – kirchentrennend? I, Rechtfertigung, Sakramente und Amt im Zeitalter der Reformation und heute, hg. von Karl Lehmann und Wolfhart Pannenberg, Göttingen 1986, 167,15-169,20.

[41] Lehrverurteilungen im Gespräch. Die ersten offiziellen Stellungnahmen aus den evangelischen Kirchen in Deutschland, Göttingen 1991, Stellungnahme der von der Arnoldsheimer Konferenz eingesetzten Theologischen Kommission (1991) 17-56, hier 45.48f., und des Gemeinsamen Ausschusses der VELKD und des NK des LWB 1991, hier 152ff. Die Beschlussvorlage für die Synoden innerhalb der Arnoldshainer Konferenz formuliert, „dass ein Papstamt, das sich nicht über, sondern unter die heilige Schrift stellt [...] von den Verwerfungen der Schmalkaldischen Artikel [...] nicht getroffen wird". Freilich bleibe es offen, wie ein solches Amtsverständnis angesichts der Geltung des Dogmas von 1870 verwirklicht werden könne.

[42] Vgl. Reinhard Frieling (wie Anm. 38), 254 (Zitat aus: P. Brown u. a., Der Petrus der Bibel, Stuttgart 1976, 18). – Leuze (wie Anm. 18), 1027; Leipold (wie Anm. 35), 681f.

[43] Leipold (wie Anm. 36), 682.

[44] Ebd.

[45] Lehrverurteilungen-kirchentrennend? (wie Anm. 40), 167,24.

Petrusdiensts an der Einheit in der Gestalt des römischen Primats findet jedoch nach wie vor Raum. Dieses Amt sei, insbesondere in der Gestalt, die es durch das 1. Vatikanische Konzil angenommen habe, weder imstande, die Einheit der Kirche und des Glaubens zu garantieren, noch dessen Reinheit und Sicherheit, wie die Geschichte deutlich genug zeige.[46] In einer der jüngsten Publikationen (2000) erstreben die Befürworter einen gesamtkirchlichen Petrusdienst als pastoralen Dienst, "der eingebunden wäre in eine konziliare Gemeinschaft aller Kirchen in versöhnter Verschiedenheit"[47]. Gleichzeitig sagt man aber, dass sich die „Bindung eines solchen Petrusdienstes an den Bischof von Rom [...] für die abendländische Christenheit trotz aller Belastungen aus historischen Gründen" nahelege[48]. Insbesondere, aber nicht nur auf reformierter Seite bestehen grundlegende Einwände gegenüber einer solchen Annäherung[49], da der grundsätzlich synodalen Leitungsstruktur der Kirche Bekenntnischarakter zukommt.

In den letzten Jahren hat sich die Gesprächssituation bezüglich der Papstfrage nicht weiterentwickelt, obwohl Papst Johannes Paul II. 1995 in der Ökumene-Enzyclika *Ut unum sint* zum Dialog über das Papstamt aufforderte, und dies ist wohl auch Ausdruck einer gegenwärtigen Stagnation im ökumenischen Gespräch. Die protestantische Annäherung beruht auf der reformatorischen Option eines *iure humano* geltenden Papstamts, das dem dogmatischen Anspruch des existierenden Papsttums nicht entspricht. Diese Hürde versucht man evangelischerseits mit dem Argument überwindbar zu machen, dass die für die reformatorische Theologie grundlegenden Kategorien einer unbedingten Geltung *iure divino* („schriftgemäß") und einer bedingten, abänderbaren Geltung *iure humano* („gemäß menschlicher Satzung") ihre Eindeutigkeit verloren hätten angesichts einer stärkeren Historisierung des Neuen Testaments[50]. Mag dieses Argument auch seine Berechtigung haben, so bleibt doch die dieser Unterscheidung zugrundeliegende theologische Sachfrage nach dem

---

[46] G. Maron, 100 Jahre päpstliche Unfehlbarkeit 81970), in: Zum Gespräch mit Rom. Beiträge aus evangelischer Sicht, Göttingen 1988,233ff.

[47] So in: Communio Sanctorum. Die Kirche als Gemeinschaft der heiligen, Paderborn/ Frankfurt 2000, 190 (Publikation der bilateralen Arbeitsgruppe von VELKD und katholischer deutscher Bischofskonferenz), vgl dazu Frieling (wie Anm.35), 139-141.

[48] Communio Sanctorum (wie Anm. 49), 191. – Ist die dort dargestellte luth. Position inzwischen kirchenamtlich kommentiert?

[49] Zum reformiert-römisch-katholischen Dialog vgl. Harding Meyer, die Gemeinschaft der reformatorischen Kirchen und das Gespräch mit der römisch-katholischen Kirche, in: Gottfried Maron (Hg.), Evangelisch und Ökumenisch. Beiträge zum 100jährigen Bestehen des Evangelischen Bundes, Göttingen 1986, 546-560, bes. 555f.

[50] Vgl Leuze (wie Anm. 18),1028f. – Leipold (wie Anm 35), 383, zu §3.3.1.

„obersten Richter in Glaubensdingen“[51] bestehen. In einem Amt bzw. einer Person kann nach evangelischem Verständnis nicht die Wahrung oder Garantie der Einheit der Kirche begründet sein. Ein solches könnte höchstens als „sichtbares Zeichen“ für diese fungieren – freilich mit welchem Inhalt und welcher Kompetenz? Insofern, als die Schrift der Auslegung bedarf, kann Übereinstimmung nur in einem offenen Diskurs gesucht werden. Auch das ökumenische Gespräch zur Papstfrage zeugt von dessen Mehrstimmigkeit.

[51] Vgl Konkordienformel, Von dem summarischen Begriff, Regel und Richtschnur, BSELK 769,22f.ff.: „...sola sacra scriptura iudex, norma et regula agnoscitur“.

Günter Eßer

Altkatholisch heißt: Katholisch ohne Papst?

Der Altkatholizismus und das Papsttum[1]

1. Ohne Papst gäbe es keinen Altkatholizismus

Ohne Papst gäbe es keinen Altkatholizismus. Diese Vorbemerkung ist wichtig, um das Verhältnis zwischen Altkatholizismus und Papsttum zu verstehen. Es ist ein schwieriges Verhältnis, das geprägt ist von einer langen Geschichte der Auseinandersetzung und Sprachlosigkeit. Erst in jüngerer Zeit hat man einen Weg zueinander gefunden, d.h. zum offenen Gespräch, in dem nicht nur die Differenzen zur Sprache kommen, sondern auch Gemeinsamkeiten formuliert werden können.[2] Der wohl wichtigste Schritt hin zu einer möglichen Normalisierung dieses Verhältnisses war die Einsetzung einer internationalen bilateralen Dialogkommission, die im Mai 2004 ihre Arbeit aufnahm und im Juni 2009 ihr Abschlussdokument vorgelegt hat.[3] Dass in diesem Dokument die Entfremdung und Trennung der beiden Kirchen als ein „innerkatholisches Problem"[4] bezeichnet werden konnte, ist bemerkenswert. Es kann ebenfalls als Zeichen eines ökumenischen Klimawandels gewertet werden, dass dieses Dokument neben den „Offenen Fragen", die es weiter zu diskutieren gilt[5],

---

[1] In diesem Beitrag wird der Eigenname *altkatholisch* in der international üblichen Schreibweise und nicht nach der deutschen Form gebraucht, die alt-katholisch mit Bindestrich verwendet, um die Bedeutung des Katholischen stärker herauszustellen.

[2] Zur Geschichte des Dialogs zwischen Altkatholischer und Römisch-Katholischer Kirche vgl. u. a.: W. Pelz, Der Dialog zwischen der Alt-Katholischen und der Römisch-Katholischen Kirche in Deutschland in den Jahren 1968-1973, in IKZ 74 (1984), 85-128; J. Visser, Die Beziehungen zwischen dem Vatikan und der Utrechter Union aus altkatholischer Sicht, in: H. Gerny u. a. (Hg.), Die Wurzel aller Theologie. Sentire cum Ecclesia. FS U. v. Arx, Bern 2003, 309-325; Urs von Arx, Römisch-Katholisch und Christkatholische Kirche – Reflexionen eines Christkatholiken zu ihrem Verhältnis gestern, heute und morgen, in: R. Liggenstrofer / B. Muth-Oelschner (Hg.), (K)Ein Koch-Buch. FS Bischof K. Koch, Freiburg Schweiz, 2003, 356-375.

[3] *Kirche und Kirchengemeinschaft,* Bericht der Internationalen Römisch-Katholischen – Altkatholischen Dialogkommission, Frankfurt/Paderborn [2]2010 (KuKG).

[4] Vgl. KuKG Abschnitt 2.

[5] Als „Offene Fragen" werden genannt: Fragen zu den Mariendogmen von 1854 und 1950, Fragen zur Ordination von Frauen zum priesterlichen Dienst, sowie offene Fragen kirchenrechtlicher Natur. Letztere betreffen hauptsächlich Christinnen und Chris-

auch eine beträchtliche Übereinstimmung in grundsätzlichen ekklesiologischen Fragen feststellen konnte. Dies führte seitens der Altkatholiken auch zu einem erneuten Nachdenken über ihr Verhältnis zum Papsttum.

2. Neu-Katholisch versus Alt-Katholisch

Am Anfang des altkatholischen Weges standen Ablehnung und Protest gegen die Papstdekrete des I. Vatikanums. Universalprimat und Unfehlbarkeit wurden als Bruch mit der alten katholischen Kirche des 1. Jahrtausends verstanden. „Ihr habt eine neue Kirche gemacht",[6] kann mit Ignaz von Döllinger diese Haltung zusammengefasst werden. Diese alte Kirchenstruktur gegen die als unberechtigte Neuerungen angesehenen Dogmen von 1870 zu verteidigen, darum ging es. So war der Name der Protest-Katholiken bald geboren: *Altkatholiken.*

Im September 1871 trafen sich Vertreter dieser Protest-Katholiken zu einem Kongress in München, um der Bewegung eine Struktur zu geben. Dazu gehörte auch ein hauptsächlich von Döllinger entworfenes Programm, das den Protest gegen die Dogmen formulierte, gleichzeitig aber auch den Willen zum Ausdruck brachte, „an der alten Verfassung der Kirche" festzuhalten. Basis dieser alten Verfassung war für sie die *Ortskirche* (das Bistum), die von ihrem rechtmäßig bestellten Bischof geleitet wird. Dieses Ortskirchenprinzip sahen sie durch den Universalprimat bedroht. So verwarfen sie auch „jeden Versuch, die Bischöfe aus der unmittelbaren und selbständigen Leitung der Einzelkirchen zu verdrängen."[7]

Bedeutete dies die grundsätzliche Ablehnung des Papsttums? Nein! Mit Blick auf die Alte Kirche, die sie verteidigen wollten, konnten sie formulieren: „Wir bekennen uns zu dem Primate des römischen Bischofs, wie er auf Grund der Schrift von den Vätern und Konzilien der alten Kirche in der alten ungeteilten christlichen Kirche anerkannt war.[8]

Wie aber kann dieser Primat umschrieben werden, so, dass er auch für die Altkatholiken akzeptabel ist?

---

ten, die von der Römisch-Katholischen zur Altkatholischen Kirche wechseln.

[6] So Döllingers emotionale Reaktion auf die Bitte des Münchner Erzbischofs, trotz der Dogmen für die Kirche weiterzuarbeiten. (Vgl. J. Friedrich, Ignaz von Döllinger, Sein Leben, Bd. III, München 1909, 587).

[7] Münchner Programm Nr. II (vgl. Friedrich von Schulte, Der Altkatholizismus, Geschichte seiner Entwicklung, inneren Gestaltung und rechtlichen Entwicklung in Deutschland, 2. Neudruck der Ausgabe Giessen 1887, Aalen 2002, 21).

[8] Vgl. Schulte, ebd.

Am 24. September 1889 wurde die altkatholische Kirchengemeinschaft, die *Utrechter Union* gegründet. In der sog. *Utrechter Erklärung* erneuern die Bischöfe den Protest gegen die Papstdogmen, betonten gleichzeitig aber auch die Anerkennung des historischen Primats des römischen Bischofs, „wie denselben mehrere ökumenische Concilien[9] und die Väter der alten Kirche dem Bischof von Rom als ‚primus inter pares' zugesprochen haben mit Zustimmung der ganzen Kirche des ersten Jahrtausends." Das ist bis heute die offizielle altkatholische Position.[10]

3. Kirche und Kirchengemeinschaft

Die Primatsfrage spielte denn auch in der Arbeit der *Internationale Altkatholisch – Römisch-Katholische Dialogkommission (IRAD)* eine wichtige Rolle. Das II. Vatikanische Konzil hatte zwar mit *Lumen Gentium* eine wichtige ekklesiologische Neuorientierung geboten, dennoch war das Verhältnis von Orts- und Universalkirche und von Bischofskollegium und Papst nach altkatholischer Auffassung nicht wirklich geklärt. Es blieb eine Art *ekklesiologische Quadratur des Kreises*.[11]

Beide Dialogpartner können in ihrem Bericht von einer *lokalen, regionalen und universalen Dimension der Kirche* sprechen.[12] dem auf allen Ebenen eine „personale, kollegiale und gemeinschaftliche Verantwortung für die Einheit der Kirche und ihr Bleiben in der Wahrheit" entspricht.[13] Erstverantwortung für die überörtliche Gemeinschaft der Ortskirchen nehmen die Bischöfe in „synodalen Versammlungen" wahr.[14] Bereits hier führt (KuKG) den Begriff *Primat* im Sinne eines Leitungsdienstes ein, der

---

[9] Zu nennen sind hier Kanon 6 des Konzils von Nizäa (325) und Kanon 28 des Konzils von Chalcedon (451).

[10] Ein Blick auf die seit 1889 veröffentlichten altkatholischen Stellungnahmen zur Rolle des Papsttums macht dies deutlich. – Anhang zum Abschlussbericht *Kirche und Kirchengemeinschaft* (Vgl. KuKG S. 55-85.). Diese Textsammlung müsste noch ergänzt werden durch das aktuelle Statut der Internationalen Altkatholischen Bischofskonferenz aus dem Jahr 2000. In der Präambel, die die ekklesiologischen Grundlagen der Utrechter Union formuliert, wird – unter Rückgriff auf ältere Aussagen – ebenfalls dem Bischof von Rom die Rolle eines ‚primus inter pares' zugesprochen (vgl. Statut der Internationalen Altkatholischen Bischofskonferenz – IBK, Nr. 2, Beiheft zu IKZ 91 (2001) 12).

[11] Einen ausführlichen Kommentar zu *Lumen Gentium* hatte seinerzeit der Bonner altkatholische Theologe Werner Küppers verfasst (vgl. IKZ 55 (1965), 69-101; 159-196; 56 (1966), 65-74); neu gelesen und kommentiert von G. Eßer, Alt-Katholische Kirche und Zweites Vatikanisches Konzil, in: ÖR 62 (2013), 481-502.

[12] KuKG 3. Kapitel, Abschnitte 13-19).

[13] KuKG 4. Kapitel, Abschnitte 20-26.

[14] KuKG Abschnitt 22.

konstitutiv zur Synodalität dazugehöre, denn es sei „die Aufgabe *eines* Bischofs, dafür zu sorgen, dass die *vielen* Bischöfe in einem synodalen Prozess die ihnen zugedachte Verantwortung wahrnehmen."[15] Mit Blick auf die *universale Dimension* der Kirche wird diese primatiale Funktion dem Bischof von Rom zugesprochen.[16] Aber wie kann eine solche primatiale Funktion aussehen?
Nach altkatholischer Ekklesiologie kann sich dieser universale Primat im Sinne eines *primus inter pares*[17] nur „im Rahmen einer Synodalität und Kollegialität der Ortskirchen und ihrer Bischöfe" bewegen.[18] Ist dies gesichert, dann kommt dem universalen Primatsträger folgende Funktionen zu:

1. Er ist zunächst *ein personales Zeichen der universalen Einheit der Ortskirchen.*
2. In Situationen, in denen die Einheit der *Communio* gefährdet ist, soll er *mit die Ortskirchen verpflichtenden Initiativen* vorangehen und *gemeinsame Entscheidungsfindungen* koordinieren.
3. Schließlich soll er *in bestimmten Fällen Appellationen* entgegennehmen.[19]

Allerdings ist mit diesen Funktionen keine Jurisdiktion verbunden, die es dem römischen Bischof gestatten würde, ohne konkrete Aufforderung in das Leben der einzelnen Ortskirchen einzugreifen,[20] so die Altkatholiken. Auch für die römisch-katholischen Kommissionsmitglieder ist klar, dass der päpstliche Primat „nur innerhalb der *Communio*-Struktur der Kirche" ihren Platz hat.[21]

4. Einheit – Vision oder Utopie?

Altkatholiken erkennen also den *historischen Primat* des Papstes als *primus inter pares* an, aber bisher hatte es noch nie Präzisierungen einer solchen Gemeinschaft *cum Petro* gegeben. Diese sind nun erstmals Im Anschluss an die in KuKG entwickelten Gedanken zur *Communio-*

---

[15] Ebd.
[16] Ebd.
[17] KuKG Abschnitt 27f.
[18] KuKG Abschnitt 29
[19] Vgl. ebd.
[20] KuKG Abschnitt 30. Diese Vorstellungen von den primatialen Funktionen des Bischofs von Rom werden modifiziert in Kapitel 6.4 aufgegriffen, wo erstmals seit der Trennung die Vision einer möglichen Einheit zwischen Altkatholiken und dem römischen Bischof entwickelt wird.
[21] KuKG Abschnitt 33.

Ekklesiologie hier vorgelegt worden.[22] Kirchengemeinschaft mit dem Bischof von Rom würde dann für die Utrechter Union bedeuten:

1. Dass die Utrechter Union „mit ihren eigenen liturgisch-rechtlichen Strukturen und ihren ökumenischen Verpflichtungen, die sie mit anderen Kirchen eingegangen ist, weiter existiert, aber in Gemeinschaft mit dem Papst als dem Zeichen der universalen Gemeinschaft der Ortskirchen steht".[23]

Für Altkatholiken kann es also immer nur um eine Gemeinschaft *cum* und nicht *sub* Petro gehen.

2. Als Zeichen der bestehenden *Communio* würde der Bischof von Rom namentlich im Eucharistiegebet genannt werden.[24]

Dieses liturgische Zeichen würde gleichzeitig deutlich machen, dass die *Communio* der Ortskirchen zu allererst und zutiefst *eucharistische Communio* ist, ja, hier ihre Mitte hat.

3. Die Wahl der Bischöfe der Utrechter Union würde ihm angezeigt werden, „wobei durch die Anzeige der Wahl und deren Willkommenheißung durch den Papst die Aufrechterhaltung der bestehenden Gemeinschaft manifestiert wird."[25]

Wichtig: das „Anzeigen" der Wahl ist keine Bestätigung. Eine „Bestätigung" würde der strukturellen und rechtlichen Selbständigkeit der *Utrechter Union* widersprechen. Er „begrüßt" den Bischof electus und nimmt ihn so in die bestehende Gemeinschaft auf.
Ausdruck bestehender Gemeinschaft könnte u. a. die Teilnahme eines römisch-katholischen Bischofs an der Bischofsweihe sein.

4. Ihm sollen die „Stellungnahmen und Entscheidungen der Internationalen Altkatholischen Bischofskonferenz angezeigt werden."[26]

Eigentlich eine ökumenische Selbstverständlichkeit, denn Kirchen in *Communio* müssen über Entwicklungen der Partnerkirchen informiert werden, weil es ja immer um das gemeinsame Zeugnis geht.[27]

---

[22] KuKG Kapitel 6.4, Abschnitte 83-86.
[23] KuKG Abschnitt 83.
[24] KuKG Abschnitt 84, auch der Erzbischof von Canterbury kann in den altkatholischen Gottesdienstes namentlich erwähnt werden als Zeichen der bestehenden vollen Kirchengemeinschaft mit der Anglican Communion.
[25] Ebd.
[26] Ebd.
[27] Die volle Kirchengemeinschaft zwischen der Utrechter Union und der Anglican

Kontrovers und teilweise sehr emotional wurden bei den Altkatholiken die beiden letzten Punkte diskutiert.

5. Dem Papst würde das Recht zugesprochen, bei Stellungnahmen und Entscheidungen, die die IBK insgesamt oder die eine einzelne altkatholische Ortskirche trifft, und die aus römischer Sicht die bestehende Gemeinschaft „im Glauben und in der Liebe verletzen", auf diese Gefahr aufmerksam zu machen und gleichzeitig Wege aufzuzeigen, „wie die Gemeinschaft bewahrt werden kann."[28]

Viele Altkatholiken sehen hier die Gefahr, gewissermaßen durch die Hintertür doch wieder mit dem Universalprimat konfrontiert zu werden. Dies gilt auch für den letzten Punkt:

6. Bei Konfliktfällen innerhalb der Utrechter Union, wenn alle Möglichkeiten der IBK ausgeschöpft sind, kann an den Papst appellieren werden, und zwar in dem Sinn, dass er „einen Prozess der Neubeurteilung einer umstrittenen Sache anzuregen berechtigt ist."[29]

Noch einmal zur Klärung: Der Papst könnte nicht kraft des Universalprimats mit oberster Autorität in eine einzelne altkatholische Ortskirche oder in die *Utrechter Union* als Ganze eingreifen, um dadurch definitive Entscheidungen herbeizuführen, sondern lediglich die Appellation eines der Konfliktpartner entgegenzunehmen und Anstoß für eine Neubewertung des Konflikts und damit vielleicht auch eine mögliche Lösung anzuregen. Aber auch hier sehen manche Altkatholiken die Gefahr, durch den römischen Primatsanspruch gewissermaßen „unterwandert" zu werden. Jedenfalls sollten solche Diskussionen und Ängste unbedingt ernst genommen werden.
Zum Schluss stellt der Entwurf klar, dass bei einer solchen Gemeinschaft die Kirchen und die Bischöfe der Utrechter Union nicht der Jurisdiktion des Papstes unterstehen würden, d.h. auf sie würden weder die entsprechenden Paragraphen des CIC noch die des Ostkirchenrechtes (CCEO) Anwendung finden.[30] Beide Kirchen stünden also vor der Herausforderung, ein neues Einheitsmodell zu entwickeln.

Communion drückt sich z. B. darin aus, dass jeweils ein bischöflicher Vertreter des Erzbischofs von Canterbury und der Epicopal Church der USA an den Sitzungen der IBK teilnehmen, umgekehrt die Utrechter Union auch Vertreter in die Lambeth-Conference und den Koordinierungsrat der Anglikanischen Gemeinschaft entsenden kann. So ist eine direkte Information und Kommunikation über Entwicklungen in der jeweils anderen Kirchengemeinschaft möglich.

[28] KuKG Abschnitt 84.

[29] Ebd.

[30] KuKG Abschnitt 86.

5. Gemeinschaft „cum Petro“ – Vision oder Utopie?

Kann die von altkatholischen Theologen in KuKG entwickelte Vision einer Gemeinschaft *cum Petro"* Realität werden? Kann das, was KuKG an Ekklesiologie und Primatsverständnis reflektiert sogar „ein Modell für die Ökumene“ sein, wie der Tübinger katholische Systematiker *Bernd Joachen Hilberath* fragt?[31] Oder bleiben all die schönen Gedanken doch nur Utopie, weil sich in den entscheidenden Fragen nichts bewegt.

Den „Nervus Rerum“ im Verhältnis der beiden Kirchen zueinander sieht Hilberath im Verhältnis von Ortskirche und Universalkirche.[32] Und hier hinein gehört ja die Diskussion über den päpstlichen Primat. Er bezeichnet die altkatholische Aussage über die Verantwortung der Bischöfe für die *communio ecclesiarum*, die primär die Bischöfe in ihren synodalen Versammlungen wahrnehmen,[33] als eine Art „altkatholische Antithese“ zu der „offiziellen (vatikanischen) Ekklesiologie und Ekklesiopraxis,“ wie er schreibt. Denn über der römisch-katholischen Sicht von Kirche schwebe das *subsistit* aus *Lumen Gentium,* das nach seiner Auffassung dahin gehend interpretiert werde, dass „in der römisch-katholischen Kirche (...) die universale Kirche verwirklicht“ sei. Und er fragt kritisch: Heißt das denn auch, dass Papst und Kurie die Repräsentanten der Universalkirche sind?[34] Was bedeutet diese Sicht aber für den „ekklesiologischen Wert“ der Ortskirchen, müssen Altkatholiken hier weiterfragen. In diesem Zusammenhang sieht Hilberath die Frage nach der Rolle des Papstes im Gefüge der *communio ecclesiarum* mit Recht als „Zuspitzung“ der ekklesiologischen Fragestellung.[35]

Der Primat des römischen Bischofs kann also wirklich nur im Sinne einer *Communio* der Ortskirchen verstanden werden. Das bedeute aber, so Hilberath, dass er nicht „nach dem Vorbild der ‚real existierenden römischen Weltkirche‘ gestaltet werden“ könne[36] So sieht er in den im Bericht formulierten Funktionen des Primatsträgers Wünsche, die auch römische Katholiken verwirklicht sehen wollen.[37] Und er fragt weiter, ob von

---

[31] B. J. Hilberath, Ein Modell für die Ökumene? Ekklesiologische Anmerkungen zum Bericht der Internationalen Römisch-Katholischen – Altkatholischen Dialogkommission, in: W. Müller (Hg.), Kirche und Kirchengemeinschaft, Die Katholizität der Altkatholiken (Christkatholiken), Zürich 2013, 129-163, hier: 134.

[32] Vgl. a.a.O. 142-147.

[33] Vgl. KuKG Abschnitt 18

[34] Vgl. Hilberath, a.a.O. 145f.

[35] A.a.O. 151

[36] Vgl. a.a.O. 153

[37] Vgl. KuKG Abschnitt 30: Der Papst als personales Zeichen der universalen Einheit der Ortskirchen; einer, der bei Gefährdung der Einheit mit verpflichtenden Initiativen

den Altkatholiken in der Anerkennung eines päpstlichen Primats mehr verlangt werden könne als von den Orthodoxen, denen das II. Vatikanum die *communicatio in sacris* angeboten hatte, obwohl auch sie die Dogmen von 1870 nicht anerkennen?[38]
Letztlich, so müssen wir Altkatholiken festhalten, ist Rom hier in der Pflicht, sich zu erklären, ob es eine wirkliche Öffnung in der Primatsfrage für möglich hält. Nur dann haben die Überlegungen, die KuKG entwickelt hat, nur dann hat die altkatholische Vision einer Gemeinschaft *cum Petro* eine Chance, mehr zu sein als eine ekklesiologische Utopie, wie dies von manchen kritischen Altkatholiken bereits vermutet wird. Nur dann macht es aber auch Sinn, mit Hilberath über einen gewissen Modellcharakter von KuKG für die Ökumene nachzudenken.
Ob es fruchtbar weitergehen kann? Immerhin wurde die Fortsetzung des Dialogs beschlossen, um die Themen, die KuKG aufgeworfen hatte, zu präzisieren. Dazu gehören auch das Verhältnis von Ortskirche und Universalkirche und die Rolle des Papstes.[39]

Es sollte in diesem Beitrag deutlich geworden sein, dass für die Altkatholische Kirche im Rahmen der Ortskirchenekklesiologie der Bischof von Rom seinen selbstverständlichen Platz hat. Die Frage wird allerdings sein, ob es einen ökumenischen Fortschritt mit der Römisch-Katholischen Kirche in der Papstfrage geben kann oder ob alle Gespräche über dieses wichtige ökumenische Thema in der „dogmatischen Sackgasse“ der Papstdekrete von 1870 enden. Angesichts der ökumenischen Realität in dieser Frage bleibt nur die Hoffnung. Aber die stirbt ja bekanntlich zuletzt.

---

vorangeht und der in bestimmten Fälle Appellationen entgegennimmt.

[38] Vgl. KuKG Abschnitt 43; in diesem Abschnitt wird auch die bemerkenswerte Aussage des damaligen Kardinals Ratzinger zitiert, dass Rom vom Osten, d.h. von den Kirchen der Orthodoxie nicht mehr an Primatslehre fordern könne als im 1. Jahrtausend formuliert und gelebt wurde. (vgl. ebd.). Die Frage ist allerdings, ob dies auch auf die Altkatholiken anwendbar ist, die ja nie zur Orthodoxie gehört haben, sondern immer ein Teil der Kirche des Westens waren.

[39] Wolfgang Müller zitiert hier aus dem Communiqué, das im *Osservatore Romano* , deutsche Ausgabe vom 27. Januar 2012, veröffentlicht wurde (vgl. Vorwort zu Kirche und Kirchengemeinschaft. Die Katholizität der Altkatholiken, a.a.O. 8.).

Philipp Thull

„... WIR DÜRFEN TRÄUMEN UND HOFFEN“[1]

Anstöße zur Reform der Primatsausübung

Es ist leider wahr: die Frage des Papstamtes bzw. eines alle Kirchen einenden Petrusdienstes beschäftigt uns immer noch mit den gleichen gemischten Gefühlen wie vor Jahrzehnten. Auch fünfzig Jahre nach Abschluss des Zweiten Vatikanischen Konzils und zwanzig Jahre nach Promulgation der Enzyklika *‚Ut unum sint'* ist es, trotz des umfassenden theologischen Diskurses, der seither auf ökumenischem Parkett geführt wird, nicht gelungen, das Antlitz des päpstlichen Amtes derart zu wandeln, dass die Kirchen und Kirchlichen Gemeinschaften anderer Traditionen es getrost anerkennen könnten. Weil wir trotz aller Suchbewegungen nur „wenig vorangekommen“[2] sind, herrscht weiterhin die „vorerst schier hoffnunsglose Differenz zwischen den Konfessionen, vor allem zwischen der römisch-katholischen Kirche und den Kirchen der Reformation, aber in erheblichem Maße auch zwischen der römisch-katholischen Kirche und der anglikanischen und orthodoxen Kirche“[3].
Gerade aber weil die Einheit, „die der Herr seiner Kirche geschenkt hat und in der er alle umfangen wollte, [...] nicht etwas Nebensächliches“ ist, sondern „im Zentrum seines Wirkens“ steht und keineswegs „gleichbedeutend mit einem zweitrangigen Attribut der Gemeinschaft seiner Jünger“ ist, sie „vielmehr zum Wesen dieser Gemeinschaft selbst“ [4] gehört, wie Papst Johannes Paul II. dreißig Jahre nach Abschluss des Zweiten Vatikanischen Konzils in seiner Enzyklika *‚Ut unum sint'* mahnend feststellt, könnte dieser ökumenische Lagebericht kaum unbefriedigender sein.

---

[1] K. Rahner, Der Traum von der Kirche, in: Schriften zur Theologie XIV, Zürich 1980, 355-367, 367.

[2] Papst Franziskus, Apostolisches Schreiben *Evangelii Gaudium* des Heiligen Vaters, Bonn 2013, hrsg. vom Sekretariat der Deutschen Bischofskonferenz (Verlautbarungen des Apostolischen Stuhls; 194), Nr. 32.

[3] J. Feiner / L. Vischer (Hrsg.), Neues Glaubensbuch. Der gemeinsame christliche Glaube, Freiburg i. Br. [13]1975, 651.

[4] Papst Johannes Paul II., Enzyklika *Ut unum sint* über den Einsatz für die Ökumene, Bonn 1995, hrsg. vom Sekretariat der Deutschen Bischofskonferenz (Verlautbarungen des Apostolischen Stuhls, 121), Nr. 9.

1. Die Einladung Papst Johannes Pauls II.

Unter dem Eindruck jenes theologischen Bewusstseinswandels, den die katholische Kirche auf dem Zweiten Vatikanischen Konzil im Verhältnis zu anderen christlichen Kirchen und Kirchlichen Gemeinschaften vollzogen hat, entwickelte sich Papst Johannes Paul II. im Laufe seines langjährigen Pontifikats zu einem unermüdlichen Förderer des Ökumenismus. Gegenüber den getrennten Schwestern und Brüdern hat er immer wieder in aller Verbindlichkeit bekräftigt, dass es für die katholische Kirche keinen anderen Weg als den des geschwisterlichen Miteinanders mehr geben kann und darf. „Mit dem II. Vatikanischen Konzil hat sich die katholische Kirche", wie er in *‚Ut unum sint'* schreibt, „unumkehrbar dazu verpflichtet, den Weg der Suche nach der Ökumene einzuschlagen und damit auf den Geist des Herrn zu hören, der uns lehrt, aufmerksam die ‚Zeichen der Zeit' zu lesen"[5].

Weil er erkennt, dass „die Überzeugung der katholischen Kirche, in Treue zur apostolischen Überlieferung und zum Glauben der Väter im Amt des Bischofs von Rom das sichtbare Zeichen und den Garanten der Einheit bewahrt zu haben, freilich eine Schwierigkeit für den Großteil der anderen Christen dar[stellt], deren Gedächtnis durch gewisse schmerzliche Erinnerungen gezeichnet ist"[6], bittet er, wie schon bei seinem Besuch des Ökumenischen Rates der Kirchen in Genf am 12. Juni 1984, nicht nur um Vergebung für in der Vergangenheit begangenes Unrecht, sondern formuliert das Papstamt betreffend: „Ich bin überzeugt, diesbezüglich eine besondere Verantwortung zu haben, vor allem wenn ich die ökumenische Sehnsucht der meisten christlichen Gemeinschaften feststelle und die an mich gerichtete Bitte vernehme, eine Form der Primatsausübung zu finden, die zwar keineswegs auf das Wesentliche ihrer Sendung verzichtet, sich aber einer neuen Situation öffnet"[7].

In der Einsicht, mit seinem Lehrschreiben eine eigene Lösung nicht vorlegen und diese „ungeheure Aufgabe" nicht allein erfüllen zu können, unterbreitet Johannes Paul II. – darin besteht das große Verdienst dieser Enzyklika – den kirchlichen Verantwortlichen und Theologen den Vorschlag, an die „zwischen uns allen bereits real bestehende, wenn auch unvollkommene Gemeinschaft" anzuknüpfen und „über dieses Thema" mit ihm einen „brüderlichen, geduldigen Dialog aufzunehmen, bei dem wir jenseits fruchtloser Polemiken einander anhören könnten, wobei wir einzig und allein den Willen Christi für seine Kirche im Sinne haben und

---

[5] Ebd., Nr. 3.
[6] Ebd., Nr. 88.
[7] Ebd., Nr. 95.

uns von seinem Gebetsruf durchdringen lassen: ‚... sollen auch sie eins sein, damit die Welt glaubt, daß du mich gesandt hast' (Joh 17, 21)"[8].

2. Anstösse zur Reform der Primatsausübung

Angesichts der im Ökumenismus-Dekret[9] formulierten konziliaren Vorgabe, dass bei der „Erforschung der Gegensätze", „die ganze Lehre in Klarheit vorgelegt" und „jede Form von Verkürzung oder leichtfertiger ‚Übereinstimmung' absolut vermieden" (UR 36) werde, steckt Johannes Paul II. den Rahmen des Möglichen behutsam ab: Der notwendige Wandel des Papstamtes erscheint aus katholischer Sicht nur unter Wahrung seines Wesens denkbar.

Sicher ist, dass ein derart schwieriges, aus ökumenischer Sicht aber unerlässliches Unterfangen jedenfalls nur dann gelingen wird, wenn der ernstgemeinte dialogische Austausch nicht abbricht. Das Ziel einer tragfähigen und einheitsstiftenden Versöhnung wird nur durch praktische Umsetzung erzielter Konvergenzen zu erreichen sein: Konkret geht es um die Stärkung der Kollegialität, die verstärkte Förderung der Subsidiarität in der Kirche und eine mögliche Selbstbeschränkung des päpstlichen Jurisdiktionsprimats.[10]

a. Stärkung der Kollegialität des Bischofsamtes

Das Bischofskollegium, das in Kontinuität zu dem von Christus eingesetzten Kollegium der Apostel (vgl. LG 19) steht, ist „gleichfalls Träger der

---

[8] Ebd., Nr. 96.

[9] Vgl. P. Thull, Gemeinsam auf dem Weg. 50 Jahre Unitatis redintegratio, in: ders. (Hrsg.), Ermutigung zum Aufbruch. Eine kritische Bilanz des Zweiten Vatikanischen Konzils, Darmstadt 2013, 94-101.

[10] Vgl. u. a. Bericht der Evangelisch-lutherisch/Römisch-katholischen Studienkommission „Das Evangelium und die Kirche", 1972, („Malta-Bericht"), in: Dokumente wachsender Übereinstimmung. Sämtliche Berichte und Konsenstexte interkonfessioneller Gespräche auf Weltebene I, 248-271, 266f.; Ekklesiologische und Kanonische Konsequenzen der Sakramentalen Natur der Kirche. Kirchliche Communio, Konziliarität und Autorität. Gemeinsame Internationale Kommission für den theologischen Dialog zwischen der Römisch-katholischen und der Orthodoxen Kirche, 2007, in: ebd. IV, 843f.; Kirche und Kirchengemeinschaft. Bericht der Internationalen Römisch-katholisch/Altkatholischen Dialogkommission, 2009, in: ebd. IV, 31f.; vgl. auch Ries, B., Amt und Vollmacht des Papstes. Eine theologisch-rechtliche Untersuchung zur Gestalt des Petrusamtes in der Kanonistik des 19. und 20. Jahrhunderts, Münster 2003, 363ff.

höchsten und vollen Gewalt im Hinblick auf die Gesamtkirche“ (LG 22). Die „Einheit des Episkopats“, so heißt es in der Dogmatischen Konstitution über die Kirche des Zweiten Vatikanischen Konzils, „bildet eines der konstitutiven Elemente der Einheit der Kirche“ (ebd.). Das Kollegium der Bischöfe stellt, „insofern es aus vielen zusammengesetzt ist, die Vielfalt und Universalität des Gottesvolkes, insofern es unter einem Haupt versammelt ist, die Einheit der Herde Christi dar“ (ebd.). Als eine der ersten Voraussetzungen eines möglichen, kircheneinenden Konsenses wird man die Stärkung der Kollegialität des Bischofsamtes ansehen müssen. Ohne sie wird es vor allem mit den „Orientalischen Kirchen“ (UR 14-18) keine Einigung hinsichtlich der primatialen Vollmachten des Papstes, geschweige denn eine volle Kirchengemeinschaft geben können. Erscheint es, obwohl das Bischofsamt nur kollegial, d. h. innerhalb der *communio episcoporum* ausgeübt werden kann, nicht fragwürdig, warum das Bischofsamt von der katholischen Kirche in anderen, von ihr getrennten Kirchen zwar anerkannt wird, es bislang aber keine echte kollegiale Verbundenheit gibt? Wenn die *communio episcoporum* wirklich ein Konstitutivum der wiederherzustellenden *communio ecclesiarum* darstellt, dann müssen die bislang aus rein ökumenischer Höflichkeit motivierten Begegnungen, nicht nur in eine echte kollegiale Gesinnung, sondern auch in eine praktisch-organisatorische Ausgestaltung münden. Denn „ebenso wenig wie es Kollegialität ohne die Gemeinschaft mit dem Bischof von Rom geben kann, ebenso wenig kann es doch Kollegialität geben ohne Gemeinschaft mit dem Patriarchen von Konstantinopel oder ohne Gemeinschaft mit dem Patriarchen von Moskau oder dem von Alexandrien“[11].

Weil der Papst als Haupt der *communio episcoporum* moralisch und ontologisch stets an das Kollegium der Bischöfe, den inneren Anspruch seines Amtes und die ganze Gemeinschaft der Kirche gebunden bleibt und „beide Instanzen [...] wie in einer partnerschaftlichen Ehe unter dem Anspruch des Primates der Wahrheit und der Liebe“[12] stehen, muss sich der bischöfliche Dienst an der Einheit, wie Johannes Paul II. bekräftigt, „immer in Gemeinsamkeit vollziehen. Wenn die katholische Kirche beteuert, daß das Amt des Bischofs von Rom dem Willen Christi entspricht, trennt sie dieses Amt nicht von der Sendung, die allen Bischöfen anvertraut ist. Der Bischof gehört zu diesem ‚Kollegium‘, und sie sind seine Brüder im

---

[11] M. Böhnke, Mehr Kollegialität wagen. Eine ökumenische Skizze, in: P. Thull / H. J. Scheidgen, Lasst euch versöhnen mit Gott. Der Heilige Rock als Zeichen der ungeteilten Christenheit, Nordhausen 2012, 199-207, 204.

[12] A. Kothgasser, Petrus in Zukunft, in: S. Hell / L. Lies (Hrsg.), Papstamt. Hoffnung, Chance, Ärgernis. Ökumenische Diskussion in einer globalisierten Welt, Innsbruck 2000, 249-251, 251.

Amt."[13] Darum bedarf es konsequenterweise also nicht nur einer innerkatholischen Stärkung der Kollegialität im Allgemeinen und einer Betonung jenes, dem Dienstamt des Bischofs von Rom anhaftenden kollegialen Charakters im Besonderen, sondern auch einer Ausweitung der Kollegialität auf jene Bischöfe, mit deren Kirchen die katholische Kirche bezüglich des Bischofsamtes bereits eine Einigung erzielt hat.

b. Förderung der Subsidiarität

Obwohl bereits die Konzilsväter im Ökumenismus-Dekret daran erinnerten, dass es für einen fruchtbaren ökumenischen Austausch unerlässlich sei, „den Geist und die Sinnesart der getrennten Brüder [zu] kennen" und sich vermittels des Studiums, „das der Wahrheit gemäß und in wohlwollender Gesinnung durchzuführen ist", „eine bessere Kenntnis der Lehre und der Geschichte, des geistlichen und liturgischen Lebens, der religiösen Psychologie und Kultur, die den Brüdern eigen ist, [zu] erwerben" (UR 9), besitzen viele Gläubige bspw. auch heute noch keine Kenntnis darüber, dass es neben der Lateinischen Kirche des Westens auch die katholischen Ostkirchen gibt, die nicht nur aus jeweils unterschiedlichen Traditionen leben, sondern auch eigenberechtigte Kirchen mit eigenem Recht sind. Dabei sind sie der Beweis dafür, dass die katholische Kirche kein steinerner monolithischer Block ist und Einheit in der Vielfalt nicht nur möglich, sondern innerhalb der katholischen Ekklesiologie immer schon ihren Platz hatte.

Die „eine und einzige katholische Kirche" besteht, wie es in LG 23 heißt, in und aus den verschiedenen Teilkirchen, die nach dem Bild der Gesamtkirche gestaltet sind. Sie, die sich „unbeschadet der Einheit des Glaubens und der einen göttlichen Verfassung der Gesamtkirche ihrer eigenen Disziplin, eines eigenen liturgischen Brauches und eines eigenen theologischen und geistlichen Erbes" erfreuen, zeigen in ihrer bestehenden Pluralität „in besonders hellem Licht die Katholizität der ungeteilten Kirche" (LG 23). In jeder einzelnen Teilkirche ist die Gesamtkirche gegenwärtig, insofern sie alle Elemente der Ekklesia (vgl. c. 369 CIC/1983) in sich vereinigt, sie ist, wie Hubert Müller schreibt, „in der Tat nicht nur ein Verwaltungsbezirk der Universalkirche, sie entsteht nicht durch eine atomisierende Teilung des Weltraums der Gesamtkirche, sondern durch Konzentration der Kirche in ihre eigene Ereignishaftigkeit hinein"[14].

---

[13] Papst Johannes Paul II., Enzyklika *Ut unum sint* (Anm. 4), Nr. 95.

[14] H. Müller, Der Anteil der Laien an der Bischofswahl, Amsterdam 1976, 238.

Aufgrund dieser, allen Teilkirchen zukommenden Eigenständigkeit, bleibt es einer jeden von ihnen unbenommen, ihre Angelegenheiten unter Wahrung legitimer Vielfalt und des, alle Teilkirchen einenden Bandes der Einheit, selbstständig zu regeln. Mit Rücksicht auf die ökumenischen Erfordernisse erscheint es geboten, diese bestehende, der kirchlichen Einheit nicht entgegenstehende, sondern sie fördernde Pluralität unter Anwendung des kirchlichen Prinzips der Subsidiarität[15] verstärkt zu betonen. Dem Papst als sichtbarem Garanten der Einheit, obliegt in seiner „Sorge für die ganze Herde Christi" (LG 3) ja nicht nur die Pflicht, die bestehende Vielfalt der Teilkirchen, in denen „die eine heilige, katholische und apostolische Kirche Christi wahrhaft wirkt und gegenwärtig ist" (CD 11), zu wahren, sondern auch zu fördern. Im Übrigen gilt zu unterstreichen, was Papst Franziskus in seinem Apostolischen Schreiben *‚Evangelii Gaudium'* betont: „Eine übertriebene Zentralisierung kompliziert [sic!] das Leben der Kirche und ihre missionarische Dynamik, anstatt ihr zu helfen."[16]

Ihren Ausdruck findet diese theologische Erkenntnis in der wechselseitigen Anerkennung von Orts- und Gesamtkirche, im ausgewogenen Mit- und Füreinander der Kirchen. Wie die Kirche vor Ort nur Kirche im Vollsinne ist, wenn sie sich eingebunden weiß in die größere Gemeinschaft von Teilkirchen, die trotz berechtigter Differenzen gemeinsam die eine universale Kirche bilden, so ist auch die Universalkirche nur Kirche im Vollsinne, wenn sie die bestehende Vielfalt der Teilkirchen anerkennt.[17]

Um diese nicht unbedeutende theologische Erkenntnis zu untermauern, wäre mitunter an eine verbindliche Aufwertung und Wertschätzung der Bischofssynode, der Bischofskonferenzen und der Partikularkonzilien bzw. Patriarchatskonvente, die dauerhafte Etablierung synodal-konziliarer Strukturen auf orts- und gesamtkirchlicher Ebene, die Anerkennung gewachsener Traditionen sowie die (Wieder-)beteiligung des Volkes Gottes an der Bestellung der Diözesanbischöfe zu denken. Außerdem „müßte künftig rechtlich klar zum Ausdruck gebracht werden, daß der Papst nicht nach Belieben in die Leitung einer Teilkirche eingreifen

---

[15] Vgl. W. Kasper, Zum Subsidiaritätsprinzip in der Kirche und ihrer Rechtsordnung, in: IKZ 18 (1989) 155-162, 155; M. Böhnke, Theologische Anmerkungen zur Geltung des Subsidiaritätsprinzips in der Kirche, in: T. Schüller / M. Zumbült (Hrsg.), Iustitia est constans et perpetua voluntas ius suum cuique tribuendi. FS für K. Lüdicke, Essen 2014, 105–120.

[16] Papst Franziskus, Apostolisches Schreiben *Evangelii Gaudium* des Heiligen Vaters (Anm. 2), Nr. 32.

[17] Vgl. M. Kehl, Wohin geht die Kirche? Eine Zeitdiagnose, Freiburg i. Br. ^{6}1997, 83.

kann und darf, daß ihm hinsichtlich der Teilkirchen nicht eine Kompetenz zukommt, die in allem und in jeder Hinsicht mit der des Leiters der jeweiligen Teilkirche konkurriert, sondern lediglich eine Befugnis subsidiärer Art"[18].

c. Selbstbeschränkung des päpstlichen Jurisdiktionsprimats

Schließlich könnte sich eine freiwillige, rechtlich nicht unmögliche Selbstbeschränkung des päpstlichen Jurisdiktionsprimats[19] innerhalb wie außerhalb der katholischen Kirche ebenfalls versöhnend auswirken. Durch sie ließe sich ermessen, „was notwendigerweise zum Wesen der Kirche und zur unaufgebbaren Identität des Katholischen gehört, und dem, was an disziplinarischen und administrativen Fragen frei, besser und mit größerem Gewinn in den jeweiligen Teilkirchen geregelt werden kann"[20].

Der Jurisdiktionsprimat des Papstes beeinträchtigt, wie es in der am 18. Juli 1870 vom Ersten Vatikanischen Konzil verabschiedeten dogmatischen Konstitution *Pastor Aeternus* heißt, keineswegs „die ordentliche und unmittelbare Regierungsgewalt der Bischöfe, kraft deren sie, die vom Heiligen Geist bestellten Nachfolger der Apostel, als wahre Hirten ihre Herde, wie sie jedem einzelnen anvertraut ist, weiden und führen" (PA 12). Folgerichtig lehrt das Zweite Vatikanische Konzil, dass alle Bischöfe „gemeinsam mit ihrem Haupt, gleichfalls Träger der höchsten und vollen Gewalt über die ganze Kirche" (LG 22) sind und sie „die ihnen zugewiesenen Teilkirchen als Stellvertreter und Gesandte Christi" (LG 27) leiten. Wer darum heute, wie einst Bismarck in seiner Circular-Depesche von 1872, immer noch annimmt und behauptet, die päpstliche Vollmacht degradiere jene der übrigen Bischöfe auf ein Mindestmaß oder hebe sie gar auf, unterläuft einem weitreichenden, das ökumenische Miteinander schädigenden Irrtum; „auch er", der Episkopat nämlich, „hat seine Rechte und Pflichten", wie es in der Gemeinsamen Erklärung der Bischöfe Deutschlands aus dem Jahre 1875 heißt, „vermöge der von Gott selbst

---

[18] S. Demel, Gestufte Gemeinschaft der christlichen Kirchen. Theologisch-rechtliche Aspekte für eine gelingende Ökumene auf gesamt- und teilkirchlicher Ebene, in: P. Krämer / S. Demel u. a. (Hrsg.), Universales und partikulares Recht in der Kirche. Konkurrierende oder integrierende Faktoren?, Paderborn 1999, 91-131, 122.

[19] Vgl. auch H. J. F. Reinhardt, Zur Frage der (Selbst)beschränkung des päpstlichen Jurisdiktionsprimats im Hinblick auf die nichtkatholischen Christen. Kanonistische Erwägungen, in: Catholica 4/1997, 255-263.

[20] T. Prügl, Primat des Papstes und Kollegialität der Bischöfe. Konsensmodell oder Quadratur des Kreises?, in: J.-H. Tück (Hrsg.), Erinnerung an die Zukunft. Das Zweite Vatikanische Konzil, Freiburg i. Br. ^{2}2013, 291-305, 303.

getroffenen Anordnung, welche zu ändern der Papst weder das Recht noch die Macht hat. Es ist also ein völliges Missverständnis der Vatikanischen Beschlüsse, wenn man glaubt, durch dieselben ,sei die bischöfliche Jurisdiktion in der päpstlichen aufgegangen', der Papst sei ,im Prinzip an die Stelle jedes einzelnen Bischofs getreten', die Bischöfe seien nur noch ,Werkzeuge des Papstes, seine Beamten ohne eigene Verantwortlichkeit'"[21].

Angesichts der Tatsache, dass das Erste Vatikanische Konzil und in seiner Folge auch das Zweite Vatikanische Konzil zwar die Grenzen der päpstlichen Unfehlbarkeit klar umschrieben hat, hinsichtlich des päpstlichen Jurisdiktionsprimates aber Fragen offen gelassen hat[22], ist wiederholt der Gedanke einer rechtlichen Beschränkung des päpstlichen Primats unterbreitet worden. Schon bei der Überarbeitung des Codex Iuris Canonici ist der Vorschlag geäußert worden, die freie Ausübung päpstlicher Vollmacht an zwei Bedingungen zu knüpfen: einerseits an außerordentliche Umstände zeitlicher und örtlicher Art, andererseits an die Wahrung der Autonomie der Orientalischen Kirchen.[23] Diesen Gedanken hinsichtlich einer Neubearbeitung des kodifizierten kirchlichen Rechts neu ins Gespräch zu bringen, dürfte nicht von vornherein ausgeschlossen sein. Zumindest erschiene es hilfreich, die Intention des geltenden c. 333 § 1 CIC/1983 stärker hervorzuheben: durch den Vorrang ordentlicher Gewalt, den der Papst auch über alle Teilkirchen und Verbände besitzt, soll „zugleich die eigenberechtigte, ordentliche und unmittelbare Gewalt gestärkt und geschützt" werden, „die die Bischöfe über die ihrer Sorge anvertrauten Teilkirchen inne haben". So wie die Lateinische Kirche das Eigenrecht und die jurisdiktionelle Autonomie der katholischen Ostkirchen gemäß der vom Zweiten Vatikanischen Konzil im Dekret über die Ostkirchen (vgl. OE 5-6) ausdrücklich formulierten Missbilligung einer wie auch immer gearteten Latinisierung wertschätzend anerkennt, könnte auch der Geltungsanspruch des Rechts und der je eigenen Ordnungen der noch getrennten Kirchen und Kirchlichen Gemeinschaften unter bestimmten Voraussetzungen gewahrt bleiben. In gewisser Weise geschieht dies ja

---

[21] Gemeinsame Erklärung der Bischöfe Deutschlands, Jan.-Febr. 1875, in: H. Denzinger, Kompendium der Glaubensbekenntnisse und kirchlichen Lehrentscheidungen. *Enchiridion symbolorum definitorum et declarationum de rebus fidei et morum*, Hrsg. v. P. Hünermann, Freiburg i. Br. [44]2014, 3115; ausdrücklich bestätigt durch das Apsotolische Schreiben *,Mirabilis illa constantia'* von Papst Pius IX. an die Bischöfe Deutschlands vom 4. März 1875, in: ebd. 3117.

[22] Vgl. K. Koch, Gelähmte Ökumene. Was jetzt zu tun ist, Freiburg i. Br. 1991, 180.

[23] Vgl. S. Demel, Die eine Kirche Jesu Christi in vielfältiger Ausgestaltung – Ein ewiger Traum oder realisierbare Möglichkeit? Theologisch-rechtliche Betrachtungen zur Ökumene, in: Catholica 4/1998, 253-276, 271.

bereits, insofern Nichtkatholiken sich seit der Revision des Codex Iuris Canonici nicht mehr dem Recht der Lateinischen Kirche unterworfen sehen (vgl. c. 11 CIC/1983) und die Jurisdiktion nicht-katholischer Oberer über ihre Gläubigen schon jetzt beschränkte Anerkennung erfährt.[24] Undenkbar wäre „eine Form der Gemeinschaft der nicht-römisch-katholischen Kirchen mit dem Papst, in der das Wesen des petrinischen Einheitsdienstes gewahrt wird, in der es aber andere rechtliche Formen gibt als diejenigen, die seit dem Mittelalter und besonders in der Neuzeit als maßgeblich herausgestellt worden sind“[25], wohl nicht. Vielmehr bringt es das Modell einer künftigen, ökumenisch verantwortbaren Kircheneinheit mit sich, dass es durch die Reichtümer aller konfessionellen Traditionen auferbaut wird.[26]

Wäre es im Zusammenhang mit einer Betonung kirchlicher Subsidiarität darum nicht ebenso möglich, dass der Papst einen Teil seiner Jurisdiktionsvollmachten an die bestehenden oder womöglich neu zu errichtenden Patriarchate bzw. Metropolien delegieren und sich vermehrt pastoralen Erfordernissen widmen würde? Ließe sich durch eine solchermaßen vermittelte „Mit-Sorge des römischen Bischofs für die Teilkirche ‚als Teilkirche', d.h. eine subsidiäre, bzw. eine Zweitzuständigkeit des römischen Bischofs in bezug auf die Teilkirchen“[27] nicht gerade der Charakter des päpstlichen Primats als eines unter dem Anspruch der Einheit, der Liebe und der Wahrheit des Evangeliums dienenden „Vorsitzes in der Liebe“ hervorheben, dem es, unbeschadet seiner rechtlich noch näher zu definierenden, unveräußerbaren Autorität und Vollmacht, weniger um eine beliebige Einschränkung teilkirchlicher Autonomie und jurisdiktioneller Vollmachten, als vielmehr ein Wachen über Recht und Billigkeit in der Gesamtkirche geht?

---

[24] Vgl. H. J. F. Reinhardt, „Salus animarum suprema lex“ (c. 1752 CIC). Anspruch und Wirklichkeit des kanonischen Rechts, in: R. Göllner (Hrsg.), „Es ist so schwer, den falschen Weg zu meiden“. Bilanz und Perspektiven der theologischen Disziplinen, Münster 2004, 211-226, 218.

[25] „Communio Sanctorum. Die Kirche als Gemeinschaft der Heiligen“, Arbeitspapier der Bilateralen Arbeitsgruppe der Deutschen Bischofskonferenz und der Kirchenleitung der VELKD, 15. 1. 1998, 200.

[26] Vgl. W. Kasper, Das Petrusamt als Dienst der Einheit, in: V. v. Aristi u. a. (Hrsg.), Das Papstamt. Dienst oder Hindernis für die Ökumene?, Regensburg 1985, 113-138, 135f.

[27] P. Hünermann, *„Una cum“* Zu den Funktionen des Petrusdienstes aus katholischer Sicht, in: P. Hünermann (Hrsg.), Papstamt und Ökumene. Zum Petrusdienst an der Einheit aller Getauften, Regensburg 1997, 80-101, 92.

3. SCHLUSSWORT

Papst Johannes Paull II. bezeichnet den Papst in Rückgriff auf LG 23[28] als „immerwährendes und sichtbares Prinzip und Fundament“[29] der kirchlichen Einheit. „Genau genommen ist aber“, wie Alois Kothgasser zu Recht bemerkt, „im eigentlichen Sinn Prinzip und Fundament der Einheit der Kirche Gott selbst, durch Jesus Christus im Heiligen Geist. Der Papst ist das notwendige und reale ‚Zeichen und Werkzeug‘ dieser Einheit“[30]. Darum wird es im gemeinsamen Ringen um die kirchliche Einheit noch stärker als bisher darauf ankommen, den Blick auf Christus zu richten, der allein „Haupt des Leibes“ (Kol 1,18) ist, „von dem her der ganze Leib, durch Gelenke und Bänder gestützt und zusammengehalten wird und wächst durch Gottes Wirken“ (Kol 2,19).
Erinnern wir uns: dem Felsenwort Jesu, das heute nicht mehr uneingeschränkt als *locus classicus* (vgl. Mt 16,17-19) zur neutestamentlichen Begründung des Petrusdienstes herangezogen wird, geht das bedeutsame Messiasbekenntnis Petri voraus. Auf ihn, Jesus Christus, den Sohn des lebendigen Gottes, werden sich aller Augen in wahrhaft ökumenisch gesinnter Bescheidenheit als Bezugspunkt richten müssen. Erst wenn wir „in der Anbetung Jesu Christi die Grundlage und die *Raison d'être* unseres Weges finden“[31], wenn wir im Angedenken des Gekreuzigten und Auferstandenen den Schmerz der kirchlichen Zerrissenheit im eigenen Herzen spüren und das Streben nach der Einheit wirklich „als einen Imperativ des vom Glauben erleuchteten und von der Liebe geleiteten christlichen Gewissens“[32] verstehen lernen, werden die unselige, dem Willen Christi widersprechende Spaltung, die „ein Ärgernis für die Welt und ein Schaden für die heilige Sache der Verkündigung des Evangeliums vor allen Geschöpfen“ (UR 1) ist, sowie „jene sozialen, das heißt die eigentlichen ‚Strukturen‘ der Sünde, die zur Spaltung und ihrer Verfestigung beigetra-

---

[28] In Anlehnung an die Dogmatische Konstitution *Pastor aeternus* des I. Vat. Konzils, hatten die Väter des II. Vat. Konzils in LG 23 formuliert: „Der Bischof von Rom ist als Nachfolger Petri das immerwährende, sichtbare Prinzip und Fundament für die Einheit der Vielheit von Bischöfen und Gläubigen“.

[29] Papst Johannes Paul II., Enzyklika *Ut unum sint* (Anm. 4), Nr. 88.

[30] A. Kothgasser, Petrus in Zukunft, in: S. Hell / L. Lies (Hrsg.), Papstamt. Hoffnung, Chance, Ärgernis. Ökumenische Diskussion in einer globalisierten Welt, 249-251, 250.

[31] Papst Franziskus, Ansprache an Seine Gnaden Justin Welby, Erzbischof von Canterbury und Primas der Anglikanischen Gemeinschaft, 14.6.2013, (http://w2.vatican.va/content/francesco/de/speeches/2013/june/documents/papa-francesco_20130614_welby-canterbury.html).

[32] Papst Johannes Paul II., Enzyklika *Ut unum sint* (Anm. 4), Nr. 8.

gen haben und beitragen können“[33] zu überwinden sein. Unser gemeinsames Ziel bleibt es, dass „die Wand, die die abendländische und die orientalische Kirche trennt, einmal hinweggenommen werde und schließlich nur eine einzige Wohnung sei, deren fester Eckstein Jesus Christus ist, der aus beidem eines machen wird“ (UR 18).

[33] Ebd., Nr. 34.

Bertram Stubenrauch

Der Papst – Weite und Grenzen eines Auftrags

1. Das Paradox des „Heiligen Vaters"

Obwohl der Rücktritt eines Papstes kirchenrechtlich vorgesehen[1] und deshalb buchstäblich „in der Ordnung ist", berührt er viele recht eigenartig. Denn freiwillig haben bislang nur zwei Päpste von dieser Möglichkeit Gebrauch gemacht; es muss also, ausgesprochen oder unausgesprochen, eine Hemmschwelle geben, was diesen Schritt betrifft. Erschwert ihn schon die Anrede des Papstes als „Heiliger Vater", welche zum feierlichesten Ausdruck seiner Verehrung geworden ist? Dieser Sprachgebrauch hängt zwar mit Protokoll und Diplomatie zusammen, doch er liegt ganz auf der Linie einer von den Kirchenvätern ausgefeilten Überlieferung, wonach das hierarchische Amt – im Rahmen der umfassenden Mütterlichkeit der Gesamtkirche – dezidiert als „väterlich" eingestuft wird.[2] Auf die Frage, worin die Väterlichkeit des Amtes theologisch begründet liegt, erging bislang allerdings eine überraschend nüchterne Antwort. Der französische Patristiker Henry de Lubac formuliert: „Ihre Vaterschaft [jene der Amtsträger – B. St.], die eine Teilnahme an der göttlichen Vaterschaft ist, ist nach Paulus eine solche in Christus; man kann sie eine ‚instrumentale', ‚ministerielle' nennen; die Herde, die sie zu hüten haben, gehört ihnen nicht: sie ist, wie Petrus sagt, ‚die Herde Gottes'".[3]

Die Vater-Metapher zeigt also, dass gemäß biblischer und patristischer Auffassung das kirchliche Amt als eine Art von Treuhänderschaft zu sehen ist. Nach Louis Bouyer, einem Landsmann de Lubacs, kann jedwede Vaterschaft nur ein Indiz für den einzigen diesen Namen verdienenden *himmlischen* Vater sein.[4] Der irdische Vater, meint er, verweise immer auf den einen Vater schlechthin und könne somit nichts Eigenes für sich reklamieren; hingegen werde in der Mutterschaft verwirklicht, was die Kreatur in Freiheit und Liebe aus sich selbst heraus zu leisten vermag.[5]

Obwohl man diese Auskunft selten in der wünschenswerten Klarheit zu hören bekommt, da sie provokant ist, scheint sie die katholische Papst-

---

[1] Vgl. CIC (1983) can. 332 § 2.

[2] Vgl. H. de Lubac, Quellen kirchlicher Einheit, Einsiedeln 1974, 156-171.

[3] Ebd. 168.

[4] Vgl. Frau und Kirche (Kriterien; 42), Einsiedeln 1977, bes. 37-54.

[5] Vgl. ebd. 55f.

frömmigkeit zumindest als mentale Unterströmung nach wie vor im Griff zu halten: Der Papst heißt Vater, heißt „Heiliger Vater", weil er Anteil hat an der Hirtensorge des Vater-Gottes, den er in der Kirche auf privilegierte Weise spiegelt. Ein Rücktritt sähe wie Untreue aus; wie kann es sein, dass jemand diesen hohen Auftrag zurückgibt? Aber der Vatertitel, so hat sich gezeigt, erscheint gerade im Blick auf seine treuhänderische Dimension als uneigentlich. Er bleibt, da ein Treuhänder nicht mit dem Auftraggeber identisch sein kann, funktional bestimmt; von Funktionen aber kann man zurücktreten. In diesem Fall rückt eben ein anderer nach. Und so ist es spätestens im März 2013, als Papst Franziskus die Loggia des Petersdomes betrat, aller Welt vor Augen geführt worden – während sein Vorgänger in Castel Gandolfo als künftiger „papa emeritus", als „Papst im Ruhestand" saß.
Mit dem Szenario um den Abgang Benedikts XVI. ist deutlich zutage getreten: Die theologische Kontur des Papsttums ist trotz der vielen Tinte, die darüber bereits geflossen ist, weniger fest gefügt als es den Anschein hat. Darin liegt – wie in vielen anderen Fällen auf dem Gebiet von Theologie und Kirche auch – die große Chance zur Reflexion, zum Weiterdenken, zum Nachbessern und, so es sich fügt, zum Neuaufbruch. Doch wohin könnte die Reise führen?

2. Die Aufgaben des Bischofs von Rom

Der Papst nimmt also sein Amt treuhänderisch wahr, deshalb kommt ihm seit dem hohen Mittelalter der Titel eines „Stellvertreters Christi" zu.[6] Ich werde auf diese Bezeichnung und ihre Problematik noch zurückkommen; vorerst sei mit ihrer Hilfe noch einmal unterstrichen, dass der Auftrag, Papst zu sein, in eine kirchliche Funktion einweist. In welche Funktion? Es ist die *bischöfliche* Funktion, grundgelegt und übertragen im Ordo-Sakrament. Niemand kann Papst sein, der nicht Bischof ist, und würde, was das Kirchenrecht einräumt, ein Nicht-Bischof zum Papst gewählt, müssten ihm unverzüglich die Hände aufgelegt werden.[7]
Nun ist allerdings der Papst Bischof von *Rom*, daher liegt es in der Besonderheit seines Amtes, Petrusnachfolger und, *als* Petrusnachfolger, Haupt des Bischofskollegiums zu sein, das mit ihm zusammen die Weltkirche leitet. Den Konnex von Papst- und Bischofsamt sieht das Zweite Vatikanische Konzil im Willen Jesu Christi begründet: „Damit aber der Episkopat einer und ungeteilt sei, hat er den heiligen Petrus an die Spitze der übri-

[6] Im Gefolge vieler Konzilien bestätigt diesen Titel das Zweiten Vatikanum (LG 22; OT 9), wendet ihn aber auch auf die Bischöfe (LG 27) und die Priester an (PO 12; AG 39).
[7] Vgl. CIC (1983) can. 332 § 1.

gen Apostel gestellt und in ihm ein immerwährendes und sichtbares Prinzip und Fundament der Glaubenseinheit und der Gemeinschaft eingesetzt".[8] Mit dieser Bemerkung ist der bekräftigende Hinweis zusammenzuschauen, dass „in entsprechender Weise der Bischof von Rom, der Nachfolger Petri, und die Bischöfe, die Nachfolger der [übrigen – B. St.] Apostel, untereinander verbunden" sind.[9] Hier ist nicht moralisch, sondern streng theologisch argumentiert: Bischofsamt in der Kirche bedeutet Apostelnachfolge, und der Papst ist nur als bischöflicher Kollege in die Lage versetzt, dem Episkopat vorzustehen. Er tut es, um dessen Einheit zu zeigen, als einzelner; Papst-Kollegen gibt es nicht. Dabei wird es auch in Zukunft bleiben müssen. Ein wie auch immer geartetes Papst-Team würde augenblicklich die entscheidende, natürlich-intuitive Symbolkraft einbüßen, und biblisch gibt es für so etwas keinen Anhalt.

Näher bestimmt ist seit dem Ersten Vatikanischen Konzil das Papsttum durch den sogenannten Jurisdiktionsprimat und die Unfehlbarkeit bei Urteilen *ex cathedra*. In beiden Punkten bedarf es der präzisen Wahrnehmung des genauen theologischen Sachverhalts: Der Papst ist Bischof von Rom und damit Haupt des Bischofskollegiums; aber er ist nicht Bischof irgendeiner anderen Diözese dieser Welt. Seine Mitbrüder sind Apostelnachfolger wie er; sie amtieren also weder als seine Delegaten noch als seine Assistenten. Dennoch hat der Papst im Bedarfsfall volle, höchste, ordentliche und unmittelbare Gewalt auch in den Ortskirchen.[10] Er kann, wenn er es für angebracht hält, Entscheidungen auf allen Ebenen treffen – ohne Vermittlung der Diözesanbischöfe, ohne eigens dazu ermächtigt oder einer übergeordneten Instanz verantwortlich zu sein und ohne örtliche Beschränkung. Hier bekundet sich ein durchaus widerständiger, umstrittener Aspekt der katholischen Papsttheologie, aber man versteht ihn besser, wenn man Folgendes in Erwägung zieht: Da, nach der Lehre des Konzils, die Weltkirche eine *communio ecclesiarum* bildet, so dass die *eine* Kirche in den *vielen* Kirchen aufscheint und sich darin verwirklicht, kann weder die Ortskirche von der Universalkirche noch die Universalkirche von der Ortskirche absehen. Für den Papst bedeutet dies, dass er seine primatiale Vollmacht in den Diözesen dann zur Geltung bringen muss, wenn dort Fragen zur Diskussion stehen, die mittel- oder unmittelbar für alle bischöflichen Gemeinden, also für die Gesamtkirche von Belang sind.

Die Frage nach der Unfehlbarkeit des Papstes ist substanziell eingelassen in den katholischen Kirchengedanken selbst. Denn es ist der Glaubens-

---

[8] LG 18.

[9] LG 22.

[10] Vgl. Vatikanum I, Dogmatische Konstitution Pastor aeternus cap. 3 canon (DH 3064); dazu CIC (1983) can. 331.

gemeinschaft als Ganzer verheißen, auf dem Weg ihrer geschichtlichen Entfaltung die Spur des Evangeliums nicht aus dem Auge zu verlieren.[11] Daraus folgt, „dass die Kirche nicht deswegen im Glauben gehalten wird, weil sie einen unfehlbaren Papst hat, sondern dass der Papst unfehlbar ist, wenn er und insoweit er jenen Glauben der Kirche verbindlich vorträgt, in dem *Gott* seine Kirche hält".[12] Dem Papst kommt es zu, der göttlichen Verheißung als Organ der Kirche das notwendige kriteriologische Gepräge zu geben (nämlich öffentlich und *ex cathedra* zu sprechen) und die ihr innewohnende Verbindlichkeit zu zeigen (die Gläubigen sind seinem Urteil gegenüber zum Gehorsam verpflichtet). Freilich gelten die unfehlbaren päpstlichen Äußerungen aus sich selbst heraus (*ex sese)*; sie bedürfen weder eines vorgängigen Auftrags noch einer nachfolgenden Bestätigung.[13] Mit diesem Zusatz hatte man sich im Jahr 1870 gegen den episkopalistischen Gallikanismus verwahrt, der dann triumphiert hätte, wenn der römische Bischof nur im Auftrag der Mitbrüder, nicht aber als deren Haupt agieren dürfte. Daneben sollten Einflussnahmen vor allem politischer Art vermieden werden, die in dem Maß drohen, da der päpstliche Dienst nur strategisch, nicht spirituell verstanden wird. Mit Klaus Schatz, dem großen Kenner des Ersten Vatikanums, lässt sich deshalb mit Recht fragen: „Ist nicht vielleicht diese konkrete, zentralistische und mit Rechtsansprüchen überladene Gestalt des Primates innerhalb der konkreten ‚Kirche der Sünder' und auch der ‚sündigen Strukturen' ein notwendiger Preis für einen letztlich geistlichen Wert: dass nämlich die universale Kirche kein Abstraktum bildet, dass sie vielmehr eine konkrete, verbindliche und auch fordernde Wirklichkeit bleibt, die nicht in staatliche oder nationale Ordnungen eingefügt werden kann?"[14]

3. Der Papst als Bischof und Priester

Über das Alleinstellungsmerkmal des petrinischen Dienstes wurde bereits gesprochen: Es macht den Papst zum Papst. Durch den Rücktritt eines Petrusnachfolgers wird das Singuläre dieses Amtes nicht geschmälert,

---

[11] Als Hauptzeuge mag Irenäus von Lyon gelten; vgl. ders., Adversus haereses I 10.1-2. Die konziliare Lehre dazu: LG 12.

[12] P. Neuner / P. M. Zulehner, Dein Reich komme. Eine praktische Lehre von der Kirche, Ostfildern 2013, 132; eigene Hervorhebung.

[13] Vgl. Vatikanum I, Dogmatische Konstitution Pastor aeternus cap. 4 (DH 3074).

[14] K. Schatz, Unkonventionelle Gedanken eines Kirchenhistorikers zum päpstlichen Primat, in: P. Hünermann u. a. (Hg.), Papstamt und Ökumene. Zum Petrusdienst an der Einheit aller Getauften, Regensburg 1997, 25-42, hier 28.

aber es kommt zum Vorschein, dass ein Papst gerade als Bischof, als Funktionsträger also, aus keinem anderen Holz geschnitzt ist als seine Mitbrüder. Dieser paradoxe Befund erlaubt es, einige Schlussfolgerungen zu ziehen.

Die erste betrifft die Art und Weise, wie die bischöfliche Funktion des Papstes interpretiert werden muss: Der römische Bischof übt sein Amt nicht intensiver oder vollkommener aus als die Mitbischöfe, so, als wäre sein Dienst erhabener im Vergleich zu dem der anderen. Der Papst übt das Bischofsamt nicht hochwertiger, sondern er übt es *anders* aus. Er nimmt es auch *im Gegenüber* zu den Bischöfen wahr – wofür eine Notiz im Lukasevangelium stehen mag, die ein ermunterndes Wort Jesu an Petrus überliefert: „Ich aber habe für dich gebetet, dass dein Glaube nicht erlischt. Und wenn du dich wieder bekehrt hast, stärke Deine Brüder" (Lk 22,33). In gewissem Sinn ist der Papst Seelsorger für die Seelsorger, Hirt der Hirten, Bischof *mit* den Mitbrüdern, aber auch Bischof *für* die Mitbrüder, um ein bekanntes Augustinuswort fortzuschreiben.[15] Seine Vollmacht ist demgemäß nicht die eines Super-Bischofs, sondern die eines Bischofs mit besonderen Aufgaben, eben der, auch zu den Mitbrüdern gesendet zu sein, um sie in ihrem Bischofsamt zu bestärken – wie analog das sakramentale Priestertum der Kirche darin seine Entfaltung findet, dem Priestertum aller zu dienen.[16]

Von Seiten der Bischöfe aus betrachtet heißt das: Sie sehen im Papst keineswegs das, was sie nicht sind, sondern das, was sie ebenfalls sind – freilich nicht füreinander, sondern zugunsten ihrer Ortskirchen. Diesen Gedanken haben gerade solche Päpste herausgestellt, die mit nachhaltiger Wirkung um die Einzigartigkeit des eigenen Auftrags wussten, Leo der Große zum Beispiel († 461). Für ihn gilt der das Papsttum konstituierende Petrusauftrag Mt 16,18 in Verbindung mit „allen Aposteln" und so für „alle Vorsteher der Kirche".[17] Damit ist auch Entscheidendes gesagt für den Dienst des Papstes im Gegenüber zum Gottesvolk: So wenig sich der Papst als Super-Bischof verstehen kann, so wenig steht es ihm zu, als Träger eines verfeinerten Priestertums mit gesteigerter sakramentaler Intensität gelten zu wollen.

Der Papst also ist Bischof und Priester. Doch darüber sei noch einiges mehr gesagt: Obwohl durch die Väter des Zweiten Vatikanums das Papst-Dogma von 1870 voll bestätigt wurde, wollte dieses Konzil Gedanken an

---

[15] Vgl. Sermo 340: „Für euch bin ich Bischof, mit euch bin ich Christ".

[16] Vgl. die Formulierung im *Katechismus der Katholischen Kirche* Nr. 1547: Das besondere Priestertum „bezieht sich auf die Entfaltung der Taufgnade aller Christen. Es ist eines der Mittel, durch die Christus seine Kirche unablässig aufbaut und leitet".

[17] Sermo 95.

einen Super-Bischof oder einen Super-Priester gar nicht erst aufkommen lassen. Es hat deshalb Stränge des Vorgängerkonzils in eine Vision integriert, wonach der Weltepiskopat kirchliche Leitungsgewalt kraft göttlichen Rechts wahrnimmt. Das Papsttum ist darin Sonder- und Exemplarfall zugleich. Der Sonderfall zeigt sich an der Stellung des Bischofs von Rom als Nachfolger Petri, als Nachfolger jenes Apostels also, der „allein" zum „Fels und Schlüsselträger der Kirche" bestellt worden ist.[18] Dennoch bleibt der Papst Exemplarbischof, denn in ihm scheint auf, was jeden Bischof ausmacht, der mit ihm in Gemeinschaft steht. Pointiert und mutig formuliert das Konzil: „Die Ordnung der Bischöfe aber, die dem Kollegium der Apostel im Lehr- und Hirtenamt nachfolgt, ja, in welcher die Körperschaft der Apostel immerfort weiter besteht, ist gemeinsam mit ihrem Haupt, dem Bischof von Rom, und niemals ohne dieses Haupt, gleichfalls Träger der höchsten und vollen Gewalt über die ganze Kirche".[19]
Es kann an dieser Stelle offen bleiben, wie in der Kanonistik und in der Dogmatik das unscheinbare und doch so bedeutende Wörtchen „gleichfalls" (*quoque*) interpretiert wird.[20] Das Konzil selbst hat zur Vertiefung wenig beigetragen. Will man in der Sache weiter denken, bietet sich folgender Zugriff an: Die beiden Ausformungen der einen kirchlichen Leitungsgewalt stützen und bedingen sich gegenseitig. Denn sie haben eine gemeinsame, aber keine ineinander verrechenbare Sendung. Insofern das Bischofskollegium, so das Konzil, „aus vielen zusammengesetzt ist, stellt es die Vielfalt und Universalität des Gottesvolkes, insofern es unter einem Haupt versammelt ist, die Einheit der Herde Christi dar".[21] Entsprechend müssen die Bischöfe zur Sprache bringen und vertreten, was Eigenart und Eigenbedarf ihrer Ortskirchen ist, während es dem Papst obliegt, die Interessen der Weltkirche zu wahren. Wenn demnach die Ausübung des päpstlichen Primats subsidiär erfolgen würde, wäre ein entscheidender Reformschritt getan. Muss denn Rom örtliche Gesangbücher, die Ausgestaltung von Kirchenräumen oder die Bestellung von Theologieprofessoren überwachen? Ist das nicht die Aufgabe der Bischöfe?
Und dann das Problem der römischen Kurie: Ein mit quasipäpstlichen Vollmachten ausgestatteter Verwaltungsapparat tendiert unweigerlich dazu, sich selbst zwischen den Papst und die Diözesanbischöfe zu schie-

---

[18] LG 22; vgl. dazu J. Gnilka, Der Petrusdienst – Grundlegung im Neuen Testament und Ausprägung in der frühen Kirche, in: Hünermann, Papstamt (Anm. 14), 9-24, bes. 14-22.
[19] LG 22.
[20] Vgl. dazu in geraffter Kürze H. J. Pottmeyer, Die Rolle des Papsttums im dritten Jahrtausend (QD; 179), Freiburg – Basel – Wien 1999, 108-111.
[21] LG 22.

ben. Faktisch leiten dann Papst und Kurie die Weltkirche, letztere aber aufgrund einer bloß bürokratischen Delegation (wie sollte es anders sein?) und mitunter im Gegensatz zu den Bischöfen. Papst Franziskus hat mit der Einrichtung des sogenannten Kardinalsrates einen ersten Schritt getan, solche ekklesialen Schieflagen zu sichten.
Was die Versuchung betrifft, im Papst eine Art Priesterkönig, eine geradezu messianisch aufgeladene Mittlergestalt zu sehen, durch die allein die Unmittelbarkeit zu Gott gewährleistet wäre, so tut eine Besinnung auf den im Kern nüchternen Gehalt der kirchlichen Lehre über das Ordosakrament gut: Priesterlicher und bischöflicher Dienst ist nachgerade durch die Abwehr persönlicher Ansprüche geprägt. Wer „in persona Christi capitis" handelt, steht niemals selbst im Mittelpunkt. Der Amtsträger gibt nur Stimme und Gebärde für den Einen und Einzigen, der das allein Entscheidende tut. Aus dieser Perspektive greifen hierarchische Differenzierungen ins Leere. Die Eucharistiefeier, deren Vorsitz ausnahmslos dem gültig geweihten Amtsträger zusteht, kennt keine graduellen mystischen Intensitäten. Deshalb zeigen bischöflich oder päpstlich geleitete Gottesdienste zwar die ekklesiale Vollform des eucharistischen Sakramentes an, aber kein Mehr an Heiligkeit und kein Mehr an Christusnähe. Es gibt keine „Papstmesse", weil es auch keinen „Papstpriester" gibt. Aber was besagt die Formel „agere in persona Christi" eigentlich?
Sie unterstreicht die Unmittelbarkeit Jesu Christi im Kerngeschehen der sakramentalen Feier, sagt aber nichts aus über das Leitungsgeschick oder die spirituelle Reife von Amtsträgern. Ich habe zu diesem Thema an anderer Stelle den Vorschlag gemacht, die *in-persona-Christi*-Formel durch einen Ausdruck zu ergänzen, der im Gegensatz zu ihr die außersakramentale Tätigkeit von Amtsträgern beschreibt. Papst, Bischöfe und Pfarrer handeln in ihrem Dienst immer auch kraft eigener Verantwortung und niemals so, dass sie von den Unabwägbarkeiten ihrer eigenen Persönlichkeit absehen könnten. Der Priester am Altar repräsentiert unabhängig von seiner Person und seinem Können Christus selbst – doch als Verantwortlicher einer Seelsorgeeinheit agiert er kraft eines Auftrags, der das ganze Gewicht seines guten Willens einfordert und zugleich an die Grenzen seiner individuellen Tauglichkeit stößt. So gesehen handelt auch der Papst als Hirte der Weltkirche gerade nicht *in persona*, sondern *in nomine Christi*: vom Herrn der Kirche beauftragt und von ihm gewollt, aber zugleich auf der Basis seiner persönlichen Eigenheiten, angefochten und fehlbar.[22] Christusrepräsentation ist um der *heiligen Feier* willen sakramental begründet, aber sie bedeutet auch ein kreativ zu gestalten-

[22] Vgl. B. Stubenrauch, Auf der Suche nach einem menschengemäßen Priesterbild, in: Alt und Jung Metten 77 (2010/2011) 45-50.

des Mandat, so dass die Trennung zwischen dem, was Christus und dem, was der Amtsträger – und sei es der höchste – tut, klar erkennbar bleibt. Gäbe es hier eine Identität, müsste jede Äußerung des Papstes unfehlbar, jeder seiner Leitungsentscheide ewiges Gesetz und jeder seiner Auftritte eine Apotheose sein. Auch in diesem Punkt leitet das Denken von Papst Franziskus eine Wende ein, so er in seinem Apostolischen Schreiben „Evangelii gaudium" vom November 2013 notiert: „Ich glaube [...] nicht, dass man vom päpstlichen Lehramt eine endgültige oder vollständige Aussage zu allen Fragen erwarten muss, welche die Kirche und die Welt betreffen".[23]

4. Der Papst als „Ökumenischer Patriarch"?

Zur dogmatisch verwaschenen Gleichschaltung sakramentaler und jurisdiktioneller Legitimationsmuster für das kirchliche Amt hat der Papsttitel *vicarius-Christi* nicht unwesentlich beigetragen. Ursprünglich, im fünften Jahrhundert, auf die Dienste von Bischöfen und Priestern bezogen[24], wurde er ab dem Mittelalter mit neuen Konnotationen für das Papsttum und seine umfassende Macht reklamiert; als Höhepunkt seiner Karriere wird einmal mehr das Erste Vatikanum zu gelten haben.[25]

Worin liegt die Problematik dieses Titels? Er ist heute ziemlich missverständlich geworden und suggeriert – vom Halbwissen vieler Medien kolportiert – die Meinung: Den abwesenden, in dieser Welt handlungsunwilligen Gott vertritt in quasi-göttlicher Vollmacht (und Allmacht?) der Papst. Der Titel fördert überzogene Vorstellungen vom Petrusdienst und wird deshalb im Gegenzug gerne verballhornt und persifliert. Welche Hintergründe hat er?

Er wird erstmals von Innozenz III. als exklusiver Papsttitel in Anspruch genommen und an der antiken Idee von der *plenitudo potestatis* des römischen Kaisers geschult, dessen Stellung die mittelalterlichen Päpste zu imitieren begannen. Die Kirche wurde analog zum imperialen Rom als absolute Monarchie verstanden, deren Haupt ohne Einschränkung regiert. Dabei war die Machtfülle des antiken Imperators derart solipsistisch angelegt, dass der Kaiser kraft Person und Amt *über* dem Gesetz zu stehen kam; der Herrscher galt *legibus solutus*, losgelöst vom Gesetz.[26] Er

---

[23] Nr. 16.

[24] Vgl. P. Krämer, Päpstliche Titulaturen, in: LThK^3 7 (1998) 1343f; dies spiegelt sich neu im Sprachgebrauch des Zweiten Vatikanums, vgl. Anm. 6.

[25] Vgl. Dogmatische Konstitution Pastor aeternus cap. 3 (DH 3059).

[26] Zu Hintergründen und Textbelegen vgl. K. Ganzer, Der päpstliche Primat und das

agierte nicht verwurzelt *in* einer Körperschaft, sondern *über* ihr als deren Quell und Normgeber in buchstäblich überragender Position. Kanonisten des hohen Mittelalters legten großen Eifer an den Tag, dieses Denken papalistisch aufzubereiten. So meinte der Bologneser Dekretalist Tancred († 1234/36), als Stellvertreter Christi bzw. Gottes selbst könne der Papst „aus Nichts etwas hervorbringen“, ja er dürfe „aus einer Gerechtigkeit eine Ungerechtigkeit machen“, da es niemanden gebe, „der ihm sagen könnte, warum tust Du das?“[27] Eine weitere papalistische Überzeichnung begegnet bei Papst Innozenz IV. († 1254), in dessen Empfinden die Vollmachten des Stellvertreters Christi – jedenfalls was das positive Recht in der Kirche angeht – in blanken Voluntarismus umschlagen; der Papst soll und darf *sola voluntate* handeln.[28]

Auch wenn diese schwindelnden Höhen im aktuellen Verständnis des päpstlichen Stellvertretertitels aus dem Blick geraten sind, werfen sie nach wie vor ihre Schatten – was angesichts des biblischen und patristischen Befundes zur Vorsicht und zur Reform mahnt. Mit der ekklesiologischen Stellung des Papstes als Bischof von Rom hat der Titel wenig zu tun; ohne nähere Erklärung ist er diesem Amt geradezu wesensfremd. Ich sehe keine der dogmatisch unverzichtbaren Aufgaben des Papstes geschmälert, wenn dieser Titel entfiele. Mit dem Verzicht auf ihn käme neu zum Vorschein, dass der Petrusnachfolger tatsächlich den Petrus*dienst* versieht, der in erster Linie Dienst an der Stärkung des Glaubens aller auf dem Boden kirchlicher *communio* ist: „Der Petrusdienst hat die Einheit der Kirche darzustellen, eine Einheit, die aufzufassen ist als Einheit unter dem Evangelium“.[29]

Vom Evangelium geht denn auch die Erneuerung des Papsttums aus. Bekanntlich hat Papst Johannes Paul II. in seiner Enzyklika „Ut unum sint“ von 1995 zur kritischen Überprüfung dieses Amtes aufgefordert.[30] Nichts anderes wünscht Papst Franziskus.[31] Es gibt also hochoffiziell grünes Licht für Reformgedanken. Da die Einheit der Kirche ohne jeden Zweifel im Zentrum des päpstlichen Interesses stehen muss, bietet sich ein entschlossenes Zugehen auf die autokephale Orthodoxie an.

---

römische Kaiserrecht (Akademie der Wissenschaften und der Literatur Nr. 2), Stuttgart 2012, 3-24, hier 9.

[27] Zitiert nach Ganzer, ebd. 11.

[28] Vgl. ebd. 15.

[29] J. Gnilka, Petrusdienst (Anm. 18), 23.

[30] Vgl. Nr. 95; dazu J. R. Quinn, Die Reform des Papsttums (QD; 188), Freiburg – Basel – Wien 2001, 11-31.

[31] Vgl. Evangelii gaudium Nr. 32.

Die Wege dorthin sind längst gespurt: In einer gemeinsamen Erklärung der katholisch-orthodoxen Internationalen Dialog-Kommission aus Ravenna 2007 ist von einer ehrwürdigen hierarchischen *taxis* die Rede, die sich unter den Bischöfen seit der Väterzeit herausgebildet hat. Es wird konstatiert, dass „Rom als die Kirche, die nach Aussage des hl. Ignatius von Antiochien (An die Römer, Prolog) ‚in der Liebe vorsteht', die erste Stelle in der *taxis* einnahm und dass der Bischof von Rom deshalb der *protos* unter den Patriarchen war".[32] Jetzt, da durch den Rücktritt eines Papstes die funktionale Ebene des gleichwohl *ad personam* verliehenen höchsten kirchlichen Amtes klarer zu sehen ist, sollte der Kairos ergriffen und von Seiten Roms eingeräumt werden: Der Bischof dieser Stadt steht nicht über den anderen Bischöfen, sondern in deren Reihe; aber er hat als *protos* die Aufgabe, dafür zu sorgen, dass die Bischöfe zusammen mit ihm, dem Petrusnachfolger, wahrhaft Bischöfe einer *Weltkirche* sein können. Zur Bewahrung ihrer Einheit braucht der Papst soviel an Vollmacht wie nötig. Er müsste aber umgekehrt akzeptieren, dass ihm die Wahrung oder das Wiederfinden der kirchlichen Einheit Beschränkungen auferlegt. Einen Selbstzweck hat sein Amt nicht.

[32] Vgl. J. Oeldemann u. a. (Hg.), Dokumente wachsender Übereinstimmung. Sämtliche Berichte und Konsenstexte interkonfessioneller Gespräche auf Weltebene Bd. 4, Paderborn 2012, 843f.

Achim Buckenmaier

Papst und Kurie in der Reform

Anmerkungen zu einer aktuellen Aufgabe

1. Einleitende Bemerkungen

In seinem 2013 erschienenen Buch „Lichter des Toren" hält der Schriftsteller Botho Strauß fest: „Es wird einem von allen Seiten eingeflößt: man solle die Kultur auf die Straße tragen; man soll mehr Frauen in obere Ränge versetzen. Man soll Kinder kriegen. Man soll sich mit dem Islam auseinandersetzen. Man soll seine Wertegemeinschaft nicht verlassen. Und jedes Rezept oder Konzept bringt eine Unzahl von Bestsellern hervor. Es wird das vorgeblich Richtige viele Male propagiert, und man weiß alles besser, als es gehandhabt wird. Dabei verliert man leicht aus den Augen, dass die schlechte Wirklichkeit ein großes und tiefgründiges Reich ist, in dem kostbare Schätze von Geschehen und Ungeschehen lagern und sich überraschend auftun dem, der keine Konzept befolgt."[1]

Was Botho Strauß klar sieht, dürfte auch für alle Vorschläge und Konzepte gelten, die eine Reform von Kurie, Vatikan und Kirche anzielen: Auch in diesem ‚tiefgründigen Reich' lagert viel mehr an Geschehenem und Ungeschehenem, als auf den ersten Blick sichtbar ist. Die Tatsache, dass sich in unserer Zeit vor allem sogenannte „Vatikanexperten", Journalisten und Blogger, des Themas annehmen, weist auf die beunruhigende Abwesenheit der Theologen hin. Den einen erscheint es als Sakrileg, das Bisherige anzutasten. Andere achten Strukturen und Äußerlichkeiten für nebensächlich, scheuen ein vermintes Gelände und wollen den eigenen Weg nicht mit Stolpersteinen fremder Beleidigtheiten erschweren.

Was ist die Wirklichkeit der römischen Kurie? Worin besteht kurialer Einfluss auf die Amtsführung und Wirkung des Bischofs von Rom? Der überraschende Amtsverzicht Benedikts XVI. im Februar 2013 und die vielfältigen Gesten Papst Franziskus' haben nicht nur Spekulationen über die Rolle der Kurie beflügelt, sondern auch eine neue Offenheit für Reformen geschaffen.

In der Frage nach der Römischen Kurie muss man zwischen einem informellen Einfluss der Umgebung des Papstes einerseits und den Institutionen zu seiner Beratung und zur Verwaltung der Gesamtkirche anderer-

[1] B. Strauß, Lichter des Toren. Der Idiot und seine Zeit, München 2013, 91.

seits unterscheiden, auch wenn sie sich – wie alles, wo Menschen arbeiten – nicht ganz scharf trennen lassen. Das erste hängt von vielen unterschiedlichen Faktoren ab und ist Objekt sogenannten Insiderwissens. Dieser Tummelplatz ist in den Redaktionen bereits dicht bevölkert und kann im Rahmen einer ernsthaften Reflexion nicht Gegenstand sein. Das zweite, die Kurie als Leitungsinstrument, ist Ergebnis eines vielfältigen historischen Prozesses, dessen wichtigste Etappen hier wenigstens angedeutet werden sollen.

Eine Betrachtung der Kurie muss vor allem theologisch fundiert sein. Ihr Leitmotiv kann nicht technische Effizienz sein, sondern muss nach der Authentizität des Auftrags fragen. Für den Glaubenden ist die Kirche dann „effizient" – und dies schließt eine technische Wirkkraft nicht aus, sondern ein –, wenn sie in Übereinstimmung mit ihrem Ursprungsauftrag lebt. Dies bedeutet kein Ausweichen vor den harten und drängenden Struktur- und Personalfragen.[2] Aber auch heute gilt, dass man den Konstruktionsplan eines Gerätes oder den Aufbau eines Organismus kennen muß, wenn man sie verbessern will.[3]

Damit ist man bei einer zweiten Relativierung angelangt. Denn es zeigt sich bei einer wirklich ekklesiologischen Betrachtung, dass die Kirche soziologische Dimensionen hat, und dass der Glaube von einem Handeln Gottes zu sprechen wagt, das nicht *dahinter*, sondern gerade *in* dieser Sichtbarkeit geschieht – traditionell gesprochen: dass die Kirche ein Mysterium ist. Dass Gott mit unfertigen Menschen in dieser Geschichte handelt, ist Gegenstand des biblischen Glaubens und ein bleibendes *skandalon*. Reform bedeutet nichts anderes, als dass dieses Wissen zurückgeholt werden und von ihm ausgegangen werden muß. Deswegen gelten in der Kirche zu Recht die Heiligen als die wahren Reformer, also Personen, die das fortdauernde Wirken des Gottesgeistes durch ihr Leben hindurch sichtbar machen. Die Heiligen sind nicht Perfektionisten des Umbaus, sondern Menschen, die des Grundgesetzes kundig sind: Nur mit verwandelten Menschen kann man eine wirkliche Gemeinschaft initiieren oder reformieren.[4]

---

[2] Vgl. H. U. von Balthasar, Der antirömische Affekt. Wie läßt sich das Papsttum in der Gesamtkirche integrieren? Freiburg – Basel – Wien ^{1}1974, 22.

[3] Vgl. J. Ratzinger, Zur Gemeinschaft gerufen. Kirche heute verstehen, Freiburg – Basel – Wien 1991, 9; auch: Y. Congar, Vraie et fausse réforme dans l'Église, Paris, 1950, bes. 52-59; 211-317.

[4] Vgl. M. Buber, Wie kann Gemeinschaft werden? In: ders., Werkausgabe Bd. 8: Schriften zur Jugend, Erziehung und Bildung, hrsg., eingel. u. komm. v. J. Jacobi, Gütersloh 2005, 185-199.

2. Die Römische Kurie – eine Grösse mit deutlichen geschichtlichen Spuren

Hat man einmal diese Koordinaten gesetzt, dann zeigen sich auch die verschiedenen Linien, aus denen sich die kirchlichen Strukturen formen, in einem klareren Licht. Die geschichtliche Entwicklung der kirchlichen Strukturen ist nicht ein Irrweg, der an der eigentlichen, geistlichen Kirche vorbeiführt, sondern durch Versuch und Irrtum hindurch die Weise, wie der „kostbare Schatz“ (2 Kor 4,6) der Erfahrungen der Heilsgeschichte zugänglich ist.

Im Konkreten der Römischen Kurie kommen verschiedene geschichtlich bedingte Stränge zusammen: Dazu gehören stadtrömische Besonderheiten wie die anderthalb Jahrtausende dauernde Verknüpfung geistlicher und politischer Autorität. Mit dem Niedergang des Römischen Reiches in der Spätantike verlagerte sich der politische Schwerpunkt der imperialen Erbmasse sowohl nach Norden als auch nach Osten. Das Vakuum in Rom selber füllten notgedrungen die römischen Bischöfe, deren Motivation nicht ein abstrakter Primatsanspruch, sondern die Fürsorge der ihr anvertrauten Stadtgesellschaft war. Nicht zuletzt mischen sich in die Struktur der Römischen Kurie Elemente aus der Zeit des Kirchenstaates, seiner Auflösung und der damit verbundenen Spannungen mit dem italienischen Staat und der Errichtung des Staates der Vatikanstadt als Folge der Lateranverträge von 1929.[5]

Es ist auffällig, dass sich im 20. Jahrhundert praktisch im Abstand einer Generation die Bestrebungen wiederholen, die römische Kurie zu reformieren[6]; es scheint, dass das Richtige noch nicht gefunden wurde, das nach dem Ende der weltlichen Herrschaft der Päpste, mit der Globalisierung der Kirche und der Säkularisierung der modernen Gesellschaft gefordert ist. Papst Paul VI. (1963-1978) griff stark in die Strukturen ein und zögerte nicht, auch sehr alte Institutionen einfach aufzulösen, so z. B.

[5] In der Zeit der sogenannten „Römischen Frage“ zwischen 1870 und 1929, in welcher der Papst den Vatikan nicht mehr verließ und somit als Bischof von Rom den außerhalb des Vatikans gelegenen größeren Teil seiner Diözese (eigentlich bis zum Pontifikat Johannes XXIII.) nicht mehr besuchte, wurde das bereits am Ende des 12. Jahrhunderts bezeugte und im Zuge der Katholischen Reform des 16. Jahrhunderts profilierte Amt eines Generalvikars des Papstes für das Bistum Rom immer bedeutender.

[6] Wichtige einzelne Reformschritte waren: Pius X., Apostolische Konstitution Sapienti consilio (1908); Benedikt XV., Codex Iuris Canonici (1917); Zweites Vatikanisches Konzil, Dekret Christus Dominus (1965), Nn. 9 und 10; Paul VI., Apostolische Konstitution Regimini Ecclesiae Universae (1967); Johannes Paul II., Apostolische Konstitution Pastor Bonus (1988); Benedikt XVI., Apostolisches Schreiben zur Änderung der Konstitution Pastor Bonus Johannes Pauls II., Quaerit semper (2011).

1964 das Amt der Kardinalprotektoren über Orden und Kongregationen[7], 1967 „wegen Bedeutungslosigkeit" die Päpstliche Datarie (Amt zur Erteilung von Dispensen usw.) und 1973 die immerhin seit dem 13. Jahrhundert bekannte Päpstliche Kanzlei[8].
In der Apostolischen Konstitution *Pastor Bonus* vom 28. Juni 1988 realisierte Johannes Paul II. den grundsätzlichen Wunsch des Zweiten Vatikanischen Konzils (*Christus Dominus* Art. 9) und ordnete die Römische Kurie neu, die er von ihrem Dienstcharakter her definierte: „Die Römische Kurie ist die Gesamtheit der Dikasterien und Einrichtungen, die dem Papst bei der Ausübung seines höchsten Hirtendienstes für das Wohl und den Dienst an der Universalkirche und den Teilkirchen hilfreich zur Seite stehen, wodurch die Einheit des Glaubens und die Gemeinschaft des Volkes Gottes gestärkt sowie die der Kirche eigene Sendung in der Welt gefördert wird."[9] Deutlich ist, dass die Communio-Ekklesiologie des Konzils in *Pastor Bonus* als Richtschnur für die Neuordnung dient.[10]

3. Der Papst als Bischof der römischen Gemeinde und seine Kurie

Um die Aufgabe und die Richtung einzuschlagender Reformen der Römischen Kurie zu verstehen, muß man noch etwas genauer auf den Petrusdienst selber blicken, auch wenn man ihn im Rahmen dieser knappen Überlegungen nicht erschöpfend beschreiben kann.
Obwohl mit dem Begriff „Kurie" allgemein die „Römische Kurie" gemeint ist, ist nicht unwichtig daran zu erinnern, dass jeder Bischof über eine Kurie verfügt, die ihm in der Leitung der pastoralen Tätigkeit – als bischöfliches Ordinariat bei der Verwaltung der Diözese und als Offizialat bei der Rechtsprechung zur Verfügung steht. Dieser Norm entspricht die Beobachtung, dass alles, was dem Papst zugeschrieben wird, auch für die Diözesanbischöfe gilt, außer der universalen Leitungsvollmacht, zu der auch die Infallibilität zu rechnen ist. Ebenso tragen die verschiedenen Titel des Papstes und seines Sitzes noch die Spuren der Geschichte an sich, die erst im Laufe der Zeit zu einer ausschließlichen Verwendung durch den Bischof von Rom führten.[11] Bemerkenswert ist auch die alte

---

[7] Vgl. R. M. Schmitz, Art. Kardinalprotektor, in: LThK³ Bd. 5, 1231 f.
[8] Vgl. J. O. Ritter, Art. Päpstliche Kanzlei, in: LThK³ Bd. 7, 1341.
[9] Johannes Paul II., Pastor Bonus I.1.
[10] Vgl. Johannes Paul II., Pastor Bonus, Nn. 12 und 13.
[11] Vgl. Y. Congar, Titel, welche für den Papst verwendet werden, in: Conc 11 (1975), 538-544.

Terminologie, die sich bis ins Vatikanum II erstreckt, nach der jeder Bischof seine Diözese als *vicarius Christi* leitet (*Lumen gentium*, Art. 27).

Die wenigen Beobachtungen helfen, den Primat des Papstes als einen anwachsenden historischen Prozeß zu verstehen, in dessen Kern nicht das *caput mundi*, die Welthauptstadt Rom, steht, sondern der neutestamentliche Primat Petri und das Martyrium der beiden Apostel Petrus und Paulus, das sogar *gegen* eine breite Anti-Rom-Strömung in der antiken Welt die Stellung Roms als zentralem Glaubensort begründete. Von Ambrosius an werden – pointiert besonders durch Augustinus und Leo d. Gr.– Petrus und Paulus, die in erlittener Gewalt in Rom vereint sind, dem Zwillingspaar Romulus und Remus entgegengesetzt, das getane Gewalt und verübten Mord in die Gründungsmauern des heidnischen Rom eingetragen hatte. Die martyrologische Begründung des Primats soll das Papsttum als ohnmächtig-mächtiges Gegenüber zur weltlichen Gewalt sichtbar machen und die Päpste daran erinnern, dass die Christen die Macht der „Welt“, die auf die Furcht vor dem Tod setzt, nur mit überwundener Todesfurcht brechen können.

Was also vom Papst und seiner Kurie gesagt werden kann, hat seinen tragenden Grund in der Eigenschaft des Papstes als Bischof der römischen Gemeinde. Nur so, von seinem doppelten Bezugspunkt auf Neues Testament und Martyrium, hat das Papsttum den richtigen ekklesiologischen Ort. Als Haupt *dieser* Gemeinde nimmt er universalkirchlich eine einzigartige Stellung ein. Er ist weder ein Monarch über einer monolithisch verfassten Gesamtkirche, noch Generalsekretär eines Bundes von Ortskirchen.

4. Personalität als Dimension des Bischofs- und Papstamtes

Deswegen haben wir es in der Römischen Kurie nicht mit dem Verwaltungsapparat einer Organisation zu tun, sondern mit einer Institution, die einer einzelnen, mit einer bestimmten Verantwortung beladenen Person zur Verfügung steht. Damit ist das Prinzip der Personalität berührt: „Das heißt, dass ein Mensch notwendig ist, der als Nachfolger des heiligen Petrus dasteht und eine personale Letztverantwortung trägt, die kollegial abgestützt ist. Zum Christentum gehört ein personalistisches Prinzip, es verflüchtigt sich nicht in Anonymitäten, sondern es stellt sich im Pfarrer, im Bischof dar und hat eben in der Einheit der Gesamtkirche noch einmal einen personalen Ausdruck.“[12] In den Diensten der Kirche zeigt sich, was

[12] J. Ratzinger, Salz der Erde. Christentum und katholische Kirche an der Jahrtausendwende. Ein Gespräch mit Peter Seewald, München ^{7}1997, 273.

für die Kirche insgesamt gilt: Sie ist eine Personengemeinschaft, nicht ein Verbund von Einrichtungen. Sie ist auf Personen und ihre Geschichte gegründet, nicht auf Ideen und Lehren. Ihr Bild ist das eines Organismus – „der Leib mit vielen Gliedern" (1 Kor 12,12-29) –, nicht das einer Organisation. Ihr sichtbares Strukturelement ist die territoriale Gliederung in Bistümer; diese sind aber vom Zueinander von Personen – Volk und Bischof – her definiert. Das Dekret *Christus Dominus* definiert das Bistum als jenen „Teil des Gottesvolkes, der dem Bischof in Zusammenarbeit mit dem Presbyterium zu weiden anvertraut ist" (*Christus Dominus* Art. 11). Damit „ist das Bild des Hirten (...) deutlich in den Vordergrund getreten. Der Diözesanbischof muß nicht nur theologisch-theoretisch, sondern auch tatsächlich das sichtbare und dynamische Zentrum der diözesanen Gemeinschaft sein."[13] Aus diesen Überlegungen ergeben sich drei Konsequenzen für den Papst und seine Kurie.

5. Nicht Strukturen treffen aufeinander, sondern Personen begegnen sich

Die erste Folgerung zog Johannes Paul II. bereits in der Konstitution *Pastor Bonus*, wenn er sagt: „Aus diesem Grunde ist es nicht nur undenkbar, dass die Römische Kurie die persönlichen Beziehungen und Kontakte zwischen den Bischöfen und dem Papst in gewisser Weise wie eine *Trennwand* behindere oder beeinflusse, sondern im Gegenteil ist sie und muß sie immer mehr Dienerin der Gemeinschaft und der Teilhabe an den Anliegen sein." (*Pastor Bonus* Nr. 8) Die Kurie darf sich nicht zwischen Papst und Bischöfe als eine Art Kabinett schieben, das unter der Richtlinienkompetenz eines Premiers in eigener Kompetenz handelt. Mit einem leicht kritischen Ton bemerkt dieselbe Konstitution, dass im 16. Jahrhundert durch die formale Errichtung der Dikasterien als effektivere Strukturen durch Sixtus V. die Konsistorien, also die *persönliche Zusammenarbeit* von Papst und Kardinälen in den Hintergrund trat. Das Effektive darf das Persönliche und Kollektive als Prinzipien der Kirche nicht verdrängen. Darum kommen die Bischöfe bei den sogenannten *Ad-limina*-Besuchen nach Rom nicht, um Direktiven einer zentralen Administration entgegenzunehmen, sondern um die Gräber der Apostel zu besuchen, also sich des Ursprungs zu vergewissern, sich an den Glauben der Apostel zu binden und an ihm Maß zu nehmen, und um persönlich den „Petrus" dieser Zeit

[13] M. Grichting, Die Umschreibung der Diözesen. Die Kriterien des II. Vatikanischen Konzils für die kirchliche Zirkumskriptionspraxis (Adnotationes in Ius Canonicum Bd. 7) Frankfurt a. M. u. a. 1998, 99.

zu treffen. Diesen persönlichen Charakter, der Ausdruck des personalen Prinzips der Heilsgeschichte ist, betont auch *Pastor Bonus*: „Darüber hinaus bleibt allen sowie den einzelnen Bischöfen das Recht und die Pflicht, den Nachfolger des seligen Petrus unmittelbar anzugehen, insbesondere bei den Besuchen an den Gräbern der Apostel. Diese Besuche nehmen aufgrund der oben dargelegten ekklesiologischen und pastoralen Grundsätze eine eigene und ganz besondere Bedeutung an." (Nr. 10) Walter Kasper hat zu Recht an die alte synodale Tradition gemeinsamer Beratung hingewiesen, die den Vorrang haben und den Rahmen bilden muß für alle Einzelgespräche und bürokratischen Kontakte. Diese Tradition ist Ausdruck des Wesens der Kirche selber als Versammlung Gottes.[14]

6. Kann es ein apostolisches Amt ohne apostolisches Leben geben?

Der Papst ist nicht der erste Minister einer Art kirchlicher Weltregierung, die in Rom ihren Sitz hat und eine Zentrale unterhält. In Bezug auf das Verhältnis von Universalkirche und Lokalkirchen wurde im Vergleich mit staatlichen oder betrieblichen Strukturen das Wort „Analogielosigkeit" geradezu ein Schlüsselwort der Ekklesiologie Johannes Pauls II.[15] Entsprechend gehören auch zur Gesamtleitung der Kirche personales und synodales Prinzip. Johannes Paul II. hatte das Ungenügen des Modells „Universalregierung der Kirche" gespürt, als er 1994 ein Kloster im Vatikan gründete. Ein gemeinsames Leben könnte ein Korrektiv zu den Dikasterien und Ämtern darstellen. Ohne die konkrete Nachfolge in Gemeinschaft fehlt der Institution das Wichtigste. Die *vita communis* ist die sachgerechte Entsprechung zur Leitung der Kirche, die als *communio ecclesiarum* lebt; die *vita apostolica* ist der notwendige Boden des apostolischen Amtes. Mit seiner Entscheidung, in der Casa Santa Marta wohnen zu bleiben, setzte Papst Franziskus ein prophetisches Zeichen für die notwendigen Bedingungen einer echten Reform, die nicht einfach im neuen Design eines innervatikanischen Organisationsplans bestehen kann. Die

---

[14] Vgl. W. Kasper, Petrusdienst und Petrusamt. Biblische Grundlagen – Geschichtliche Entwicklung – Ökumenische Perspektiven, in: ders., Die Kirche und ihre Ämter. Schriften zur Ekklesiologie II (WKGS 12), Freiburg – Basel – Wien 2009, 569-652; 646.

[15] Vgl. Kongregation für die Glaubenslehre, Schreiben an die Bischöfe der katholischen Kirche über einige Aspekte der Communio vom 28. Mai 1992, in: AAS 85 (1992), 838-850 (bes. Nr. 9); vgl. Achim Buckenmaier, Universale Kirche vor Ort. Zum Verhältnis von Ortskirche und Universalkirche, Regensburg 2009, 30-35; ebenso: Pastor Bonus Nr. 9.

Frage, ob eine von ihm gewünschte Reform in Gang kommen wird, hängt entscheidend davon ab, ob einige dieses Zeichen aufgreifen und die nötige Umgestaltung auch des eigenen Lebens akzeptieren. Mag die Entscheidung des Papstes auch persönlich begründet sein, fügt sie sich doch in eine alte, aber vergessene Tradition gemeinschaftlichen Lebens ein, das immer mit der vatikanischen Basilika verbunden war.[16] Nicht zuletzt verweisen die alten Namen „Päpstliches Haus" und „Päpstliche Familie" auf den Ort, aus dem das Bischofsamt entstanden ist: die *ecclesia* Gottes, die in den ersten drei Jahrhunderten in der Form von Gemeinden und Hauskirchen lebte. Die Präferenz gemeinschaftlichen Lebens, das das personale Prinzip nicht aufhebt, sondern es ergänzt und trägt – würde sie der Papst auf alle seine Mitarbeiter ausdehnen –, ist das Mittel, das die Kirche in ihren Genen hat, um die von Franziskus kritisierten Missstände wie Lobbyismus, Karrierismus und Selbstreferentialität zu korrigieren, und würde auf Dauer entscheiden, welche und wie viele Mitarbeiter der Papst hat. Vielleicht zeichnet sich im Leben in der Casa Santa Marta nicht nur die persönliche Spiritualität des Jesuitenpapstes, sondern auch Konturen eines künftigen *monasterium clericorum* in der Gesamtleitung der Kirche ab, das schon Augustinus für sein Bistum in Hippo realisierte, eine Lebensweise, die sich ganz im Dienst der Seelsorge sieht und betont apostolisch ist.[17] Auch Augustinus konnte nicht einfach die Form der Gemeinde wiederherstellen, aber in der *vita apostolica* der Kleriker wollte er wenigstens wichtige Konstanten der Kirche sichern. Ohne diese Korrekturen wird auch das Projekt „Neuevangelisierung" – ein zentrales Anliegen Benedikts XVI. und Franziskus' – nur Papier bleiben.

7. Ist die Trennung zwischen Päpstlicher Kurie und Vikariat für die Diözese Rom richtig?

Eine dritte Linie ließe sich von da aus auf die Diözese Rom selber ausziehen. Sie bildet gleichzeitig die ungewöhnlichste Konsequenz dieser Überlegungen aus. Wir haben gesehen, dass der Ursprung der herausragenden Stellung Roms im Martyrium der beiden Apostel liegt, deren *memoria* in Rom in den Augen der anderen Gemeinden den Glauben der römischen Gemeinde und ihre unzerstörbare Einheit mit dem authentischen Anfang

[16] Seit dem 5. Jahrhundert ist ein Kloster St. Martin bei St. Peter bezeugt, das mit dem Neubau der St. Peterskirche verschwand. Darüber hinaus gehört zu den päpstlichen Basiliken ein „Kapitel" von Priestern, die als Kanoniker ein Gemeinschaftsleben führen sollten.

[17] Vgl. HKG II, 405.

garantierte. Die begabtesten Theologen der ersten Jahrhunderte waren in Nordafrika, nicht in Rom. Und dennoch konnten sie die Einheit der Kirche und die Klärung der wichtigen christologischen Fragen im Letzten nicht erreichen. Zwar konnte auch Papst Leo d. Gr. nicht den letzten Schlusspunkt unter die Debatten setzen, aber der berühmte Ausruf der Konzilsväter von Chalcedon 451 „Das ist der Glaube der Väter! Durch Leo hat Petrus gesprochen" ist signifikant für die Wahrnehmung der römischen Gemeinde, ihres Bischofs im Gefüge der Gesamtkirche und für die Wirkung, die sie entfalten konnten.[18]

Von daher muss man fragen, ob die faktische Trennung von Römischer Kurie als Einrichtung der Gesamtkirche und Vikariat als Institution der Diözese Rom ekklesiologisch nicht eine Absurdität ist, selbst wenn historisch und praktisch einiges für sie spricht. Im Strom der altkirchlichen Tradition müsste die römische Gemeinde durch ihren Glauben und ihre Lebenspraxis *ad limina Apostolorum* die Kirche leiten, so wie ein besonders leuchtender Stern die Seefahrer leitete, oder wie eine besondere Sehenswürdigkeit Menschen anzieht und das besonders Gelungene und Schöne den Maßstab bildet für alle anderen. Es ist offensichtlich, dass das Bistum Rom bisweilen unter dem Übergewicht der Römischen Kurie leidet, und diese faktisch wie ein eigenes Gebilde mitten in der römischen Kirche lebt. Durch die Internationalisierung der Kurie wurde dies noch offensichtlicher. Es wäre keine geringe Aufgabe, auszuprobieren, wie die Trennung von Kurie und Vikariat überwunden werden kann. Sicher scheint es auf den ersten Blick etwas Unmögliches zu sein. Bislang gibt es nicht einmal Ansätze für die Beantwortung der Frage, wie sich aus diesem historischen Dickicht etwas Neues realisieren ließe, das nicht einfach ein neues Organigramm der Kurie bietet, sondern an einer Gestalt der Kirche Maß nimmt, die dem Ursprung eigen war.

---

[18] Vgl. A. Grillmeier, Jesus der Christus im Glauben der Kirche, Bd. 2/1: Das Konzil von Chalcedon – Rezeption und Widerspruch (451-518), Freiburg – Basel – Wien ^{2}1991, 137 ff.

Dirk Ansorge

Befähigung und Gnade

Überlegungen zum katholischen Amtsverständnis im Ausgang von Max Weber

Der nach Can. 332 § 2 CIC/1983 formal korrekte, zugleich aber doch überraschende Amtsverzicht Papst Benedikts XVI. wurde weithin mit Respekt und Anerkennung quittiert. Hatte es doch einen solchen Schritt seit mehr als 700 Jahren nicht mehr gegeben.[1]

In der knappen Begründung seines Rücktritts hat Benedikt XVI. am 11. Februar 2013 auf die mit seinem Amt verbundenen Herausforderungen und auf sein hohes Alter verwiesen: „Nachdem ich wiederholt mein Gewissen vor Gott geprüft habe, bin ich zur Gewissheit gelangt, dass meine Kräfte infolge des vorgerückten Alters nicht mehr geeignet sind, um in angemessener Weise den Petrusdienst auszuüben.“ Um die Kirche wirksam zu leiten und das Evangelium zu verkünden, so der Papst, „ist sowohl die Kraft des Körpers als auch die Kraft des Geistes notwendig, eine Kraft, die in den vergangenen Monaten in mir derart abgenommen hat, dass ich mein Unvermögen erkennen muss, den mir anvertrauten Dienst weiter gut auszuführen.“ Benedikt betonte in seiner Erklärung, es sei ihm sehr bewusst, dass das Papstamt „wegen seines geistlichen Wesens nicht nur durch Taten und Worte ausgeübt werden darf, sondern nicht weniger durch Leiden und durch Gebet“.[2] Er erinnerte daran, dass es der Kirche nicht zunächst um Funktionalität und Effizienz gehen darf,

---

[1] Patrick Granfield zählt im Rückblick auf zweitausend Jahre Kirchengeschichte zehn mögliche Fälle päpstlicher Amtsniederlegung auf. Von ihnen sei nur diejenige Cölestins V. im Jahr 1294 zuverlässig verbürgt: Das Papsttum. Kontinuität und Wandel, Münster 1984, 201. Allerdings erfolgte der Amtsverzicht des greisen Cölestin wohl auf massiven Druck seines Beraters, Kardinal Benedetto Caetani, der ihm als Papst Bonifaz VIII. auf dem Stuhl Petri folgte. Vgl. dazu Ludovico Gatto, Bonifacio VIII e l'"Ecclesia spiritualis" di Celestino, in: Celestino V nel settimo centenario della morte, hrsg. v. Biancamaria Valeri (Pubblicazioni dell'Associazione culturale Gli Argonauti 18), Casamari 2001, 235-252; ferner: John R. Eastman, Giles of Rome and Celestine V. The Franciscan revolution and the theology of abdication, in: The Catholic historical review 76 (1990) 195-211.

[2] Vgl. http://w2.vatican.va/content/benedict-xvi/de/speeches/2013/february/documents/hf_ben-xvi_spe_20130211_declaratio.html (Aufruf 12.04.2015).

dass vielmehr die geistliche Dimension des Zeugnisses zur Geltung zu bringen ist. Gleichwohl sah er offenkundig eine innere Verbindung zwischen den mit dem Papstamt verknüpften Aufgaben und seinen schwindenden körperlichen Kräften.
In die über diese Erklärung hinausgehenden Spekulationen hinsichtlich weiterer Motive, die den Papst zu seinem Amtsverzicht veranlasst haben könnten, mischten sich zunehmend auch Überlegungen zu dessen möglichen Konsequenzen für das Verständnis des päpstlichen Amtes. Von einer „Entmystifizierung", gar von einer „Verweltlichung" des Papstamtes war die Rede. „Unabhängig von der Person Benedikts und seines Gesundheitszustandes ist die Abdankung des Papstes ein nahezu revolutionärer Akt in der katholischen Kirche. Dem Rücktritt kommt eine hohe symbolische Tragweite zu, stellt er doch einen Bruch mit dem Verständnis vom Papstamt dar, wie es sich spätestens seit dem 19. Jahrhundert entwickelt hat", so etwa der Münsteraner Historiker Thomas Großbölting. „Der Rücktritt bricht mit dem in den vergangenen 200 Jahren gewachsenen Amtsverständnis und hat damit das Potenzial, nicht nur den Charakter des Amtes grundlegend zu wandeln, sondern damit auch weit in den Katholizismus selbst auszustrahlen."[3]
Die folgenden Überlegungen zum Amtsverzicht Benedikts XVI. zielen auf einen theologischen Begriff des kirchlichen Leitungsamtes. Dessen „Entzauberung" war vielfach mit dem überraschenden Schritt des Papstes diagnostiziert worden. Im Anschluss an Max Weber wird deshalb in einem ersten Zugang skizziert, was das Spezifikum des kirchlichen Amtes ausmacht. Dieses ist einerseits durch die Einheit von Amt, Person und Zeugnis gekennzeichnet; andererseits bleiben Amt und Person voneinander unterschieden, da die Sendung der Kirche immer größer ist als das Vermögen der Menschen, die sich in ihren Dienst stellen. Angesichts der Begabungen, aber auch eingedenk der Schwächen der Amtsträger wird in einem weiteren Schritt gefragt, welcher Beistand von der göttlichen Gnade für die Ausübung eines kirchlichen Amts erhofft werden darf.
Versteht sich die Kirche als „komplexe Wirklichkeit, die aus menschlichem und göttlichem Element zusammenwächst" (LG 8), so ist auch das kirchliche Amt als eine geschichtliche Größe zu verstehen. Seine jeweilige Gestalt entspricht dann seiner Bestimmung, wenn es den Amtsträgern ermöglicht, den Heilswillen Gottes für die Menschen wirksam zur Geltung bringt. Dies gilt in besonderer Weise für das Amt des Bischofs von Rom. Insofern lädt der aufsehenerregende Amtsverzicht Papst Benedikts XVI.

---

[3] http://www.uni-muenster.de/imperia/md/content/religion_und_politik/aktuelles/2013/02_2013/ansichtssache_ruecktritt_als_bruch.pdf (30.11.2013).

die Theologie dazu ein, vertieft über Aufgabe, Wesen und Gestalt des kirchlichen Amtes insgesamt nachzudenken.

1. „Entzauberung" des Amtes?

Der im Zusammenhang mit Benedikts Amtsverzicht wiederholt laut gewordene Begriff „Entzauberung" – sei es des Papstamtes, sei es der katholischen Kirche als Ganzer – erinnert an den einflussreichen deutschen Rechtswissenschaftler, Nationalökonomen, Historiker und Soziologen Max Weber (1864-1920). In dessen 1917 gehaltenem Vortrag „Wissenschaft als Beruf" verweist der Begriff „Entzauberung" auf jenen kultur-, geistes- und sozialgeschichtlichen Prozess, in dem die mythische Weltdeutung der „Vormoderne" durch eine fortschreitende Rationalisierung, Technisierung und Ökonomisierung aller Lebensbereiche abgelöst wurde.[4] Wesentlich für diesen Prozess sind die epochalen Fortschritte, die in Europa seit dem 17. Jahrhundert in den methodisch geleiteten Naturwissenschaften, in der Technik und in der Medizin erzielt wurden.

Die Rationalisierung und Ökonomisierung aller Lebensbereiche führte zu einer grundlegenden Neudefinition der Autoritäten in den betroffenen Gesellschaften. Solange die inzwischen wissenschaftlich weitgehend erhellten Zusammenhänge in der Natur unbekannt waren, legte sich deren Erklärung als Ergebnis des Wirkens numinoser Mächte nahe. Diese wurden für Vorgänge in der Natur, aber auch für soziale und politische Ereignisse verantwortlich gemacht: Götter waren verantwortlich für Aussaat, Wachstum und Ernte, für Zeugung, Schwangerschaft und Geburt, für Krankheit, Leiden und Tod; sie waren auch verantwortlich für Krieg und Frieden, für Handel und Gewerbe.[5]

Die numinosen und oft unberechenbaren Mächte gnädig zu stimmen war zwingend notwendig für den Erhalt des Lebens und für den Wohlstand einer Familie, einer Sippe oder auch eines Volkes. Seit jeher wurde von Königen und Priestern, aber auch von Hebammen und Ärzten angenommen, dass sie die numinosen Mächte günstig zu beeinflussen imstande seien. In den Augen ihrer Zeitgenossen waren sie oft von einer sakralen Aura umgeben; denn sie standen in unmittelbarem Kontakt mit dem

---

[4] Erstveröffentlichung in: Der Sozialismus. Geistige Arbeit als Beruf. Vier Vorträge vor dem Freistudentischen Bund. Erster Vortrag, München/Leipzig 1919, wieder abgedruckt in: Gesammelte Aufsätze zur Wissenschaftslehre, hrsg. v. Marianne Weber, Tübingen 1924 [Neudruck Tübingen 1988], 524-555, hier 536.

[5] Vgl. Hermann Usener, Götternamen. Versuch einer Lehre von der religiösen Begriffsbildung, Bonn 1896 [Neudruck Frankfurt am Main 2000].

„Heiligen“, der faszinierenden und zugleich furchterregenden Welt der Götter.[6]

Mit dem Fortschritt der naturwissenschaftlichen Welterklärung, der Technik und der Medizin wurden diese Personen zunehmend der Grundlagen ihres Wirkens und des damit verbundenen Ansehens beraubt, so Weber. An die Stelle von Schamanen, Wahrsagern oder Priestern traten Wissenschaftler und Technokraten; der Medizinmann wurde zum Arzt, der Herrscher zum Politiker, der Priester zum Psychotherapeuten. Zweifellos gibt es hier in globalgeschichtlicher Perspektive Phasenverschiebungen. Doch spätestens zu Beginn des 3. Jahrtausends hat der Prozess der Säkularisierung weltweite Dimensionen erlangt. Seine tiefgreifenden soziokulturellen Folgen werden auch durch eine vielerorts zu diagnostizierende Renaissance des Religiösen keineswegs gemindert.

Unter „Säkularisierung“ wird im Allgemeinen die Herausbildung von Wirklichkeitsbereichen verstanden, die gegenüber dem Religiösen selbstständig sind und autonomen Regeln gehorchen.[7] Zu diesen Wirklichkeitsbereichen zählen etwa die Politik, die Ökonomie oder auch die Technik. Von der Aufklärung unterscheidet sich die Säkularisierung dadurch, dass sie nicht notwendig reflex und im expliziten Rekurs auf eine universale Vernunft erfolgt, sondern vielfach pragmatisch vollzogen wird. Deshalb begegnen Phänomene der Säkularisierung heutzutage auch in solchen Gesellschaften, die keineswegs als aufgeklärt, ja womöglich sogar als zutiefst religiös bestimmt gelten.

In Europa blieb das Vordringen der Wissenschaften in alle Wirklichkeitsbereiche für die kirchlichen Funktionsträger nicht folgenlos. Dabei trafen zwei einander zuwiderlaufende Bewegungen aufeinander: Einer aufklärerischen Tendenz zu einem funktionalen Amtsverständnis, wie es beispielsweise im Calvinismus oder im österreichischen Josephinismus vertreten wurde, standen im römischen Katholizismus schon bald Bemühungen entgegen, das kirchliche Amt und seine Inhaber vorrangig in religiös-sakralen Kategorien zu begreifen.

---

[6] Zur religionsgeschichtlich verbreiteten Vorstellung vom *theios aner* bzw. *vir dei* vgl. Arnold Angenendt, Geschichte der Religiosität im Mittelalter, Darmstadt 1997, 160-166 (Lit.).

[7] Vgl. zum Begriff „Säkularisierung“ u. a. Hans Joas, Führt Modernisierung zur Säkularisierung?, in: Ders., Glaube als Option, Freiburg u. a. 2012, 23-42, bes. 25-28, Anm. 7 (Lit.). Joas versteht Säkularisierung im denkbar weiten Sinn „einer abnehmenden Bedeutung von Religion“ (27). Vgl. zum Begriff neben dem grundlegenden Werk von Charles Taylor, Ein säkulares Zeitalter, Frankfurt am Main 2009 (Orig. 2007), auch: Karl Gabriel / Christel Gärtner / Detlef Pollack (Hg.), Umstrittene Säkularisierung. Soziologische und historische Analysen zur Differenzierung von Religion und Politik, Berlin 2012.

Dies betraf in besonderer Weise den höchsten aller christlichen Priester, den *Summus Pontifex*, den Papst. Gegen die Infragestellung des römischen Primats von Seiten der Reformatoren haben Kontroverstheologen wie Kardinal Robert Bellarmin (1542-1621) die herausgehobene Stellung des Papstes in der katholischen Kirche nicht nur verteidigt, sondern ekklesiologisch entfaltet und vertieft.[8] Aber nicht nur in der Theologie, sondern auch in der Frömmigkeit des nachtridentinischen Katholizismus nahm die Position des Papstes eine herausgehobene Stellung ein. Hierzu trugen auch jene Wallfahrten in die „Heilige Stadt" Rom bei, die seit dem Jahr 1300 im Zusammenhang mit der von Papst Bonifaz VIII. initiierten Tradition des „Heiligen Jahres" gepflegt wurden. Ziel und Höhepunkt fanden diese Wallfahrten nicht allein beim Besuch der Apostelgräber, sondern auch und vor allem bei Gottesdiensten oder Audienzen mit dem „Heiligen Vater". Die hiermit verbundenen Ablässe trugen erheblich dazu bei, Ansehen und Stellung des Papstes zu mehren.[9]

Hatte die Französische Revolution die religiöse Legitimation der europäischen Herrscher zutiefst erschüttert, so etablierte sich gerade gegenläufig dazu im Katholizismus des 19. Jahrhunderts ein Bild von Kirche und Papst, welches nicht nur die Priester, sondern insbesondere auch das päpstliche Amt und seinen jeweiligen Inhaber in zuvor unbekannter Weise sakralisierte. Diese Tendenzen in Theologie und Frömmigkeit bereiteten maßgeblich den Weg für die Definitionen von Jurisdiktionsprimat und päpstlicher Unfehlbarkeit auf dem Ersten Vatikanischen Konzil (1869/70).

Entsprechend wurde das Auftreten der Päpste seit dem 19. Jahrhundert prunkvoll inszeniert. Ehrengarden, Palmwedel, die *Sedes gestatoria*, die Tiara – alles dies trug dazu bei, den sakralen Nimbus des Papstes zu intensivieren. Erst unter Papst Paul VI. kam es zu einem fortschreitenden Verzicht auf solche Symbole. Gerade Benedikt XVI. allerdings hat einige Zeichen päpstlicher Würde erneut wiederbelebt, die seit langem der Vergangenheit anzugehören schienen.

Andererseits hatte gerade dieser Papst immer schon eine gewisse Distanz zu dem ihm übertragenen Amt erkennen lassen. Bereits vor seiner Wahl zum Papst und erneut in einem Interview danach äußerte Benedikt, dass ein Papst dazu verpflichtet sein könne, auf sein Amt zu verzichten, wenn er es nicht mehr sachgerecht auszuüben in der Lage sei.[10] Auch die dop-

---

[8] Vgl. Wolfgang Klausnitzer, Der Primat des Bischofs von Rom. Entwicklung – Dogma – Ökumenische Zukunft, Freiburg u. a. 2004, bes. 327-337.

[9] Vgl. Eva Maria Jung-Inglessis, Das Heilige Jahr in Rom. Geschichte und Gegenwart, Vatikan 1997; Desmond O'Grady, Alle Jubeljahre. Die „Heiligen Jahre" in Rom von 1300 bis 2000, Freiburg u. a. 1999.

[10] Benedikt XIV., Licht der Welt. Der Papst, die Kirche und die Zeichen der Zeit. Ein

pelte Autorschaft seiner drei Jesus-Bücher verweist auf die Unterscheidung von päpstlichem Amt und Person des Papstes.

Die Unterscheidung von Amt und Person, wie sie sich im Verlauf der europäischen Rechtsgeschichte herausgebildet hat,[11] ist ein wesentliches Kennzeichen bürokratisch organisierter Staaten. Diese sind maßgeblich durch den Typus „legaler Herrschaft" im Sinne von Max Weber geprägt. Deren Besonderheit ist im Folgenden zu skizzieren, um das Spezifikum das Amtsverzichts Benedikts XVI. amtstheologisch und ekklesiologisch deutlicher zu erfassen.

2. Herrschaft und Amt nach Max Weber

Um die Herausbildung des bürokratischen Verfassungsstaats und seiner Strukturen in der europäischen Moderne historisch einordnen zu können, unterscheidet Weber drei „reine Typen legitimer Herrschaft": den Typus „legaler Herrschaft" mit bürokratischem Verwaltungsstab, den Typus „traditionaler Herrschaft" und den Typus „charismatischer Herrschaft".[12] Nur der bürokratisch organisierte Herrschaftstyp kennt die Sozialform des „Amtes".

„Legale Herrschaft" meint die Ausübung von Herrschaft auf der Grundlage von Recht, Gesetz und Ordnung einerseits und die Anerkennung solcher Herrschaft durch die Beherrschten andererseits. Sie ist nach Weber dadurch gekennzeichnet, „daß beliebiges Recht durch formal korrekt gewillkürte Satzung geschaffen und abgeändert werden könne".[13] Das so „gesatzte Recht" ist die Grundlage von Herrschaft: „Gehorcht wird nicht der Person, kraft deren Eigenrecht, sondern der gesatzten Regel, die dafür maßgebend ist, wem und inwieweit ihr zu gehorchen ist. Auch der

---

Gespräch mit Peter Seewald, Freiburg u. a. 2010, 47.

[11] Vgl. dazu grundlegend Ernst H., Kantorowicz Die zwei Körper des Königs. Eine Studie zur politischen Theologie des Mittelalters, München 1994.

[12] Weber definierte „Herrschaft" als „Chance [...], für spezifische Befehle bei einer angebbaren Gruppe von Menschen Gehorsam zu finden". „Macht" hingegen ist die „Chance, innerhalb einer sozialen Beziehung den eignen Willen auch gegen Widerstreben durchzusetzen, gleichviel worauf diese Chance beruht" (Wirtschaft und Gesellschaft. Grundriß der verstehenden Soziologie [1922 posthum], § 16 [5. rev. Aufl., bes. v. J. Winckelmann, Tübingen 1972, 122]). Demnach ist „Herrschaft" durch das Moment der Freiwilligkeit bestimmt, „Macht" hingegen durch das Moment des Zwangs.

[13] Die drei reinen Typen der legitimen Herrschaft (erstmals posthum in: Preußische Jahrbücher 187 [1922] 1-12), auch in: Max Weber, Gesammelte Aufsätze zur Wissenschaftslehre, 475-488, 476.

Befehlende selbst gehorcht, indem er einen Befehl erläßt, einer Regel: dem »Gesetz« oder »Reglement«, einer formal abstrakten Norm".[14]
Reinster Typus der legalen Herrschaft ist nach Weber die bürokratische Herrschaft. Akteure im Rahmen einer bürokratischen Herrschaft sind der „Vorgesetzte", der „Beamte" und der „Bürger". Es gibt Fachbeamte, die über spezifische Kenntnisse verfügen und denen bestimmte Kompetenzen eingeräumt sind. Sie urteilen und handeln im Idealfall *„,sine ira et studio'*, ohne allen Einfluß persönlicher Motive oder gefühlsmäßiger Einflüsse, frei von Willkür und Unberechenbarkeiten, insbesondere »ohne Ansehen der Person« streng formalistisch nach rationalen Regeln".[15] Eine bürokratische Herrschaft funktioniert nur dann, wenn sich ihr alle Bürger freiwillig unterwerfen. Sie ist durch streng organisierte Verwaltung, Betriebsdisziplin und Kompetenzorientierung charakterisiert. Aufgrund ihrer formalen Strukturen ist eine bürokratische Herrschaft sehr stabil. Wird ein Beamter den ihm gestellten Aufgaben nicht mehr gerecht, kann er ausgetauscht werden. Bürokratische Herrschaftsstrukturen überdauern ihre Beamten, und zwar selbst in Phasen revolutionären Umbruchs.
Der zweite Typus reiner Herrschaft ist nach Weber die traditionale Herrschaft. „Traditional" ist eine Herrschaft dann, wenn sie auf Konvention und Herkommen beruht. Die Autorität verpflichtender Regeln und deren Akzeptanz gründen in Alter und Überlieferung. Beides hat selbst der Herrscher zu respektieren, will er die Legitimität seiner Herrschaft und damit seine Autorität nicht gefährden.
Der reinste Typus traditioneller Herrschaft ist die „patriarchalische Herrschaft", eine Herrschaft „kraft Glaubens an die Heiligkeit der von jeher vorhandenen Ordnungen und Herrengewalten".[16] In reinster Form begegnet diese Herrschaft in der Herrschaft des Patriarchen über seine Familie oder Sippe. Als „Herr" ist der Patriarch das unumstrittene Haupt des von ihm beherrschten Sozialverbandes; seinen Befehlen haben die „Untertanen" unbedingten Gehorsam zu zollen. Wenn es in einem patriarchal strukturierten Verband eine intermediäre Ebene gibt, so handelt es sich dabei um „Diener".
Der Verwaltungsstab des jeweiligen Herrschers besteht aus persönlich Abhängigen, aus Verwandten, persönlichen Freunden oder auch ihm durch persönliches Treueband Verbundenen. Vielfach fehlt diesen Personen jene Sachkompetenz, die den Beamten in der bürokratischen Herrschaftsform auszeichnet. Hingegen dominieren personale Autorität, persönliche Loyalität, Verwandtschaft oder Gefolgschaftstreue.

---

[14] Ebd.
[15] Die drei reinen Typen, 476.
[16] Die drei reinen Typen, 478.

Dies ändert sich erst in der ständischen Form traditionaler Herrschaft. Agieren die Diener in der patriarchalischen Herrschaftsform in völliger Abhängigkeit von ihrem Herrn, so haben sie in der ständischen Form traditionaler Herrschaft durch Privileg oder Kauf ein gewisses Recht auf ihr Amt erworben. Hieraus resultiert ein gewisses Maß an Gewaltenteilung, wie es beispielsweise in der mittelalterlichen Ständeverfassung der Fall war.

Den dritten Typus legitimer Herrschaft charakterisiert Weber als „charismatische Herrschaft". Ein „Charisma" ist nach Weber eine „als außeralltäglich [...] geltende Qualität einer Persönlichkeit [...], um derentwillen sie als mit übernatürlichen oder übermenschlichen oder mindestens spezifisch außeralltäglichen, nicht jedem anderen zugänglichen Kräften oder Eigenschaften [begabt] oder als gottgesandt oder als vorbildlich und deshalb als ‚Führer' gewertet wird".[17] Magische Fähigkeiten etwa, der Besitz besonderer Offenbarungen oder militärisches Heldentum bestimmen das Handeln „charismatischer Führer". Um sie scharen sich weder „Bürger" noch „Untertanen", sondern „Jünger". Die Art der Beziehung der Jünger zu ihrem Führer ist die der „Nachfolge". Diese ist geprägt durch die existenziell vollzogene „Hingabe an die Person des Herrn und ihre Gnadengaben (Charisma)".[18]

Kennzeichnend für eine charismatische Herrschaft ist die Freiheit von allen Konventionen und Regeln. Das Prinzip der Willkür, das sich in der traditionalen Herrschaft zwar andeutete, aber doch durch die Geltung von Traditionen und Konventionen eingehegt war, verschafft sich nun uneingeschränkt Geltung. Wille und Wort des charismatischen Führers sind unmittelbar verpflichtend für die ihm folgende Jüngerschaft – ohne dass dies irgendeinen Rechtsgrund schüfe, auf den sich jemand in künftigen Situationen berufen könnte. Denn es gibt keine normative Instanz, an der das Wollen und Handeln des charismatischen Führers gemessen werden könnte. Seine Entscheidungen können von Fall zu Fall anders lauten, sind für seine Jünger aber gleichwohl unbedingt verpflichtend. Intermediäre Ebenen bleiben immer instabil; auch der engere Jüngerkreis ist in seinen Handlungen unmittelbar an den charismatischen Führer zurückgebunden. Die Jüngerschaft eines charismatischen Führers befindet sich gleichsam in einem permanenten Ausnahmezustand. Dieser ist oft durch eine radikale Distanzierung vom Alltag gekennzeichnet.

Allerdings ist dieser Herrschaftstypus nach Weber nahezu zwangsläufig dem Prozess einer „Veralltäglichung" unterworfen. Treibendes Motiv für die Veralltäglichung des Charismas ist zunächst die Notwendigkeit, die

---

[17] Wirtschaft und Gesellschaft, 3. Kap. – Typen der Herrschaft, 4. § 10 (S. 140).
[18] Die drei reinen Typen, 481.

sozialen Ordnungen an die normalen Alltagserfordernisse anzupassen. Hinzu tritt „das Streben nach Sicherung und das heißt: Legitimierung der sozialen Herrenpositionen und ökonomischen Chancen für die Gefolgschaft und Anhängerschaft des Herrn".[19] Gemessen an der Dynamik des Anfangs sind diese Motive zweifellos defizitär; sie sind aber dem legitimen menschlichen Streben nach Anerkennung und ökonomischer Sicherheit geschuldet.

Die „Veralltäglichung" des ursprünglichen Charismas besagt keineswegs sein vollständiges Erlöschen. Vielmehr legitimiert seine Assimilation in nunmehr fixierten Strukturen und Institutionen den über die Zeiten fortdauernden Anspruch der Jüngerschaft, das ursprüngliche Charisma ihres Führers veränderten Rahmenbedingungen anzupassen.

Vergleicht man die drei Herrschaftstypen von Max Weber, dann zeigen sich darin jeweils charakteristische Stärken und Schwächen. So eröffnen beispielsweise bürokratische Herrschaftsformen durchaus Potenziale für Veränderungen, weil sie Individuen und Institutionen von der Notwendigkeit entlasten, von Fall zu Fall verlässliche Regelungen auszuhandeln. Solche Regeln sind in bürokratischen Herrschaftsformen vielmehr ungefragt in Geltung und bieten auch dann, wenn Grenzkonflikte niemals auszuschließen sind, einen stabilen Rahmen für innovatorisches Handeln.

Charismatische Herrschaftsformen wiederum produzieren nicht nur Instabilitäten, sondern formulieren auch einheitliche Ideen, die stabile soziale Ordnungen hervorbringen können. Vermutlich können soziale Ordnungen auf einheitliche Ideen gar nicht verzichten; denn erst sie verleihen der Rationalisierung und Institutionalisierung von Gesellschaften jene Kohärenz, die notwendig ist, um den Fortbestand eines Gemeinwesens allererst zu gewährleisten.[20] Zugleich fördert die Spannung zwischen dem ursprünglichen Charisma und den sich herausbildenden Institutionen ein individuell differenziertes und eigenverantwortliches Handeln und kann so zur Quelle fortgesetzter Innovation und Kreativität werden.

Die drei „reinen Typen legitimer Herrschaft", die Max Weber vorstellt, sind idealtypische Beschreibungen. Mischformen zwischen ihnen sind in der sozialen, politischen und ökonomischen Realität nicht die Ausnahme, sondern die Regel. Als idealtypische Beschreibungen decken Webers Typen legitimer Herrschaft gleichwohl Akzentsetzungen und Tendenzen in realen Institutionen auf. Weil sich die katholische Kirche wesentlich als institutio-

---

[19] Wirtschaft und Gesellschaft, 3. Kap. – Typen der Herrschaft, 4. § 12a (S. 147).

[20] Vgl. hierzu die fortdauernden Diskussionen um das vielzitierte Diktum von Ernst-Wolfgang Böckenförde: „Der freiheitliche, säkularisierte Staat lebt von Voraussetzungen, die er selbst nicht garantieren kann" (Staat, Gesellschaft, Freiheit, Frankfurt am Main 1976, 60).

nelle Größe in Raum und Zeit versteht, ist es nicht nur theologisch legitim, sondern auch von diagnostischem Wert, den Amtsverzicht Papst Benedikts XVI. im Spiegel der Herrschaftskritik von Max Weber zu betrachten.

3. Die Einheit von Amt, Person und Zeugnis

Zweifellos ist die Zeit der Kirche nicht mehr die der charismatischen Ursprünge. Jesu sich beispielsweise in der Bergpredigt Geltung verschaffender Vollmachts-Anspruch („Ich aber sage euch ...“: vgl. Mt 5) ist einzigartig und unwiederholbar. Gerade als solcher aber bleibt er für die Zeit der Kirche normativ. Es würde heute merkwürdig berühren, träte ein kirchlicher Amtsträger mit dem Anspruch auf, richtungsweisende Entscheidungen von Fall zu Fall je anders und nach Gutdünken zu treffen. Die Kirche im Ganzen wie das kirchliche Amt im Besonderen zeichnen sich vielmehr durch ihre bleibende Rückbindung an die normativen Ursprünge aus, wie sie nach dem Zeugnis des Neuen Testaments in Person und Auftreten Jesu gegeben sind.[21]
Weil die kirchlichen Amtsträger auch in weltlichen Angelegenheiten nicht aus eigener Autorität, sondern „in persona Christi“ handeln, bleiben Sie auf Jesu Wollen und Handeln verwiesen. Dies gilt auch für den Papst. Zwar beanspruchen die Päpste seit der Spätantike den rechtlichen Grundsatz *prima sedes a nemine iudicatur* – der erste Bischofssitz wird von niemandem gerichtet.[22] Dieser Grundsatz legitimiert jedoch keine absolute Herrschaft. Vor dem göttlichen Richter haben sich auch die Päpste zu verantworten – wie es nicht zuletzt zahlreiche Weltgerichtsbilder aus dem späten Mittelalter drastisch vor Augen führen.[23]

[21] Vgl. Karl Lehmann, Die Frage nach Jesus von Nazaret, in: Handbuch der Fundamentaltheologie, hg. v. Walter Kern u. a., Bd. 2: Traktat Offenbarung, Freiburg u. a. 1985, 122-144, bes. 140-143.

[22] Vgl. Salvatore Vacca, Prima sedes a nemine iudicatur. Genesi e sviluppo storico dell'assioma fino al Decreto di Graziano (Miscellanea Historiae Pontificiae 61), Rom 1993; ferner: Klaus Schatz, Der päpstliche Primat. Seine Geschichte von den Ursprüngen bis zur Gegenwart, Würzburg 1990, 95-98; Klausnitzer, Der Primat des Bischofs von Rom, 208-212.

[23] Auch die päpstliche Unfehlbarkeit bleibt nach der Definition des Ersten Vatikanischen Konzils (DzH 3074) zurückgebunden an den Glauben der Kirche – und damit letztlich an die Selbstmitteilung Gottes in Jesus Christus. Von ihr her gewinnt die Lehrverkündigung der Päpste ihre Legitimation, erfährt aber auch ihre Begrenzung, wenn sie beanspruchen, den Glauben der Kirche mit unfehlbarer Gewissheit zur Darstellung zu bringen. Vgl. dazu u. a. Hermann Josef Pottmeyer, Die Rolle des Papsttums im Dritten Jahrtausend (Quaestiones disputatae 179), Freiburg u. a. 1999, bes. 81-94.

Nach christlichem Selbstverständnis lebt die Kirche aus dem Bewusstsein der bleibenden Gegenwart Jesu Christi im Heiligen Geist (vgl. Joh 15,26; 16,13 u. a.). Auf dieser Grundlage weiß sich die Kirche hinsichtlich ihrer disziplinarischen und institutionellen Ordnung autorisiert, solche Formen der Selbstorganisation, des Rechts und der Verkündigung zu entwickeln und auch verbindlich vorzuschreiben, die ihrer ursprünglichen Sendung dienen.[24] Dennoch ist die Kirche keine säkulare Demokratie. Denn der Souverän der Kirche ist nicht das Kirchenvolk, sondern der dreifaltige Gott, zu dessen Zeugnis die Kirche berufen ist. Deshalb bleibt die Kirche hinsichtlich ihrer normativen wie auch ihrer legitimatorischen Grundlagen an die biblisch bezeugte Offenbarung gebunden.[25]

Der mit Blick auf die Identität der Kirche konstitutive Rückbezug auf ihren Ursprung in der geschichtlichen Selbstmitteilung Gottes begründet nun gerade im Christentum einen Herrschaftstypus, der unverkennbar Züge einer „traditionalen Herrschaft" trägt. Denn im Licht der Herrschaftstypologie von Max Weber erscheint das sakramentale Amt – anders als im bürokratischen Herrschaftstypus – wesentlich als eine personale Indienstnahme.

Selbstverständlich sind mit einer kirchlichen Weihe zum Diakon, Priester oder Bischof jeweils spezifische Kompetenzen und Aufgaben verbunden. Anders aber als die Ernennung zu einem Staatsbeamten ist die kirchliche Weihe keine bloße Übertragung von Kompetenzen oder Aufgaben auf der Grundlage zuvor angeeigneten Fachwissens. Der Ritus der Handauflegung besagt vielmehr eine personale Indienstnahme; er begründet – auch nach dem Wortlaut der Weiheliturgie – ein persönliches Treueverhältnis zum Bischof als dem Garanten der apostolischen Überlieferung. Dieses Treueverhältnis entspricht weitgehend dem traditionalen Herrschaftstypus nach Max Weber. Damit ist zwar keineswegs die notwendige „Fachkompetenz" des Weihekandidaten entwertet. Nicht zufällig gilt ja gerade das

---

[24] Vgl. Michael Böhnke, Kirche in der Glaubenskrise. Eine pneumatologische Skizze der Ekklesiologie und zugleich eine theologische Grundlegung des Kirchenrechts, Freiburg u. a. 2013. Nach Böhnke speist sich die Vollmacht der Kirche, rechtliche Strukturen zu etablieren, theologisch aus der Zusage der Treue Gottes, wie sie im Zentrum des Offenbarungsgeschehens steht. Demnach hat das Kirchenrecht „die in der Treue Gottes (*ius divinum*) implizierte unbedingte Achtung und Anerkennung von Freiheit durch Freiheit, das heißt das Kommerzium göttlicher und menschlicher Freiheit, durch Rechtssätze zu schützen" (276).

[25] Vgl. Hans Maier / Joseph Ratzinger, Demokratie in der Kirche. Möglichkeiten, Grenzen, Gefahren, Limburg 1970 [Neuauflage mit verändertem Untertitel „Möglichkeiten und Grenzen" und nachträglichen Stellungnahmen der Autoren, Regensburg 2000]. Vgl. auch Sabine Demel, Mitmachen – mitreden – mitbestimmen. Grundlagen, Möglichkeiten und Grenzen in der katholischen Kirche, Regensburg 2001.

Vorhandensein bestimmter Begabungen und Fähigkeiten als Zeichen für die Tatsächlichkeit einer Berufung. Wohl aber sind die fachlichen Qualifikationen eines Kandidaten nicht losgelöst von seiner Persönlichkeit zu beurteilen.[26]

Diese Konzeption, die im Übrigen in ähnlicher Weise auch für die Übertragung nichtsakramentaler Ämter in der katholischen Kirche Geltung beanspruchen darf, entspricht in ihrer grundlegenden Struktur durchaus dem Wesen des christlichen Glaubens. Gründet dieser doch in der vertrauensvollen Annahme eines persönlichen Christus-Zeugnisses (vgl. Gal 1,9; 1 Kor 11,23; 15,3). In dieser Annahme findet der Glaube seine formale Gestalt. Denn der Akt des Glaubens ist nicht nur seiner Genese, sondern auch seiner Natur nach ein personal-dialogisches Sich-Einlassen auf das Lebenszeugnis vertrauenswürdiger Menschen.[27] Deren Zeugnis aber hat nach christlichem Verständnis einen klar bestimmbaren Inhalt: die Selbstoffenbarung des dreifaltigen Gottes in der Geschichte des Volkes Israel und in der Gestalt Jesu von Nazareth.

In einem Beitrag zum Petrusprimat hat Joseph Ratzinger die für die Verbindlichkeit des Glaubens notwendige Einheit von Wort und Zeugnis betont: „Das Wort ist an den Zeugen gebunden, der für seine Unzweideutigkeit einsteht, die es als bloßes, in sich schwebendes Wort nicht hat."[28] Dem entsprechend, so Ratzinger an anderer Stelle, ist auch „‚Überlieferung' [...] nie einfaches, anonymes Weitergeben von Lehre, sondern ist persongebunden, ist lebendiges Wort, das im Glauben seine konkrete Wirklichkeit hat. Und umgekehrt: Nachfolge ist nicht ein Übernehmen

---

[26] Vgl. hierzu auch Johannes Paul II., Nachsynodales Schreiben „Pastores dabo vobis" vom 25. März 1992, bes. Nr. 35-36 (Acta Apostolicae Sedis 84 [1992] 714-718; Verlautbarungen des Apostolischen Stuhls 105, hrsg. vom Sekretariat der Deutschen Bischofskonferenz, Bonn 1992, 77-82); ferner die Rahmenordnung für die Priesterausbildung (2003), bes. Nr. 5 (Die Deutschen Bischöfe 73, hrsg. vom Sekretariat der Deutschen Bischofskonferenz, Bonn 2003, 17).

[27] Es geht also nicht darum, den Inhalt des Glaubens (*fides quae*) durch eine einseitige Betonung des Glaubensaktes (*fides qua*) zu entleeren, wohl aber darum, beides in ihrer inneren Beziehung aufzudecken; denn der Glaubensakt ist dem Glaubensinhalt nicht äußerlich (akzidentell). – Nicht zuletzt das Prinzip der *successio apostolica* hat hier seinen theologischen Ursprung, insofern es dabei nicht um die bloße Weitergabe von Glaubenswahrheiten, sondern wesentlich um Zeugnisgemeinschaft geht. Irenäus von Lyon beispielsweise betont sowohl die *successio apostolica* als auch die *regula fidei* in ihrer kriteriologischen Bedeutung für die katholische Kirche.

[28] Josef Ratzinger, Primat Petri und Einheit der Kirche, in: Ders., Zur Gemeinschaft gerufen. Kirche heute verstehen (1991), Freiburg u. a. 2005, 44-69, hier 64 (auch in: Kirche – Zeichen unter den Völkern. Schriften zur Ekklesiologie und Ökumene [Gesammelte Schriften 8/1], hg. v. Gerhard Ludwig Müller, Freiburg u. a. 2010, 610-628, hier 623).

von Amtsgewalten, die ihrem Träger dann zur Verfügung stehen, sondern sie ist Indienstnahme für das Wort, Zeugenamt am anvertrauten Gut, das über seinem Träger steht, so dass er ganz hinter dem zurücktritt, was er überkommen hat."[29] Vor diesem Hintergrund macht Ratzinger darauf aufmerksam, dass der griechische Begriff *diadoché* beides bedeutet, nämlich „*traditio* und *successio* in einem".[30]

Letztendlich, so Ratzinger, ist es nicht bloß eine anthropologische Notwendigkeit, dass die Verbindlichkeit des gesprochenen Wortes auch als persönliches Zeugnis gewahrt bleibt. Vielmehr zeigt sich in der inneren Einheit von Nachfolge und Überlieferung die innere Logik der Offenbarung Gottes in Jesus Christus. Denn in Jesus von Nazareth ist Gott selbst ein geschichtlich konkretes menschliches Individuum geworden. „Wenn die *successio* die konkrete Gestalt des Wortes ist, dann gehört dazu von Anfang an auch jene höchste – vielleicht ärgerniserregende – Konkretheit, die in der letzten Bindung an die römische Sukzessionsfolge liegt: Hier ist jede Anonymität aufgehoben, der konkrete Name fordert unausweichlich zur Stellungnahme, er ist die zugespitzteste Form jener äußersten Konkretheit, in die sich Gott begeben hat, in der er nicht nur einen Namen für die Menschen, sondern Fleisch für die Menschen angenommen hat – das Fleisch der Kirche."[31]

Die Kirche ist zwar nicht der fortlebende Christus selbst, wohl aber „Leib Christi" in einem der Inkarnation analogen Sinn.[32] An die Seite von Wort und Zeugnis tritt als Dritter der Heilige Geist, so Ratzinger.[33] Alle drei –

---

[29] Josef Ratzinger, Primat, Episkopat und Successio Apostolica (1961), in: Wort Gottes. Schrift – Tradition – Amt, hg. von Peter Hünermann / Thomas Söding, Freiburg u. a. 2005, 13-36, hier 21 (auch in: Künder des Wortes und Diener eurer Freude. Theologie und Spiritualität des Weihesakraments [Gesammelte Schriften 12], 212-232, hier 219f).

[30] Primat, Episkopat und Successio Apostolica, 24 (Gesammelte Schriften 12, 222).

[31] Primat, Episkopat und Successio Apostolica, 30 (Gesammelte Schriften 12, 228).

[32] Die Kirche ist nach den Worten der Kirchenkonstitution des Zweiten Vatikanums „in einer nicht unbedeutenden Analogie dem Mysterium des fleischgewordenen Wortes ähnlich. Wie nämlich die angenommene Natur dem göttlichen Wort als lebendiges, ihm unlöslich geeintes Heilsorgan dient, so dient auf eine ganz ähnliche Weise das gesellschaftliche Gefüge der Kirche dem Geist Christi, der es belebt, zum Wachstum seines Leibes (vgl. Eph 4,16)" (*Lumen gentium*, Nr. 8). Der Tübinger katholische Theologe Johann Adam Möhler (1796-1838) hingegen sah in der Kirche den „fortlebenden Christus in der Zeit". Demnach ist die Kirche „der unter den Menschen in menschlicher Form fortwährend erscheinende, stets sich erneuernde, ewig sich verjüngende Sohn Gottes, die andauernde Fleischwerdung desselben" (Symbolik oder Darstellung der dogmatischen Gegensätze der Katholiken und Protestanten nach ihren öffentlichen Bekenntnisschriften, Regensburg ^{7}1909, 333).

[33] Vgl. J. Ratzinger, Primat Petri und Einheit der Kirche, 64f (auch in: Gesammelte

Wort, Zeuge und Heiliger Geist – konstituieren die sakramentale Struktur der Kirche und darin jene Einheit von sichtbarer Gestalt und unsichtbarer Wirklichkeit, in der Gott in der Welt erkennbar und wirksam werden will.[34] In diesem Rahmen sind Amt, Person und kirchliche Gemeinschaft innerlich aufeinander verwiesen. Kein kirchliches Amt dient der abstrakten Heiligung eines Menschen. Vielmehr ist der Amtsträger in einer doppelten Bewegung auf die Zeugnisgemeinschaft der Kirche bezogen, insofern er aus ihr stammt und für den Dienst an ihr bestellt ist.[35] Kirche ist deshalb wesentlich Nachfolge-Gemeinschaft und Gemeinschaft der Zeugen Jesu Christi. Die kirchlichen Amtsträger sind in erster Linie und vor allem Zeugen Jesu Christi, die die ihnen Anvertrauten ihrerseits zum Zeugnis befähigen sollen. In einer oft dem heiligen Augustinus zugeschriebenen Formulierung wird dies treffend zum Ausdruck gebracht: „Mit euch bin ich Christ, für Euch bin ich Bischof".[36]

Anders als in bürokratisch organisierten Herrschaftstypen sind die kirchlichen Amtsträger deshalb keine „Beamten", die „ohne Ansehen der Person" und „sine ira et studio" entscheiden und handeln. So sehr das Evangelium Jesu Christi, für das sie einstehen, ihre oft armseligen Möglichkeiten übersteigt, üben sie ihren Auftrag und Dienst nur dann wirksam aus, wenn sie im Dienst des Evangeliums und in der Kraft des Heiligen Geistes als glaubwürdige Zeugen agieren. Das aber ist nur dann möglich, wenn sie nicht als austauschbare Beamte, sondern als unverwechselbare Personen handeln.

Schriften 8/1, 623f).

[34] In diesem Sinne wäre die betont christologisch argumentierende Ekklesiologie von Karl-Heinz Menke (Sakramentalität. Wesen und Wunde des Katholizismus, Regensburg 2012) durch die pneumatologische Dimension der Offenbarung und des christlichen Glaubens zu erweitern. Die „pneumatologische Skizze zur Ekklesiologie" von Michael Böhnke (Kirche in der Glaubenskrise, Freiburg u. a. 2013) gibt hierzu Hinweise, ohne bereits auf Menkes Ekklesiologie einzugehen.

[35] Vgl. Papst Franziskus, Apostolisches Schreiben *Evangelii gaudium* vom 24. Nov. 2013, Nr. 104: „Das Amtspriestertum ist eines der Mittel, das Jesus zum Dienst an seinem Volk einsetzt, doch die große Würde kommt von der Taufe, die allen zugänglich ist. [...] Auch wenn die Funktion des Amtspriestertums sich als »hierarchisch« versteht, muss man berücksichtigen, dass sie »ganz für die Heiligkeit der Glieder Christi bestimmt« ist [Joh. Paul II., *Mulieris dignitatem*, 27]. Ihr Dreh- und Angelpunkt ist nicht ihre als Herrschaft verstandene Macht, sondern ihre Vollmacht, das Sakrament der Eucharistie zu spenden; darauf beruht ihre Autorität, die immer ein Dienst am Volk ist".

[36] „Vobis enim sum episcopus, vobiscum sum Christianus. Illud est nomen suscepti officii, hoc gratiae; illud periculi est, hoc salutis": Augustinus (?), Sermo 340,1 = Caesarius von Arles, *Sermo* 232 (CCL 104, 919-921). Der Ausspruch ist u. a. zitiert in *Lumen gentium*, Nr. 32.

4. Die Differenz von Amt und Person

Auf den ersten Blick scheint es, als laufe der Amtsverzicht Benedikts XVI. den genannten Eigentümlichkeiten des kirchlichen Amtes zuwider. Wenn es zutrifft, dass das kirchliche Amtsverständnis nicht das einer Bürokratie und auch nicht das einer charismatischen Herrschaft ist, wenn es vielmehr Grundzüge eines traditionalen Herrschaftstypus trägt, der durch die Einheit von Amt und Person gekennzeichnet ist, dann scheint Benedikts Amtsverzicht eher dem Typus bürokratischer Herrschaft zu entsprechen. Nicht wenige Kommentatoren haben ihn deshalb als „modern" gekennzeichnet – wobei eben auch nach Max Weber der bürokratische Herrschaftstypus kennzeichnend ist für den modernen Staat.[37]

Zum Papst wird jemand dadurch, dass der Betreffende zum Bischof von Rom gewählt wird.[38] Sein auf die Gesamtkirche bezogenes Hirten- und Lehramt übt der Papst als Bischof von Rom und insofern als Nachfolger und Stellvertreter der Apostel Petrus und Paulus aus. Eine eigene Weihe zum Papst gibt es nicht. Auch verleiht das Amt des Papstes kein „unauslöschliches Prägemal" (*character indelebilis*). Gleichwohl ist es – wie alle anderen kirchlichen Ämter auch – mit der Verheißung eines besonderen göttlichen Beistands verbunden. Seit dem 4. Jahrhundert wird Mt 16,18 auf das Amt des Bischofs von Rom hin gedeutet: „Und ich sage dir: Du bist Petrus, und auf diesen Felsen werde ich meine Kirche bauen, und die Tore des Totenreichs werden sie nicht überwältigen".[39]

In sakramententheologischer Perspektive ist das Amt des Bischofs von Rom jedem anderen Bischofsamt gleichgestellt. Und für dieses gilt, dass es von seinem Inhaber unter bestimmten Bedingungen zur Verfügung gestellt werden kann. Canon 401 § 2 CIC/1983 nennt als mögliche Gründe für einen Amtsverzicht die „angegriffene Gesundheit" eines Bischofs oder

---

[37] „Die ganze Entwicklungsgeschichte des modernen Staates insbesondere ist identisch mit der Geschichte des modernen Beamtentums und bürokratischen Betriebes": Die drei reinen Typen, 478.

[38] Vgl. Can. 331 CIC/1983 in Verbindung mit Can. 332 § 1. Ist der Betreffende zum Zeitpunkt seiner Wahl noch nicht Bischof, dann wird er (sofern dem keine Weihehindernisse entgegenstehen) nach Annahme der Wahl unverzüglich zum Bischof geweiht.

[39] Die früheste schriftliche Inanspruchnahme von Mt 16,18 für den römischen Primat findet sich unter dem Pontifikat von Damasus I. (366-384). Die römische Synode des Jahres 382 bezeichnet erstmals die Kirche von Rom exklusiv als „sedes apostolica" (Mirbt/Aland, Nr. 314). Und erst Siricius (384-399) bediente sich der Rechtsform der Dekretale, um seine Jurisdiktionshoheit zur Geltung zu bringen. Dieser Anspruch wurde von den übrigen Patriarchaten der sog. Pentarchie freilich nicht anerkannt. Vgl. dazu Schatz, Der päpstliche Primat, bes. 44f.

einen „anderen schwerwiegenden Grund“, der ihn daran hindert, seine Amtsgeschäfte wahrzunehmen.[40]

Was auch immer eine *gravis causa* sein mag[41] – jedenfalls entspricht der Grundgedanke von Can. 401 weniger dem personalen als vielmehr dem bürokratischen Herrschaftstypus nach Max Weber, insofern er auf die fachliche Eignung eines Amtsinhabers abhebt. Wenn sich nämlich abzeichnet, dass die mit einem verliehenen kirchlichem Amt verbundenen Aufgaben nicht mehr ausgeübt werden können, und wenn ein Verbleib im Amt der Kirche womöglich absehbar mehr Schaden als Nutzen zufügen würde, dann besteht offenbar nicht nur die Möglichkeit, sondern unter Umständen sogar die Pflicht, auf die Ausübung des Amtes zu verzichten. Der Codex spricht hier von einer „nachdrücklichen Bitte“, die an den betreffenden Bischof gerichtet ist (*rogatur episcopus*). Damit tragen die kirchenrechtlichen Bestimmungen einerseits der theologischen Überzeugung Rechnung, dass das kirchliche Amt immer größer ist als die Person, die mit ihm betraut ist, weil Gottes Heilshandeln jedes menschliche Bemühen überragt. Andererseits würdigen sie die enge Bindung von Amt und Person, die aus dem Wesen des christlichen Glaubenszeugnisses resultiert.

Grundsätzlich hat sich jeder Amtsträger den Aufgaben seines Amtes unterzuordnen und ihnen zu dienen. Hieraus unter bestimmten Umständen die Angemessenheit oder gar Notwendigkeit eines Amtsverzichts zu schlussfolgern, ist zwar naheliegend, im Einzelfall aber von den jeweils in Anschlag zu bringenden Kriterien abhängig. Dies gilt für jedes kirchliche Amt, und es lässt sich wohl kein plausibler Grund nennen, warum es nicht auch für das päpstliche Amt gelten sollte. Denn gerade mit ihm sind verantwortungsvolle Aufgaben verknüpft, die es zum Wohl der universalen Kirche zu erfüllen gilt, und die nicht zu erfüllen – oder nicht erfüllen zu können – der Kirche womöglich schweren Schaden zufügen.

---

[40] Can. 401 CIC/1983, § 1: Episcopus dioecesanus, qui septuagesimum quintum aetatis annum expleverit, rogatur ut renuntiationem ab officio exhibeat Summo Pontifici, qui omnibus inspectis adiunctis providebit. § 2: Enixe rogatur Episcopus dioecesanus, qui ob infirmam valetudinem aliamve gravem causam officio suo adimplendo minus aptus evaserit, ut renuntiationem ab officio exhibeat.

[41] Zur Problematik vgl. auch Christoph Ohly, *Gravis necessitas*. Erwägungen zu einem unbestimmten Begriff der kirchlichen Gesetzbücher, in: Archiv für katholisches Kirchenrecht 175 (2006) 473-485.

Aufgrund der inneren Beziehung von Amt und Person kann das kirchliche Amt nur dann der kirchlichen Gemeinschaft dienen, wenn der Amtsträger dazu in der Lage ist, die mit seinem Amt verbundenen Aufgaben wirksam zu erfüllen. Trotz allen Vertrauens auf den Heiligen Geist setzt dessen Wirken nach katholischem Verständnis immer auch die Fähigkeit und das Bemühen von Menschen voraus, im Denken und Handeln dem Willen Gottes zu entsprechen. Dabei dürfen Glaubende auf Gottes Beistand vertrauen; denn „der Geist nimmt sich unserer Schwachheit an“ (Röm 8,26).

Grundsätzlich gilt, dass Gottes gnädige Hinwendung zur Welt deren Wirklichkeit voraussetzt, um sie dann freilich mit Blick auf ihre endgültige Bestimmung zu vollenden: *gratia supponit naturam et elevat eam*. Dieses gnadentheologische Axiom gilt nicht zuerst der vernunftlosen Kreatur, sondern der angefochtenen und zerbrechlichen Natur des Menschen. Näherhin zielt es auf das Verhältnis zwischen dem göttlichen Handeln und der Freiheit des Menschen. Es begegnet in der Sakramententheologie, in der Lehre vom Glauben (*analysis fidei*) und vor allem in der theologischen Anthropologie. Seine Wurzeln reichen mit 1 Kor 15,45 bis zu Paulus zurück.[42] Während Bonaventura (gest. 1274) es eher kritisch betrachtet, wird das Axiom für Thomas von Aquin (gest. 1274) zum Schlüssel seines theologischen Denkens.[43] Auch in neueren Handbüchern der Dogmatik fehlt es kaum jemals.

Insofern das Axiom die Beziehung zwischen dem Handeln Gottes und der Freiheit des Menschen betrifft, ist es auch für eine Theologie des kirchlichen Amtes bedeutsam, insofern dieses als personale und auf Dauer angelegte Indienstnahme eines Menschen für das Heilshandeln Gottes verstanden werden darf.[44] Insofern lässt sich von ihm her auch der Amtsverzicht Papst Benedikts XVI. deuten – und dies in einer Perspektive, die

---

[42] Vgl. 1 Kor 15,45: „So steht es geschrieben: Der erste Mensch, Adam, wurde ein lebendiges Wesen [vgl. Gen 2,7], der letzte Adam wurde Leben spendender Geist.“ Zum Begriff des „Axioms“ vgl. Bernhard Stoeckle, „Gratia supponit naturam“. Geschichte und Analyse eines theologischen Axioms (Studia Anselmiana 49), Rom 1962.

[43] Vgl. Bonaventura, In II Sent., dist. 9, qu. 1, art. 9, corp.; Thomas von Aquin, In II Sent. 9, 9 ad 2: „Gratia supponit naturam et perficit et elevat eam“; vgl. auch Ders., Summa theol. I, q.1, a.8 ad 2, ebd. I, q.2, a.2 ad 1: „Sicut enim fides praesupponit cognitionem naturalem, sicut gratia naturam“; In Boethium de trinitate 2,3: „Natura praeambula est ad gratiam“ u. ö. Vgl. Jan Aertsen, Nature and Creature. Thomas Aquinas's Way of Thought (Studien und Texte zur Geistesgeschichte des Mittelalters 21), Leiden 1988.

[44] Vgl. Sabine Demel, Handbuch Kirchenrecht. Grundbegriffe für Studium und Praxis, Freiburg u. a. 2013, 47.

weitreichende amtstheologische und ekklesiologische Implikationen hat. Nur in Bezug auf diesen außergewöhnlichen Schritt und die von ihm her eröffneten Perspektiven soll das Axiom im Folgenden bedacht werden.

Das Amt in der Kirche umfasst vielfältige Ausprägungen. Dabei sind die Begriffe *officium* und *munus* in kirchlichen Dokumenten nicht immer kohärent voneinander unterschieden.[45] Grundlegend freilich ist die Unterscheidung zwischen dem dreigestuften sakramentalen Amt (*ordo*) und den nichtsakramentalen Ämtern. Zu letzteren zählen die Beauftragungen zu den Ämtern eines Akolythen oder Lektors, aber auch zu den Ämtern einer Ordinariatsrätin oder Richterin. Die Liturgie kennt nichtsakramentale Weihen zum Abt oder zur Äbtissin eines Klosters; daneben gibt es rein bürokratisch vollzogenen Beauftragungen mit einem Kirchenamt.

Unabhängig von der Sakramentalität des betreffenden Amtes drängt sich aus dogmatischer Perspektive die Frage auf, in welchem Verhältnis sich die mit einem kirchlichen Amt verknüpfte Zusage des Beistandes des Heiligen Geistes zu den Qualifikationen und Fähigkeiten des betreffenden Amtsträgers bzw. der Amtsträgerin verhält. Die jeweilige Antwort betrifft sowohl die Übernahme eines kirchlichen Amtes als auch der Verzicht darauf. Welche menschlichen Qualifikationen und Fähigkeiten setzt die Beauftragung mit einem kirchlichen Amt voraus, und welcher Beitrag ist vom Wirken des Heiligen Geistes zu erwarten? Und unter welchen Umständen rechtfertigt der Verlust menschlicher Qualifikationen oder Fähigkeiten den Verzicht auf ein kirchliches Amt, wenn doch der Beistand des dreifaltigen Gottes als grundsätzlich unbefristet gelten darf?[46]

Moderne Institutionen wählen ihre Mitarbeitenden in der Regel entsprechend den jeweiligen Qualifikationen und Fähigkeiten aus, die sie für ihre künftigen Aufgaben mitbringen. In biblischer Perspektive hingegen scheint Gott sein erwählendes Handeln oft gerade nicht an das Vorhandensein menschlicher Qualifikationen und Fähigkeiten zu binden. Dies gilt für die Berufung der Patriarchen und Propheten ebenso wie für die Erwählung des Volkes Israels: „Nicht weil ihr zahlreicher wäret als alle anderen Völker, hat sich der Herr euch zugewandt und euch erwählt – denn ihr seid das kleinste von allen Völkern –, sondern weil der Herr euch liebte und weil er den Eid hielt, den er euren Vorfahren geschworen hatte" (Dtn 7,7). Paulus zufolge hat Gott „das Törichte dieser Welt erwählt, um

[45] Vgl. dazu im Ausgang von CIC/1983, can. 154: Sabine Demel, Das kirchliche Amt in seiner sakramentalen Verankerung, in: Dies. u. a. (Hrsg.), Im Dienst der Gemeinde. Wirklichkeit und Zukunftsgestalt der kirchlichen Ämter, Münster 2002, 29-48, bes. 31f.

[46] Vgl. dazu Georg Essen, Gottes Treue zu uns. Geschichtstheologische Überlegungen zum Glauben an die göttliche Vorsehung, in: Internationale Zeitschrift Communio 36 (2007) 382-398.

die Weisen zu beschämen; und das Schwache dieser Welt hat Gott erwählt, um das Starke zu beschämen" (1 Kor 1,27). Der Apostel weiß sich seiner Berufung als gänzlich unwürdig; selbst bezeichnet er sich als „Missgeburt" (1 Kor 15,8). Wiederholt „rühmt" sich Paulus seiner Schwachheit, um so der Kraft Gottes Raum zu geben (vgl. 2 Kor 11,30; 12,5; 12,9f; vgl. 2 Kor 13,4). Gottes Kraft manifestiert sich nach Paulus in den „Gnadengaben" (*charismata*). Dabei handelt es sich um bestimmte Qualifikationen und Fähigkeiten, die dann als vom Geist gewirkt gelten dürfen, wenn sie dem Aufbau der Gemeinde (*ekklesía*) dienen: „Jedem wird die Offenbarung des Geistes so zuteil, dass es allen zugutekommt" (1 Kor 12,7).[47]

Bereits die Pastoralbriefe listen umfangreiche Kataloge von Tugenden und Eigenschaften auf, die ein Gemeindemitglied für ein kirchliches Amt allererst qualifizieren (vgl. 1 Tim 3,1-13; Tit 1,6f). Ob die Beauftragung mit einem Amt besondere Fähigkeiten verleiht, oder ob durch die Beauftragung vorhandene Fähigkeiten in den kirchlichen Dienst gestellt werden, ist eine weitreichende Frage, die als solche in den Pastoralbriefen noch nicht gestellt ist. Letztendlich zielt sie auf die Problematik, auf welche Weise Gott nicht nur in der Kirche, sondern in der Welt insgesamt und in Bezug auf die Menschen wirkt und handelt.

Das Vorhandensein bestimmter Qualifikationen bietet nicht nur eine Kriteriologie, der ein kirchlicher Amtsträger zu genügen hat. Sie kann auch als Hinweis auf eine göttliche Berufung zu einem bestimmten Amt gedeutet werden. Die hieraus resultierende Spannung zwischen Charisma und Amt führten bereits im 2. Jahrhundert zu unterschiedlichen Auffassungen in den christlichen Kirchen. Räumten gnostische Bewegungen und die Montanisten dem Wirken des Heiligen Geistes den Vorrang ein, so beharrte ihnen gegenüber beispielsweise Irenäus von Lyon (gest. um 200) auf der Normativität der apostolischen Tradition. Langfristig setzte sich in der katholischen Kirche ein Leitungsverständnis durch, dass dem institutionellen Charakter des kirchlichen Amtes den Vorrang gegenüber seiner pneumatischen Dimension einräumte.

Humanismus und Reformation veranlassten die katholische Kirche, im Rahmen der nachtridentinischen Reformen die Ausbildung der Kleriker zu intensivieren, um deren theologische, liturgische und pastorale Kompetenzen zu gewährleisten. Entsprechend wurden die Richtlinien für die verschiedenen Ausbildungsstätten formuliert. Die kirchlichen Autoritäten sahen sich fortan in der Verantwortung, die Eignung derer festzustellen, die in ein Priesterseminar oder Noviziat aufgenommen werden sollten.

---

[47] Vgl. Norbert Baumert, „Charisma". Versuch einer Sprachregelung, in: Theologie und Philosophie 66 (1991) 21-48.

Das Zweite Vatikanum und die nachkonziliaren Bestimmungen haben diese Ausrichtung bekräftigt.[48] Eine Weihe oder die Entgegennahme der Ordensgelübde scheinen nur dann gerechtfertigt, wenn die Kandidaten über entsprechende Qualifikationen verfügen. Zu ihnen zählen auch „entsprechende physische und psychische Eigenschaften".[49] Man darf annehmen, dass diese Bestimmungen wenn nicht ausschließlich, so doch auch von dem Gedanken geleitet sind, dass in der physischen und psychischen Gesundheit eines Kandidaten Hinweise auf seine Berufung zum Priesteramt oder Ordensberuf vorliegen.

Die Kirche kennt aber nicht nur qualifizierende Kriterien für die Übernahme eines kirchlichen Amtes. Sie weiß auch darum, dass Eigenschaften und Fähigkeiten, die für die Übernahme eines kirchlichen Amtes qualifizieren oder auch erst im Verlauf seiner Ausübung erworben werden, verloren gehen können. In erster Linie zählen hierzu das Abgleiten in Apostasie, Häresie oder Schisma.[50] Von dieser Gefahr galten selbst Päpste als nicht gefeit, wie die wiederholt und mit Leidenschaft geführten Diskussionen um das Problem eines möglichen *papa haereticus* andeuten. Bedeutende Theologen wie der bereits erwähnte Kardinal Bellarmin, der Jesuit Francisco Suárez (1548-1617) oder der Dominikaner Réginald Garrigou-Lagrange (1877-1964) hielten es durchaus für möglich, dass der Bischof von Rom in Glaubensfragen irren könne.[51]

---

[48] Vgl. CIC, can. 241, § 1: „In das Priesterseminar dürfen vom Diözesanbischof nur solche zugelassen werden, die aufgrund ihrer menschlichen, sittlichen, geistlichen und intellektuellen Anlagen, ihrer physischen und psychischen Gesundheit und auch ihrer rechten Absicht fähig erscheinen, sich dauernd geistlichen Ämtern zu widmen."

[49] Vgl. Zweites Vatikanisches Konzil, Dekret „Optatam totius", Nr. 6: AAS 58 (1966), 717. Vgl. CIC/1983, can. 1029: „Weihen sind nur jenen zu erteilen, die nach dem klugen Urteil des eigenen Bischofs bzw. des zuständigen höheren Oberen bei umfassender Würdigung einen ungeschmälerten Glauben haben, von der rechten Absicht geleitet sind, über die erforderlichen Kenntnisse verfügen, sich guter Wertschätzung erfreuen, über einen untadeligen Lebenswandel und erwiesene Charakterstärke sowie über andere der zu empfangenden Weihe entsprechende physische und psychische Eigenschaften verfügen." Vgl. auch CIC/1983, can. 1051: „Für das Skrutinium über die erforderlichen Eigenschaften eines Weihebewerbers [...] muss ein Zeugnis des Rektors des Seminars bzw. der Ausbildungsstätte vorliegen über die für den Weiheempfang erforderlichen Eigenschaften, näherhin über die Rechtgläubigkeit des Kandidaten, seine echte Frömmigkeit, seinen guten Lebenswandel, seine Eignung für die Ausübung des Dienstes und ebenso, aufgrund einer gehörigen Untersuchung, über seinen physischen und psychischen Gesundheitszustand."

[50] Vgl. CIC/1983, can. 1364, § 1 und 2.

[51] Vgl. Ulrich Horst, Unfehlbarkeit und Geschichte. Studien zur Unfehlbarkeitsdiskussion von Melchior Cano bis zum I. Vatikanischen Konzil (Walberberger Studien der Albertus-Magnus-Akademie. Theologische Reihe 12), Mainz 1982.

Dass das Fehlen einer bestimmten Qualifikation oder Fähigkeit zum Ausscheiden aus einem kirchlichen Amt führen konnte, zeigen die Papstabsetzungen des Mittelalters.[52] Meist ging es dabei um den Vorwurf der Apostasie oder der Häresie. Als amtsunfähig galt ein Kleriker aber auch aufgrund bestimmter körperlicher Einschränkungen. So wurde etwa im Sommer 768 Papst Konstantin II. wenige Monate nach seiner Einsetzung von seinen römischen Widersachern mit langobardischer Hilfe nicht nur für abgesetzt erklärt, sondern nach der Wahl Stephans III. zusätzlich geblendet und zu Klosterhaft verurteilt, um die Legitimität seines Nachfolgers zu sichern. Ähnlich überliefert Einhard in seiner Biographie Karls des Großen über Papst Leo III., dieser sei von seinen Widersachern in Rom geblendet worden; überdies sei ihm die Zunge herausgeschnitten worden, um ihn amtsunfähig zu machen.[53] Unabhängig von ihrer Historizität zeugen die Beispiele davon, dass nach mittelalterlicher Auffassung die Ausübung eines kirchlichen Amtes die körperliche Unversehrtheit des Amtsträgers voraussetzte.

Auch das geltende Kirchenrecht rechnet mit der rechtlichen oder physischen Unfähigkeit, ein kirchliches Amt weiter auszuüben. So zieht heute die Heirat eines Klerikers dessen „Amtsenthebung von Rechts wegen" (*ipso iure*) nach sich.[54] Verbreitet ist die aus Altersgründen oder wegen einer Krankheit eingetretene Unfähigkeit, ein kirchliches Amt auszuüben. Deshalb schreibt das Kirchenrecht vor, dass Pfarrer und Bischöfe ab dem 75. Lebensjahr ihr jeweiliges Amt zur Verfügung stellen müssen.[55] Seit dem Zweiten Vatikanischen Konzil ist der Amtsverzicht von Bischöfen keine Ausnahme mehr, sondern die Regel; meist erfolgt er aus Altersgründen. Die gesetzlichen Regelungen dienen sowohl der Entlastung der Amtsträger als auch dem Ziel, eine dauerhafte Amtsausübung zum Wohl der Kirche sicher zu stellen. Zugleich tragen sie der theologischen Einsicht Rechnung, dass die mit der Übertragung eines kirchlichen Amtes verheißene Gnade Gottes nicht schon als solche Handlungen ermöglicht, die über die natürlichen Fähigkeiten eines Amtsträgers hinaus reichen.

---

[52] Vgl. Harald Zimmermann, Papstabsetzungen des Mittelalters, Graz – Wien – Köln 1968.

[53] Vgl. Einhard, Das Leben Karls des Großen, Kap. 28: Die Kaiserkrönung; dazu Rudolf Schieffer, Das Attentat auf Papst Leo III., in: Peter Godman / Jörg Jarnut / Peter Johanek (Hrsg.), Am Vorabend der Kaiserkrönung. Das Epos „Karolus Magnus et Leo Papa" und der Papstbesuch in Paderborn 799, Berlin 2002, 75-86.

[54] Vgl. CIC/1983, can. 194, § 3. Die entsprechende Strafnorm bietet can. 1394, § 1.

[55] Vgl. CIC/1983, can. 538, § 3 (Pfarrer); can. 401, § 1 (Bischöfe).

6. Amt, Gnade und Freiheit

In ihrer Abhandlung „Endliches und ewiges Sein. Versuch eines Aufstiegs zum Sinn des Seins" aus dem Jahr 1936 spricht Edith Stein (1891-1942) von der endlichen Größe menschlicher Kraft: „Die Kraft, die einem Menschen jeweils als bereits vorhandener Besitz zur Verfügung steht, und selbst das ihm seiner Wesensbestimmtheit nach zugedachte Höchstmaß ist ein ‚Maß', d. h. ‚bemessen', eine endliche Größe. Jede freie Tat ist eine ‚Leistung', die Kraft verbraucht, und so kann schließlich eine natürliche Erschöpfung eintreten, wenn nicht aus den früher behandelten Quellen ausreichende Zuströme kommen. So kann der Fall eintreten, daß das Ich sich einer Forderung, die es vernimmt, nicht mehr gewachsen fühlt".[56]
Welche Bedeutung kommt vor diesem Hintergrund der göttlichen Gnade zu? Edith Stein entwickelt ihre These im Zusammenhang mit Überlegungen zur Christus-Nachfolge und der daraus resultierenden Grundlegung einer christlichen Ethik. Diese zeichnet sich nicht etwa dadurch aus, dass die Christus-Nachfolge den Menschen in einer Weise sittlich beanspruchte, die seine natürlichen Kräfte überstiege. Vielmehr fügt sie dem natürlichen Vermögen des Menschen eine neue Dimension hinzu, die dadurch charakterisiert ist, dass sie den Sinn des Ganzen, den *logos* der Wirklichkeit, in einer neuen Weise erschließt. Von diesem neuen Wirklichkeitsverständnis her wirken Natur, Freiheit und Gnade in einer neuen Weise zusammen. Damit ist nach Edith Stein freilich nicht gemeint, dass der Mensch in der Gnade „zu Kraftleistungen über seine Natur hinaus" in der Lage wäre. Denn „damit würde man ihm eine Schöpferkraft zusprechen, wie sie kein Geschöpf besitzen kann" (ebd.).
Diese gnadentheologischen Reflexionen sind bedeutsam für eine christliche Ethik, insofern sie betont, dass das Sollen des Menschen an sein naturhaftes oder intellektuelles Vermögen rückgebunden ist. So sehr es zutrifft, dass die Erfahrung des sittlichen Sollens auch die Möglichkeit impliziert, über das jeweilige Vermögen hinaus sittlich beansprucht zu sein, so gilt doch der Grundsatz, dass niemand über sein Vermögen hinaus zu einer sittlichen Handlung verpflichtet werden kann (*ultra posse nemo obligatur*).[57]

---

[56] Edith Stein, Endliches und ewiges Sein. Versuch eines Aufstiegs zum Sinn des Seins (Gesamtausgabe, S. 408f).

[57] Anders als in der deutschsprachigen wird das Prinzip in der angelsächsischen, vorwiegend analytisch ausgerichteten Theologie lebhaft diskutiert. Vgl. John Martin Fisher, „Ought-implies-can", causal determinism and moral responsibility, in: Analysis 63 (2003) 244-250. Auf Einschränkungen des Prinzips verweist: Moti Mizrahi, "Ougth" Does Not Imply „Can", in: Philosophical Frontiers 4 (2009) 19-35. Diese Hinweise ver-

Muss nicht aber der gläubige Christ davon ausgehen, dass sich die göttliche Gnade im Amtsträger so auswirkt, dass er sein Amt in irgendeiner auch empirisch wahrnehmbaren Weise besser ausüben kann? Ist der Glaubende nicht geradewegs dazu verpflichtet, den Beistand Gottes in Raum und Zeit zu erwarten – und dies nicht nur mit Blick auf ein kirchliches Amt? Jedes Bittgebet vertraut auf diesen Zusammenhang. Zumindest die Menschwerdung des Sohnes und die Auferweckung Jesu Christi setzen ein Handeln Gottes in Raum und Zeit voraus. Was also ist damit gemeint, dass die Gnade Gottes nicht nur die Natur voraussetzt, sondern sie „vervollkommnet" und „erhebt"?
Die scholastische Theologie hat in diesem Zusammenhang von den vielfältigen Gestalten der „geschaffenen Gnade" (*gratia creata*) gesprochen. Damit ist gemeint, dass sich Gottes Handeln in der Welt real und empirisch wahrnehmbar auszeitigt.[58] Dies darf freilich – wie heute vielfach betont wird – nicht so verstanden werden, als konkurriere die göttliche Gnade mit natürlichen Ursachen oder setze diese gar außer Kraft. Vielmehr bringt die Gnade die Eigenwirklichkeit des Geschaffenen allererst zur Geltung.[59] Deshalb schränkt die Gnade Gottes die Freiheit des Menschen nicht ein, sondern befreit sie allererst zu sich selbst.
Was aber heißt das konkret? Im Zusammenhang mit der wegen seines mangelhaften theologischen Wissens gefährdeten Aufnahme von Jean-Marie Vianneys (1786-1859) in das Lyoner Priesterseminar soll der damalige leitende Generalvikar Courbon den Wegbegleitern des späteren heiligen Pfarrers von Ars drei Fragen gestellt haben: „Ist Vianney fromm? Verehrt er die Gottesmutter? Kann er den Rosenkranz beten?" Die Antwort lautete: „Ja, er ist ein Vorbild an Frömmigkeit." Courbon soll daraufhin entschieden haben: „Ein Vorbild! Gut, ich berufe ihn. Die Gnade Gottes wird den Rest machen".[60] *„La grâce de Dieu fera le reste"* – wie ist

danke ich meinem St. Georgener Kollegen Josef Schuster SJ.

[58] Vgl. Georg Kraus, Gnadenlehre – Das Heil als Gnade, in: Glaubenszugänge. Lehrbuch der Katholischen Dogmatik, hrsg. v. Wolfgang Beinert, Bd. 3, Paderborn u. a. 1995, 159-305, bes. 248-262.

[59] Vgl. Karl-Heinz Menke, Das Kriterium des Christseins. Grundriss der Gnadenlehre, Regensburg 2003, bes. 184-207; Christoph Böttigheimer, Wie handelt Gott in der Welt? Reflexionen im Spannungsfeld von Theologie und Naturwissenschaft, Freiburg u. a. 2013, bes. 163-216. Zur Unterscheidung von „Wirken" und „Handeln" Gottes vgl. auch Klaus von Stosch, Gott – Macht – Geschichte. Versuch einer theodizeesensiblen Rede vom Handeln Gottes in der Welt, Freiburg u. a. 2006, 23-89; vgl. auch ders., Gottes Handeln denken. Ein Literaturbericht zur Debatte der letzten 15 Jahre, in: Theologische Revue 101 (2005) 89-108.

[60] „L'Abbé Vianney est-il pieux? A-t-il de la dévotion à la Sainte Vierge? Sait-il dire son chapelet?" – „L'abbé Vianney est un modèle de piété". – „Un modèle de piété! Eh

dieser Satz zu verstehen? Vermutlich vertrat der Generalvikar nicht die Auffassung, die Gnade Gottes würde Vianneys intellektuelle Defizite ausgleichen. Vielmehr lenkte er die Aufmerksamkeit auf dessen für das priesterliche Amt spezifisches Charisma: seine vorbildhafte Frömmigkeit.
Der Jesuit Béla Weissmahr (1929-2005) hat mit Recht darauf hingewiesen, dass die Vorstellung von einer unmittelbaren Intervention Gottes in der Geschichte Gott auf der Ebene innerweltlicher „Zweitursachen" lokalisierte.[61] Weissmahr folgert daraus, dass „der Begriff eines »göttlichen Wirkens in der Welt ohne innerweltliche Ursachen« unhaltbar ist".[62] Tatsächlich käme – wie auch Edith Stein zutreffend bemerkt – einem voraussetzungslosen Wirken allein Gottes ursprüngliche *creatio ex nihilo* gleich. Ist damit aber die Vorstellung von einem Handeln Gottes in der Welt grundsätzlich zu verabschieden? Dies aber widerspräche nicht nur der in Judentum und Christentum tief verwurzelten Praxis des Bittgebetes. Es führte letztendlich zu einem deistischen Gottesbild. In dessen Rahmen könnte die Rede von einem Handeln Gottes in der Welt nur noch als Mythos verstanden werden.
Die sich an solche Fragen anschließende Diskussion ist nahezu unüberschaubar.[63] Deshalb hier nur so viel: Wird heutzutage und anders noch als etwa bei Thomas von Aquin die Vorstellung von einem unvermittelten Eingreifen Gottes in den Lauf der Geschichte als auch in theologischer Perspektive problematisch erachtet, so zeichnet sich doch ein weit reichender Konsens hinsichtlich dessen ab, dass das Handeln Gottes in der Welt nicht auf die Naturordnung zielt, sondern auf die Ordnung der Freiheit. Damit aber kann es beim Wirken der Gnade prinzipiell nicht um eine kausale Einflussnahme gehen. Vielmehr tritt das Handeln Gottes als möglicher Bestimmungsgrund menschlicher Freiheit in den Blick. So spricht

---

bien, je l'appelle. La Grâce de Dieu fera le reste". Nach der Priesterweihe von Vianney soll Corbon gesagt haben: „L'Eglise n'a pas seulement besoin de prêtres savants, mais encore et surtout de prêtres pieux.": René Fourrey, Le Curé d'Ars authentique, Paris 2009 (Orig. 1964), 69-71.

[61] Vgl. Béla Weissmahr, Gottes Wirken in der Welt. Ein Diskussionsbeitrag zur Frage der Evolution und des Wunders, Frankfurt am Main 1973. Zur Unterscheidung von Gott als „Erstursache" und innerweltlichen „Zweitursachen" vgl. Böttigheimer, Wie handelt Gott in der Welt?, 164-170.

[62] Béla Weissmahr, Gibt es von Gott gewirkte Wunder? Grundsätzliche Überlegungen zu einer verdrängten Problematik, in: Stimmen der Zeit 191 (1973) 47-61, hier 48.

[63] Besonders im Rahmen der im angelsächsischen Sprachraum verbreiteten analytischen Theologie wird die Frage nach dem möglichen Handeln Gottes in der Welt intensiv erörtert. Vgl. den Überblick von: Thomas F. Tracy, Theologies of Divine Action, in: The Oxford Handbook of Religion and Science, hrsg. v. Philip Clayton, Oxford 2008, 596-611.

etwa Wolfhart Pannenberg (1928-2014) von einer „Inspiration menschlichen Handelns durch die Vision der Bestimmung des Menschen und durch den Geist der Liebe, der das Glück der Vollendung schon in der Gegenwart anbrechen lässt".[64] Thomas Pröpper (1941-2015) hat deshalb das Verhältnis von Vernunft und Offenbarung, von menschlicher Freiheit und göttlicher Gnade, als ein Bestimmungsverhältnis gefasst. Das Entscheidende, was menschliche Freiheit zu tun hat, „besteht zuerst und letztlich doch darin, dass sie Gottes im Geist gegenwärtige Liebe annimmt, sich selbst in ihr gründet und sie durch sich zur Wirkung kommen lässt".[65] Überall dort, wo sich die menschliche Freiheit durch Gottes Liebe anrühren und dahingehend bestimmen lässt, dass sie sich zugunsten Gottes und des Nächsten investiert, kann von einem durch die menschliche Freiheit vermittelten Handeln Gottes in der Welt gesprochen werden. *„Gott handelt, wo sein Heils-Wille geschieht* – durch und an Menschen, die sein Geist ergreift und zu Töchtern und Brüdern des »Sohnes« gemacht hat", so Jürgen Werbick.[66]

Demnach wirkt die Gnade Gottes nicht in der Weise, dass sie die Ordnung der Natur verändert, sondern dadurch, dass sie die Freiheit des Menschen im Sinne des göttlichen Heilswillens beansprucht. Zugleich befreit sie sie über alle Unzulänglichkeit hinaus zu sich selbst und erfüllt sie mit der Zuversicht auf ein letztes Gelingen in Gott. Auch kirchliche Amtsträger dürfen deshalb im festen Vertrauen auf jenen Gott sprechen und handeln, dessen Vollendungsmacht über jedes Scheitern hinaus erhofft werden darf.

Als geschaffene und somit endliche Freiheit findet sich die Freiheit des Menschen unausweichlich in vielfältiger Bedingtheit vor. Sein Wissen um die äußeren Umstände seines Handelns ist ebenso begrenzt wie sein natürliches Vermögen. Die der Freiheit wesentliche Spontaneität und formale Unbedingtheit äußert sich deshalb nie anders als in symbolischer Vermittlung.[67] Vermittelt ist die endliche Freiheit nicht zuletzt durch den Leib des Menschen.[68] Denn grundlegender noch als „Geist in Welt" (Rah-

---

[64] Wolfhart Pannenberg, Weltgeschichte und Heilsgeschichte, in: R. Koselleck / W. D. Stempel (Hg.), Geschichte – Ereignis und Erzählung, München 1973, 307-323, hier 322f.

[65] Vgl. Thomas Pröpper, Theologische Anthropologie, Bd. 2, Freiburg u. a. 2011, 1339.

[66] Jürgen Werbick, Art. „Geschichte / Handeln Gottes", in: Neues Handbuch theologischer Grundbegriffe, hrsg. v. Peter Eicher, Bd. 2, München 1991, 185-205, hier 203.

[67] Vgl. Thomas Pröpper, Autonomie und Solidarität. Begründungsprobleme sozialethischer Verpflichtung, in: ders., Evangelium und freie Vernunft. Konturen einer theologischen Hermeneutik, Freiburg u. a. 2001, 57-71, bes. 63.

[68] Phänomenologen wie Michel Henry sehen in der inkarnatorischen Struktur des Lebens sogar das gegenüber Freiheit, Geist und Leib Ursprüngliche im Menschen. Dies hat Folgen nicht nur für die „Geschlechtsidentität" (*gender*), sondern auch für das

ner) ist der Mensch „Geist in Leib", oder genauer: er ist „inkarniertes Subjekt" (Maurice Merleau-Ponty). Damit ist weder ein naturalistischer Monismus vertreten noch die Wirklichkeit von Freiheit bestritten. Wohl aber ist damit gesagt, dass gerade dann, wenn das Handeln Gottes in der Welt durch menschliche Freiheit vermittelt ist, diesem Handeln die leibliche Verfassung des Menschen nicht äußerlich ist – gerade auch in ihrer Hinfälligkeit. Deshalb kann es geschehen, dass – nach Paulus – „die Kraft ihre Vollendung am Ort der Schwachheit findet" (2 Kor 12,9). Aber auch das Gegenteil ist möglich: dass im langsamen Schwinden der körperlichen Kräfte und im Verdämmern des Geistes die Gegenwart Gottes kaum noch zu spüren ist.[69]

Angesichts dieser Alternative haben Johannes Paul II. und Benedikt XVI. für ihre Person und mit Blick auf das von ihnen ausgeübte Amt sehr unterschiedliche Konsequenzen gezogen. Hat Johannes Paul den körperlichen Verfall, dem er in seinen letzten Lebens- und Amtsjahren ausgesetzt war, im Sinne eines geistlichen Zeugnisses gedeutet und geduldig durchlitten, so hat Benedikt das Schwinden seiner Kräfte als einer mit seinem Amt unverträgliche Einschränkung gedeutet, das zum Wohl der Kirche Nötige zu tun.

7. Ausblick

Benedikts Amtsverzicht lädt zu einer vertieften Besinnung auf das Wesen nicht nur des päpstlichen, sondern des kirchlichen Amtes insgesamt ein. Der mutige Schritt ermöglicht eine vertiefte Besinnung auf die Berufung und die Sendung der Kirche insgesamt. Diese Dynamik ist in den Augen gläubiger Katholiken wohl weniger als „Entzauberung" im Sinne von Max Weber zu deuten als vielmehr dem schöpferischen Wirken des Heiligen Geistes in Zeit und Geschichte zu verdanken. Bedeutete er aber nicht letztendlich doch die Kapitulation vor dem Geist einer Moderne, in der augenscheinlich nur Leistung und Erfolg zählen? Ist Benedikt am Ende nicht doch dem alles beherrschenden Ökonomismus der Spätmoderne erlegen?

Verhältnis von Leib und Geist. Vgl. Henry, Michel, Inkarnation. Eine Philosophie des Fleisches, Freiburg im Breisgau 2004; Bernhard Waldenfels, Das leibliche Selbst. Vorlesungen zur Phänomenologie des Leibes, Frankfurt am Main ^{3}2000; Hermann Schmitz, Der Leib (Grundthemen der Philosophie), Berlin/Boston 2011.

[69] Vgl. den Entwurf einer Theologie des Alters von Eberhard Jüngel, „Meine Zeit steht in Deinen Händen" (Psalm 31,16). Zur Würde des befristeten Menschenlebens, in: ders., Indikative der Gnade – Imperative der Freiheit (Theologische Erörterungen 4), Tübingen 2000, 58–83.

Sosehr nach christlichem Verständnis gilt, dass Menschen vor dem barmherzigen Gott leben dürfen „vor aller Leistung und trotz aller Schuld", so sehr sind sie eingeladen, ihre Begabungen nach Kräften zum Wohl der Kirche und des Evangeliums einzusetzen. Die Übernahme eines kirchlichen Amtes kann hierzu einen Möglichkeitsraum eröffnen, zugleich aber auch Grenzen markieren. Angesichts menschlicher Schwäche kann sich gerade um des Wohles der Kirche und des Evangeliums willen einem kirchlichen Amtsträger die Einsicht aufdrängen, dass er sein Amt einer solchen Person anvertrauen sollte, die es im Sinne des Evangeliums besser als er selbst auszuüben imstande ist.

Diese Perspektive hat weitreichende Konsequenzen nicht nur für das päpstliche Amt. Nach dem Amtsverzicht Benedikts XVI. scheint die Frage nach der Befähigung für ein kirchliches Amt noch deutlicher in den Blick zu treten als in der Vergangenheit. Und dies nicht nur im Blick auf das Ende eines kirchlichen Dienstes, sondern auch im Blick auf seinen Beginn. Welche menschlichen, persönlichen und fachlichen Qualitäten sind unabdingbar, um ein kirchliches Amt in einer sich rapide verändernden Gesellschaft überzeugend und wirksam auszuüben?

Solche Fragen zu diskutieren bedeutet nicht zwangsläufig eine Kapitulation vor dem Zeitgeist der Moderne. Wohl aber bedeuten sie die Anerkenntnis dessen, dass Gott den Menschen nicht ohne den Menschen erlösen will.[70] Und dieser Mensch ist eben nicht nur jederzeit imstande, Höchstleistungen zu erbringen, sondern nicht selten zerrissen zwischen Wollen und Können (vgl. Röm 7,14-25).[71]

In der Nachfolge Jesu Christi steht jedes kirchliche Amt – das des Papstes nicht ausgenommen – in der unentrinnbaren Spannung zwischen Vermögen und Schwachheit, Sendung und Begrenzung. Nicht eine harmonische Synthese dieser Spannung ist vom Heiligen Geist zu erwarten, wohl aber die Einbergung allen menschlichen Bemühens in das Leben des dreifaltigen Gottes – und verbunden damit die zuversichtliche Hoffnung, dass der Herr selbst in seiner Kirche das Werk, dass er einst begonnen hat, „bis zum Tag Christi Jesu auch vollendet haben wird" (Phil 1,6).

---

[70] Vgl. Augustinus: „Der dich ohne dich geschaffen hat, er will dich nicht ohne dich erlösen" (Sermo 169, c. 11, n. 13: „Qui creavit te sine te, non iustificabit te sine te", zitiert bei Thomas von Aquin, Summa theol. III, q.84, a.5 corpus).

[71] In seiner Christus-Predigt hat sich Paulus nicht ohne Grund in erster Linie auf den gekreuzigten Gottesknecht bezogen. Vgl. hierzu Erhardt Güttgemanns, Der leidende Apostel und sein Herr. Studien zur paulinischen Christologie (Forschungen zur Religion und Literatur des Alten und Neuen Testaments 90), Göttingen 1966.

Gert Pickel

Ein moderner Papst?

Soziologische Anforderungsprofile eines Papstes in der Neuzeit

1. Zwischen Profil und Moderne

Für jede Kirchenführung stellt sich die Frage, wie sie sich im Zwiespalt zwischen der Anpassung an die Moderne und den eigenen Grundprinzipien bewegt. Einerseits kann ein zu starkes Verharren in alten Strukturen und Denkmustern zu Abwanderungen in der Mitgliedschaft führen, andererseits kann eine zu starke Ausrichtung am „Zeitgeist" gleiches bewirken. Doch damit nicht genug: Ein klares Profil und eine Verlässlichkeit der sozialen Verfasstheit von Religion ist von den Gläubigen genauso gewünscht, wie ein Bestehen in der „modernen" Welt. Dies umfasst die Form des Umgangs mit kirchlichen Ämtern und welche Signale gesetzt werden. Manchmal kommt es dabei zu Wendepunkten, in der Politikwissenschaft spricht man von sogenannten „critical junctures". So ein „critical juncture" kennzeichnete der Rücktritt des letzten Papstes Benedikt XVI. Er öffnete nicht nur seinen Nachfolgern die Möglichkeit in der Zukunft gleiches zu tun, sondern markierte auch einen Wandel im Papstverständnis. Nicht mehr der der Welt weit entrückte Hirte, welcher quasi über den praktischen Angelegenheiten des Amtes steht, wurde hier sichtbar, sondern der „Arbeiter Gottes" auf Erden, der auch das Recht besitzen muss, anderen den Weg frei zu machen, wenn seine Arbeit getan ist oder er sie aus seiner eigenen Sicht nicht mehr adäquat weiterführen kann. Auch die hohe Aktivität und die Forderungen des neuen Papstes Franziskus für ein stärkeres Eintreten für die Armen und Bedürftigen sowie gegen soziale Ungleichheit können als Versuche gedeutet werden, die theologischen und religiösen Ansprüche des Papstamtes verstärkt mit der sozialen Realität in Einklang zu bringen. Doch welchen Anforderungen sollte ein Papst in der Spätmoderne überhaupt gerecht werden?

Anforderungen ergeben sich zumeist aus sozialen, politischen und ökonomischen *Rahmenbedingungen*. Sie sollen in der Folge kurz aufgegriffen, auf die Entwicklung der christlichen Kirchen im Weltvergleich übertragen und dann in ihren Rückwirkungen auf das Papstamt diskutiert werden. Dabei nehme ich im Folgenden eine soziologische Sicht ein und werde mich theologischer Kommentare enthalten. Diese „nüchterne" Sichtweise kann helfen, das theologische und vor allem das derzeitige kirchliche Instrumentarium zu prüfen – und gegebenenfalls zu schärfen.

2. Anforderungen und Herausforderungen – Pluralisierung und Säkularisierung

Die Herausforderungen, denen alle Weltkirchen derzeit unterliegen, zeichnen sich vor allem durch ihre Vielfalt aus. Und diese Pluralität wiederum stellt bereits die zentralste dieser Herausforderungen dar. Die Moderne ist geprägt durch eine steigende Vielzahl an unterschiedlichen Forderungen seitens der Menschen. *Pluralisierung* nennt man soziologisch den diesem Phänomen zugrunde liegenden Prozess. Dies trifft auch auf die Mitglieder der christlichen Kirchen zu. Will das eine Mitglied einen familienfreundlichen Gottesdienst mit starker persönlicher Beteiligung, legt ein anderes Mitglied Wert auf kollektive Rituale und gemeinsamen Gesang und ein drittes Mitglied wieder will, dass sich gar nichts ändert. Pluralen Ansprüchen kann nicht (mehr) durch einheitliche Antworten begegnet werden. Sie verlangen ebenso plurale Antworten. Konzepte, wie die einer milieusensiblen Gestaltung von Gottesdiensten sind Überlegungen, die in diese Richtung zielen. Doch nicht immer sind sie erfolgreich, auch hier müssen verschiedene Geschmäcker bedient werden. Und zudem ist es schwer – und auch nicht unbedingt aus Gründen der Gemeinschaft im Namen Christi gewollt – ganz verschiedene Formen von gemeinsamen Feiern und Gottesdiensten *nebeneinander* zu feiern. Überfordert es auf der einen Seite die kirchlichen Dienstleister, die Pfarrer und Priester auf der Ebene der praktischen Umsetzung, so zersplittert es auf der anderen Seite das Verständnis *einer* Gemeinschaft in Christi in viele Gemeinschaften.

Noch schwieriger ist die Situation für den Papst als Oberhaupt dieser Gemeinschaft. Von ihm werden Antworten erwartet, die einerseits alle Gläubigen einschließen, andererseits aber auch die Pluralität in der Welt berücksichtigen. So unterscheidet sich eine Weltkirche, wie die katholische, genauso kulturell und hinsichtlich der sozialstrukturellen Voraussetzungen ihrer Mitglieder, wie sie sich in konservative, progressive, reformwillige und revolutionäre Beteiligte aufteilt. Allen kann man es nicht recht machen, sagt ein Sprichwort. Dies ist aber oft der Anspruch, dem sich ein Papst, vor allem mit dem in der Neuzeit eher belastenden Dogma der Unfehlbarkeit in theologischen Dingen versehen, ausgesetzt sieht.

Die Gefahren und Chancen der Pluralisierung zeichnet das religiöse Marktmodell auf. William Sims Bainbridge und Rodney Stark (1987) sehen gerade in der religiösen Pluralisierung die Zukunft einer vitalen Religiosi-

tät. Nur wenn die religiösen Anbieter durch ein vielfältiges Angebot auf dem religiösen Markt ihre plural ausgerichteten Nachfrager spezifisch und exklusiv befriedigen können, dann ist von einer vitalen Religiosität auszugehen. Dies sehen sie in den USA, aber auch in Teilen in Lateinamerika als gegeben an. Das abschreckende Gegenbeispiel ist aus ihrer Sicht fast ganz Europa. Dort versuchen Monopolanbieter, wie eben die katholische, die evangelische oder die christlich-orthodoxe Kirche mit einem Einheitsangebot den pluralen Bedürfnissen zu begegnen. Dies kann aus ihrer Sicht nicht gelingen. Zum einen verwässert das exklusive Angebot immer mehr, zum anderen werden die Bediensteten der Kirchen mit Vertrauen auf ihr Monopol immer inaktiver. Die Konsequenz ist eben der zu beobachtende, schleichende Mitgliederverlust der europäischen Großkirchen. Da schaffen auch Aufsplitterungen in den Großkirchen keine Abhilfe: Religiöse Pluralität wird aus Sicht der „Markttheoretiker" nicht innerhalb der Großkirchen, sondern allein durch eine Vielfalt an Kirchen und religiösen Gemeinschaften am besten abgebildet.
Selbst wenn Vertreter der Säkularisierungstheorie (Bruce 2002) von diesen Annahmen nicht überzeugt sind, scheint zwischen pluralen Ansprüchen und einer einheitlichen Ausrichtung auf eine Kirchenmeinung, bzw. gar einer Person an ihrer Spitze, ein gewisser Widerspruch zu bestehen. So geht Säkularisierungstheoretiker (Berger 1967) davon aus, dass religiöse Pluralisierung ein wesentlicher Schritt auf dem Weg zu einer umfassenden und weitreichenden *Säkularisierung* ist. Je mehr unterschiedliche Lehrmeinungen und religiöse Wahrheitsansprüche aufscheinen, desto unsicherer wird der Mensch in dem, was er glauben soll. Die Distanz zur religiösen Weltdeutung breitet sich dann immer mehr aus. Zudem wenden sich immer mehr Menschen aufgrund eines von ihnen gesehenen Widerspruchs zwischen den rationalen Entscheidungsprämissen der Moderne und Religion von letzterer ab. Die Herausforderung der Säkularisierung stellt damit – allen schönen Worten über eine Wiederkehr des Religiösen oder der Götter (Graf 2004) zum Trotz – die wohl größte Herausforderung für einen modernen Papst dar – zumindest in Europa.
Warum Europa? Die angesprochenen Prozesse der Säkularisierung, Rationalisierung und religiösen Pluralisierung sind vor allem dort zu beobachten. In der restlichen Welt scheinen sie wesentlich verzögert – wenn überhaupt – vonstatten zu gehen. Diese Unterschiede zwischen Europa, den westlichen Industrieländern und dem Rest der Welt hängen vermutlich stark mit Prozessen der *Modernisierung* und der Globalisierung zusammen. So verweisen Ergebnisse der religionssoziologischen Analyse immer wieder auf die Verklammerung zwischen Wohlfahrt und Säkularisierung (Norris/Inglehart 2004; Pickel 2009). Scheinbar glauben und beten Menschen in Not eher, Wohlstand dagegen fördert individualisierte

Rationalität und zumindest Kirchenferne. Nicht jeder Mensch verfügt aber über diese Wohlfahrtsvoraussetzungen. Damit werden die unterschiedlichen Anforderungen nur noch deutlicher sichtbar: Benötigen die Einen Hilfen in Not und Leid, sind es bei den Anderen intellektuelle Bedürfnisse, die im Vordergrund theologischen und religiösen Denkens stehen müssen. Doch nicht die Wohlfahrt an sich macht dem Papsttum zu schaffen, sondern eher das ebenfalls mit der Moderne eng verwobene Misstrauen gegenüber Institutionen und Autoritätsstrukturen. Im Zuge der *Individualisierung*, wie sie für moderne Gesellschaften konstitutiv ist, streben die Menschen nach einer stärkeren Selbstentfaltung und versuchen, sich aus einengenden Vorgaben und Bevormundung zu lösen. Eine klar auf Autorität ausgelegte Position, wie die des Papstes, passt da nicht gut hinein. Zumindest nicht, solange die dann eingeforderten basisdemokratischen Initiativen nicht einen eigenbestimmten Einfluss erhalten.

Doch nicht nur die Modernisierung, auch die *Globalisierung* bringt Probleme für die christlichen Kirchen mit sich. Nimmt man Hinweise auf eine Wiederkehr der Religionen ernst, dann steht diese im Kontext religiöser Konflikte (Riesebrodt 2001). Selbst wenn man das von Samuel Huntington (1996) geprägte Schlagwort des „Kampfes der Kulturen" ablehnt, treffen christliche Ansprüche auf Ansprüche anderer Religionen. Nun gab es diese Konflikte schon früher. Nur heute werden sie zu Auseinandersetzungen unter veränderten Bedingungen. So leben Mitglieder verschiedener Religionen nicht mehr an getrennt an unterschiedlichen Orten, sondern zum Teil in den gleichen politischen Gemeinschaften. Inwieweit eine Wiederkehr der Religionen auf einem anachronistischen Freund-Feind-Verständnis wirklich Ziel von Religionen – und auch gerade des Christentums – sein kann ist zumindest fraglich. Religiöse Pluralisierung bedeutet somit noch etwas anderes, nämlich die Frage danach, wie Religionen am besten (friedlich) miteinander umgehen – ohne ihr spezifisches Profil aufzugeben. Dieses Dilemma zwischen Ökumene und auf Profil ausgerichteter Abgrenzung muss durch jede Kirchenführung gelöst werden. Gerade hier finden sich aber auch Möglichkeiten für die Ausgestaltung des Papstamtes. So kann der Papst aufgrund seiner personalisierten Sichtbarkeit, welche keine andere Religion in vergleichbarem Ausmaß aufweist, hier mit friedensstiftenden Apellen und Aktivitäten deutliche Zeichen setzen. Und dies wird vor dem Hintergrund kriegerischer Konflikte, die nicht selten mit Religionen in Zusammenhang stehen bzw. in Zusammenhang gebracht werden, zukünftig immer notwendiger werden.

3. Herausforderung und Chance – Soziale Ungleichheit

Ein anderer Bereich, welcher der Lösung harrt, ist die starke Ausbreitung *sozialer Ungleichheit* in der Welt. Auch sie ist im Kontext von Modernisierung und Globalisierung zu sehen. Nahmen noch frühe Modernisierungstheoretiker (Lipset 1959) an, dass mit einem Fortschritt der Modernisierung (Wohlstandsgewinne, Demokratisierung, Bildungsexpansion) automatisch eine Reduktion sozialer Ungleichheit einsetzen würde, so ist man diesbezüglich mittlerweile deutlich skeptischer geworden. Soziale Ungleichheit scheint ein Phänomen zu sein, welches nicht aus der Welt verschwindet. Gerechtigkeitsideale, die auf Leistungsprinzipien und Chancengleichheit beruhen, also die Kernprinzipien spätmoderner liberaler Wohlfahrts- und Marktgesellschaften, befördern den Erhalt einer bestimmten Größe an sozialer Ungleichheit. So wird sie doch auch als Triebkraft für ökonomischen Fortschritt angesehen. Dies empfinden übrigens ungefähr 60 % der Deutschen nach Umfragedaten aus den Studien der Allgemeinen Bevölkerungsumfrage der Sozialwissenschaften (Allbus) seit 1991 bis heute so. Entsprechend wird trotz aller Wohlfahrtsgewinne auch in den modernen Industriegesellschaften des Westens gelegentlich von „Drittelgesellschaften“ (ein Drittel sozial Deprivierter) und sozialer Verelendung gesprochen.

Damit bleibt soziale Ungleichheit auch in Europa ein bedeutendes Thema, selbst wenn die fortgeschrittene sozioökonomische Modernisierung und eine damit verbundene institutionalisierte Solidarität über soziale Sicherungssysteme dort diese Problematik sicher dämpft. Dies wird deutlich, wenn man seinen Blick über Europa hinaus ausweitet. So ist soziale Ungleichheit vielleicht das zentrale Problem in anderen Regionen der Welt, wie Lateinamerika, Asien oder gerade auch Afrika. Nimmt man einen Indikator der sozialen Ungleichheit, den GINI-Index, welcher mit 1 das höchste Maß an Ungleichheit und mit 0 vollständige Gleichverteilung der Einkommen erfasst, dann liegt das Gros der afrikanischen und lateinamerikanischen Länder über .50, aber auch manch osteuropäischer (Russland .43) und asiatischer Staat kommt an diese ungünstigen Werte heran. In Europa liegt der Schnitt unter .30, in Deutschland derzeit bei .28.[1] Soziale Ungleichheit ist also ein drängendes Problem. Angesichts Franziskus' Herkunft (Argentinien besitzt einen GINI-Koeffizienten von .43) ist es dann wenig überraschend, dass der neue Papst Franziskus sich ganz speziell dieses Themas annimmt. Auch diese Herausforderung ist, wie bereits der Umgang mit religiöser Pluralisierung, als Chance zu begreifen. Wichtig

[1] Alle der ermittelten Daten basieren auf Zusammenstellungen der United Nations (UNDP-wider).

ist aber, dass hier auch von den Kirchen und einem Papst eine für alle Gläubigen klar erkennbare Position erwartet wird.

4. Profile eines Papstes in der Neuzeit

Wie muss nun ein Papst aussehen, der sich diesen Herausforderungen stellen kann? Neben den bereits skizzierten strukturellen Rahmenbedingungen sind hier auch andere Veränderungen der Welt im Rahmen von Modernisierung und Globalisierung zu berücksichtigen. So ist einer der zentralen Aspekte der Globalisierung die Ausweitung und Diffusion weltweiter Kommunikationsstrukturen. Eine andere ist die Frage nach effektiver, aber auch demokratisch legitimierter Leitung von Organisationen.

a) Der Medienpapst

Aus der *Veränderung der Kommunikationsstrukturen* ergibt sich ein verändertes Anforderungsprofil an mediale Darstellung und Imagepflege. Für nicht wenige Gläubige in Europa ist die Kirche fern und sie können (oder wollen) kaum persönliche Erfahrungen mit ihr sammeln. Dazu trägt nicht selten ein ungünstiges Bild der Kirche bei. Sie wird als konservativ, unflexibel und gelegentlich auch wenig friedfertig gesehen. Diesem Bild kann man nur durch ein entgegengesetztes Profil begegnen, allerdings muss dieses auch über Medien vermittelt werden. Entsprechend kommt der „Imagepflege" im modernen Kommunikationszeitalter eine ganz andere Bedeutung zu, als dies noch für frühere Päpste und Kirchenführer der Fall war. Und die Medien sind schneller geworden und werden weiterhin immer schneller. Skandale wie auch Verfehlungen und Äußerungen „der Kirche" werden immer schneller publik, sind nicht mehr, so wie teilweise noch vor einigen Jahrzehnten, kontrollierbar oder zurückhaltbar. Das Internet mit seinen digitalen sozialen Netzwerken und erhöhtes Medienaufkommen tragen zu einer raschen Verbreitung bei. Skandale und Negativmeldungen erregen dabei die meiste Aufmerksamkeit und werden den Prinzipien der Medien entsprechend noch schneller und breiter verteilt. Dies beeinflusst die Wahrnehmung der Gläubigen mittlerweile in vielen Regionen der Welt nachhaltiger als Gottesdienste oder andere Verlautbarungen.
Vor diesem Hintergrund muss ein moderner Papst auch ein Medienpapst sein. Von ihm erwartet man eine Repräsentation des „Images" der katholischen Kirche. Auch sollte er ein schnell reagierender und offener *Kommunikator* sein, der sich mit einer Vielzahl anderer Teilnehmern ausei-

nandersetzt. Dies umschließt persönliche Formen der Kommunikation wie auch digitale, aber vor allem eine Form von Kommunikation, die modernen Gesellschaften angemessen ist – nicht nur hierarchisch von oben herab, sondern auch auf Augenhöhe mit den Gläubigen. Sicherlich, damit ergibt sich ein Problem, wird doch die bislang häufig noch praktizierte Hierarchie der Kommunikation der Kirche mehr und mehr durchlöchert. Ein religiöses Regieren mit abstrakten Verlautbarungen reicht nicht mehr aus, um das Papstamt adäquat auszufüllen. Dies bedeutet nicht zwangsläufig Belanglosigkeit und Geschwätzigkeit oder auch vollständigen Kontrollverlust. Vielmehr ist es, auch aufgrund der dann erfolgenden weltweiten Verbreitung der Aussagen, notwendig, diese gut abzuwägen und durchdacht und in Verbindung mit einem Gesamtkonzept zu transportieren. Die Gläubigen müssen die Botschaft verstehen, sie in Einklang mit ihrem Alltagsleben bringen können und diese dann selbstbewusst akzeptieren.

b) Der soziale Papst

Eine andere Komponente ist die soziale Frage. Sie wurde bereits im Themenkomplex der Herausforderung soziale Ungleichheit angesprochen. Hier hat gerade der neue Papst Franziskus eine Position eingenommen, die aus Sicht der christlichen Kirchen sehr gut vertretbar ist: Er stellt sich auf die Seite der Armen und geht damit in eine gewisse Distanz zur Politik. Auf diese Weise ist er in zweierlei Hinsicht modern. Zum einen stellt die Frage sozialer Ungleichheit und sozialer Not eine Kernfrage des christlichen Glaubens dar, die gleichzeitig konkret in der Realität verankert ist. Sozialer Not entgegenzutreten ist eine Aufgabe der christlichen Kirchen. Nichts hat dem Bild der christlichen Kirchen wohl mehr geschadet als ihre Wahrnehmung als eine – Monarchien vergleichbare – Herrschaftsinstitution, die sich im Konfliktfall mit den Mächtigen ins Einvernehmen setzt. Anerkennung unter den Gläubigen (und auch Anhängern anderer Religionen oder Areligiösen) erfährt die Kirche da, wo sie für die sozial Schwachen eintritt. Dies zeigt auch das Vertrauen, welches in Caritas und Diakonie gesetzt wird.
Zum anderen folgt man mit dieser Abwendung von einem herrschaftsinstitutionellen Verständnis einer Prämisse moderner Gesellschaften und reagiert in gewisser Hinsicht sogar auf Säkularisierungsprozesse. So verweist Jose Casanova (1994) – ob nun zu Recht oder auch nicht sei einmal dahingestellt – auf die Mehrdimensionalität von Säkularisierung. In ihr liegen auch Möglichkeiten begründet. So ist allein der Prozess der Trennung von Religion und Politik oder von Kirche und Staat als ein kontinu-

ierlicher (und möglicherweise unabänderlicher) Prozess der Moderne zu begreifen, der Rückgang der Gläubigen und Mitgliederzahlen sowie die Wirksamkeit und Durchsetzungskraft religiöser Werte dagegen sei ein historisch kontingenter Prozess – und damit nicht zwangsläufige Folge der Modernisierung. Allerdings, so schlussfolgert Casanova gerade für seine Beispiele aus dem katholischen Raum, kommt es dann zu einer Verknüpfung aller drei Prozesse der Säkularisierung, wenn die Kirche nicht bereit ist, den Universalprozess der Differenzierung von Politik und Religion anzuerkennen und ihm entgegenzuwirken versucht.

Die aus diesen Überlegungen ableitbare Konsequenz ist die Bereitschaft eines Papstes der Neuzeit sich zwar politisch zu betätigen, aber sich von institutionalisierter Politik fernzuhalten. Wie soll dies gehen? Möglicherweise relativ einfach: über das Vertreten einer Position für soziale Schwache und ein verstärktes Engagement auf dem Sektor der Zivilgesellschaft. Unrecht und Ungleichheit sind anzuprangern, dies aber bei einer hinreichenden Distanz zum politischen „Establishment". Dies impliziert einen Lebensstil, der ein solches Engagement glaubwürdig macht. Diesen muss der Papst demonstrieren, aber auch alle seine Gefolgsleute.

c) Der Kirchenorganisator

Eine letzte, aber genauso wenig zu unterschätzende Aufgabe eines Papstes in der Neuzeit ist seine Fähigkeit Organisationsaufgaben zu übernehmen und Entscheidungen zu treffen. Moderne, komplexe und ausdifferenzierte Organisationen benötigen erhebliche Führungskenntnisse. Gleichzeitig kann man moderne, weltweit agierende Organisationen nicht mehr durch Dekrete oder einfach produzierte Verlautbarungen steuern. Die Steuerung dieser „modernen Unternehmen", zu denen die christlichen Weltkirchen und speziell die katholische Kirche zu zählen sind, erfordert *„Managementqualitäten"*. Dies setzt den professionellen Umgang mit Mitarbeitern genauso voraus, wie die Reaktion auf Prozesse der Mitbestimmung, Demokratisierung und Transparenz von Entscheidungen. Einsame Entscheidungen werden nur dann seitens der Gläubigen akzeptiert werden, wenn sie zum Nutzen aller Kirchenmitglieder sind. Ansonsten wird die Legitimität dieser Entscheidungen zukünftig immer stärker von einer, anfangs noch begrenzten, Beteiligung der Gläubigen an diesen Entscheidungsprozessen abhängen. Dies ist eine Folge der Durchsetzung von Demokratie als Ordnungsprinzip wie auch der Gewinne an individueller Freiheit. Sicher, in manchen Regionen der Welt mag dies bis heute nur eine untergeordnete Rolle spielen, doch verschiedene Umfragen zeigen, dass dieser Wunsch nach individueller Freiheit von Afrika bis Europa besteht.

Fazit

Ein moderner Papst muss vieles können. Sein Amt und die Ansprüche der Gläubigen an dieses Amt erfordern dies – oder besser – fordern dies von ihm ein. Dabei ist es vor allem der Wandel der Rahmenbedingungen in der Welt, welcher einen anderen Umgang mit diesem Amt erfordert, als es vielleicht noch vor wenigen Jahrzehnten (auf jeden Fall vor Jahrhunderten) der Fall war. Die Folgen aus Prozessen der Modernisierung und der Globalisierung sind nicht mehr zu ignorieren und dürfen dies auch durch einen Papst, welcher heute aufgrund der medialen Verbreitung noch mehr als vielleicht früher für die katholische Kirche im Ganzen steht, nicht ignoriert werden. Ein Papst in der Neuzeit muss Kommunikationstalent, Repräsentationsfunktion, soziale Verantwortung, kommunikative Offenheit und Organisationsfähigkeit besitzen. Er muss quasi Konzernchef eines internationalen Unternehmens sein – und mehr. Denn neben den strukturellen Fähigkeiten bedarf es auch eines tiefen Glaubens und einer engen Verbundenheit zur christlichen Lehre. Das theologische Element und das praktisch-diesseitige Element können dabei in modernen Gesellschaften nicht gegeneinander ausgespielt werden. Beides muss seinen Platz haben und wenn möglich in Einklang miteinander gebracht werden. Themen, wie der Kampf gegen soziale Ungleichheit oder der Einsatz für sozial Benachteiligte zeigen, dass dies sehr wohl möglich ist. Gleichzeitig bleiben auch Diskrepanzen zwischen den Anforderungen moderner Gesellschaften und Positionen der Kirche, die ein Papst vermitteln muss. Die Gläubigen der Neuzeit leben eben in dieser, nur ist diese auch an verschiedenen Orten der Welt unterschiedlich. Eine Glaubensvermittlung, welche den Verhältnissen dieser Neuzeit immer fremder wird, wird auf Dauer auch die Gläubigen nicht mehr befriedigen. Anpassungen sind notwendig und nicht immer gleich an allen Stellen als unmöglich aufgrund verfestigter theologischer Positionen anzusehen. Auch viele der jetzt so unveränderbar erscheinenden Positionen sind über die Zeit, in Auseinandersetzung mit den sozialen und kulturellen Veränderungen der Welt, entstanden. Hier ist ein Papst der Neuzeit gefordert, will er nicht den Zugang zu den Gläubigen verlieren.

Literatur

Bruce, S. (2002): God is Dead: Secularization in the West. Oxford: University Press.

Casanova, J. (1994): Public Religions in the Modern World. Chicago: University Press.

Graf, F.-W. (2004): Die Wiederkehr der Götter. Religion in der modernen Kultur. München: C.H. Beck.
Huntington, S. (1996): Kampf der Kulturen. Die Neugestaltung der Weltpolitik im 21. Jahrhundert. München: Goldmann.
Lipset, S. M. (1959): Political Man. The Social Basis of Politics. Baltimore: Johns Hopkins.
Norris, P., Inglehart, R. (2004): Sacred and Secular: Religion and Politics Worldwide. Cambridge: University Press.
Pickel, G. (2009): Contextual Secularization. Theoretical Thoughts and Empirical Implications. Religion and Society in Central and Eastern Europe 4/1: 3-20.
Riesebrodt, M. (2001): Die Rückkehr der Religionen. Fundamentalismus und der „Kampf der Kulturen“. München: Beck. (2. Auflage).
Stark, R., Bainbridge W. S. (1987): A Theory of Religion. New York: Peter Lang.

Herausgeber, Autorinnen und Autoren

Anba Damian, geb. 1955 in Kairo (EG), ist Generalbischof der koptisch-orthodoxen Kirche in Deutschland.

Ansorge, Dirk, geb. 1960 in Gelsenkirchen, ist Professor für Dogmatik an der Philosophisch-Theologischen Hochschule Sankt Georgen in Frankfurt am Main.

Buckenmaier, Achim, geb. 1959 in Hechingen, ist Professor für Dogmatik und Direktor des Lehrstuhls für die Theologie des Volkes Gottes an der Päpstlichen Lateranuniversität Rom (I).

Delgado, Mariano, geb. 1955 in Berrueces (E), ist Professor für Mittlere und Neuere Kirchengeschichte und Direktor des Instituts für das Studium der Religionen und den interreligiösen Dialog an der Universität Freiburg (CH).

Eßer, Günter, geb. 1949 in Köln, ist Professor für Alt-Katholische Theologie und Direktor des Alt-Katholischen Seminars der Rheinischen Friedrich-Wilhelms-Universität Bonn.

Leb, Ioan-Vasile, geb. 1953 in Mihăileni (RU), ist Professor für Kirchengeschichte an der Fakultät für Orthodoxe Theologie der „Babeş-Bolyai" Universität Cluj-Napoca (RU) und Lehrbeauftragter für Kirchengeschichte und Autokephale Orthodoxe Kirchen an der LMU München.

Mennecke, Ute, geb. 1958 in Braunschweig, ist Professorin für Kirchengeschichte an der Rheinischen Friedrich-Wilhelms-Universität Bonn.

Pickel, Gert, geb. 1963 in Kronach, ist Professor für Religions- und Kirchensozologie an der Universität Leipzig.

Platten, Stephen, geb. 1947 in Southgate (UK), war von 2003 bis 2014 Bischof von Wakefield (UK).

Rahner, Johanna, geb. 1962 in Baden-Baden, ist Professorin für Dogmatik, Dogmengeschichte und Ökumenische Theologie an der Eberhard Karls-Universität Tübingen.

Rees, Wilhelm, geb. 1955 in Augsburg, ist Professor für Kirchenrecht an der Universität Innsbruck.

Ring, Matthias, geb. 1963 in Wallenfalls, ist Bischof des Katholischen Bistums der Alt-Katholiken in Deutschland.

Stubenrauch, Bertram, geb. 1961 in Teugn, ist Professor für Dogmatik und Ökumenische Theologie und Direktor des Ökumenischen Forschungsinstituts an der LMU München.

Thull, Philipp, geb. 1987 in Trier, ist Referent für Kirchenrecht am Bischöflichen Generalvikariat Hildesheim.

Vorholt, Robert, geb. 1970 in Münster/Westfalen, ist Professor für Exegese des Neuen Testaments an der Universität Luzern (CH).